Über dieses Buch Die Zone Drei eines ungenannten Planeten im Sternenreich ›Canopus‹ lebt unter einer matriarchalischen Ordnung in paradiesischem Frieden. Der Erzähler des Romans, ein Sänger und »Memorand«, berichtet von Freundlichkeit und Liebe, Sorglosigkeit und materiellem Überfluß.
Die Königin der Zone Drei, Al Ith, ist eine schöne, sinnliche Frau und Mutter mehrerer Kinder. Sie erreicht unerwartet ein Befehl der Herrscher von ›Canopus‹: Al Ith soll den König von Zone Vier, den kriegerischen Ben Ata, heiraten. Die ganze Zone Drei trauert, denn jedem ist bekannt, daß Zone Vier ein unfreundlicher, sumpfiger, regnerischer Ort ist, der von unzivilisierten Kriegern bewohnt wird, die ihre Frauen unterdrücken.
Al Ith zieht trauernd zu Ben Ata. Die beiden begegnen einander voller Mißtrauen, aber im Laufe der Zeit »zivilisiert« Al Ith ihn – zunächst in der Erotik, dann im Gesellschaftlichen. Schließlich bringt sie ihn sogar dazu, seine Kriegsspiele aufzugeben und seine Armee zu entlassen. Ben Ata ist durch seine Liebe zu ihr ein anderer Mann geworden.
Auch die Lebensbedingungen in der Zone Vier verbessern sich, die Frauen des Kriegervolkes finden zu neuem Selbstbewußtsein. Nach der Geburt seines Sohnes erhält Ben Ata aus dem Sternenbild ›Canopus‹ den Befehl, die noch wildere Nomadenkönigin der Zone Fünf zu heiraten. Al Ith aber blickt sehnsüchtig nach den Bergen der Zone Zwei.
Dieser zweite Roman ist der leichteste, der verspielteste im gesamten ›Canopus‹-Zyklus: ein Märchen um die Auseinandersetzung zwischen Zivilisation und Barbarei.

Die Autorin Doris Lessing, 1919 in Persien geboren, wuchs auf einer Farm in Südrhodesien auf und kam im Alter von dreißig Jahren nach England, wo sie 1950 ihren ersten Roman publizierte. In Deutschland erlangte sie erst durch die Veröffentlichung ihres Hauptwerks ›Das goldene Notizbuch‹ im Jahre 1978 Berühmtheit. Heute zählt Doris Lessing zu den bedeutendsten Schriftstellerinnen der Gegenwart.
Der Zyklus ›Canopus im Argos‹ besteht aus folgenden fünf Bänden: ›Shikasta‹; ›Die Ehen zwischen den Zonen Drei, Vier und Fünf‹; ›Die sirianischen Versuche‹; ›Die Entstehung des Repräsentanten von Planet 8‹; ›Die sentimentalen Agenten im Reich Volyen‹.

Die Bände von Doris Lessing im Fischer Taschenbuch Verlag finden Sie auf der letzten Seite in diesem Band.

Doris Lessing

Canopus im Argos: Archive II

Die Ehen zwischen den Zonen Drei, Vier und Fünf

(Nach Berichten der Chronisten der Zone Drei)

Roman

Aus dem Englischen von
Manfred Ohl und Hans Sartorius

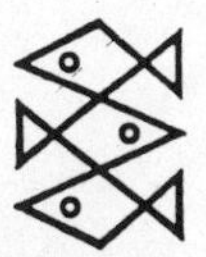

Fischer
Taschenbuch
Verlag

13.–15. Tausend: April 1989

Ungekürzte Ausgabe
Veröffentlicht im Fischer Taschenbuch Verlag GmbH,
Frankfurt am Main, Oktober 1987

Die englische Originalausgabe erschien 1980 unter dem Titel
›Canopus in Argos: Archives. The Marriages Between Zones Three, Four, and Five. As Narrated by the Chroniclers of Zone Three‹
im Verlag Jonathan Cape Ltd., London.

Umschlaggestaltung: Jan Buchholz / Reni Hinsch
Illustration von Wolfgang Rudelius
Gesamtherstellung: Clausen & Bosse, Leck
Printed in Germany
ISBN 3-596-29147-X

Gerüchte zeugen Klatsch; aber in noch höherem Maße zeugen sie Lieder. Wir, die Chronisten und Liedermacher unserer Zone, behaupten, daß uns die Lieder erreichten und von einem Ende der Zone Drei bis zum anderen Ende verbreitet und ausgeschmückt wurden, noch ehe sich die Partner dieser beispiellosen Ehe darüber klar waren, was die neuen Weisungen für sie beide bedeuteten. Und natürlich war es in Zone Vier nicht anders.

Hoch und Tief
Groß und Klein
Vier in Drei
Das kann nicht sein.

Das war ein Abzählreim der Kinder. Am Tag, nachdem ich die Neuigkeiten erfahren hatte, beobachtete ich sie von meinem Fenster bei diesem Spiel. Und auf der Straße rannte ein Kind auf mich zu und stellte mir ein »Rätsel«, das es von seinen Eltern gehört hatte: Wer ist oben, wenn Schwan und Gänserich sich paaren?
Was in den Lagern und Kasernen der Zone Vier gesagt und gesungen wurde, geben wir lieber nicht wieder. Nicht, daß wir etwas vertuschen wollen, aber jede Chronik hat den ihr angemessenen Stil.
Sage ich, daß jeder den anderen verachtete? Nein, es ist uns nicht erlaubt, das Walten der Versorger zu kritisieren. Aber wir können es so ausdrücken: Wir in Zone Drei vergaßen nicht – wie damals spöttisch und mit Nachdruck auf den Straßen gesungen wurde:

Drei kommt vor Vier
Frieden und Reichtum herrschen hier.
Aber Krieg habt... ihr!

Es dauerte eine Weile, bevor etwas geschah.
Während diese berühmte Ehe in den Köpfen der Bewohner beider Gebiete vollzogen wurde, blieben die beiden Beteiligten, wo sie waren. Sie wußten nicht, was von ihnen erwartet wurde.
Niemand hatte diese Ehe vorausgesehen. Nicht einmal unter der Bevölkerung hatte es Spekulationen darüber gegeben. Mit Al•Ith bei uns und Ben Ata bei ihnen ging es den Zonen Drei und Vier sehr gut. So glaubten wir wenigstens.
Abgesehen von der Ehe gab es eine Vielzahl unbeantworteter Fragen. Was konnte es bedeuten, wenn unserer Al•Ith befohlen wurde, sich in das Gebiet von Ben Ata zu begeben, damit die Hochzeit in seinem Land stattfand? Dies war eines der Dinge, die uns beschäftigten.
Was bedeutete in diesem Zusammenhang eine Hochzeit?
Und was sogar eine Ehe?
Als Al•Ith von dem Befehl hörte, hielt sie ihn für einen Scherz. Sie und ihre Schwester lachten. Die ganze Zone Drei hörte ihr Lachen. Dann traf eine Botschaft ein, die nur als Verweis gedeutet werden konnte, und überall in der Zone kamen die Leute zu Konferenzen und Beratungen zusammen. Sie ließen uns rufen – die Chronisten, die Dichter, die Liedermacher und die Memoranden. Wochenlang wurde über nichts anderes als Hochzeiten und Ehen gesprochen, und man untersuchte jede alte Geschichte und Ballade, die man ausgraben konnte, auf Informationen.
Wir schickten sogar Boten in Zone Fünf, da wir glaubten, daß dort primitive Hochzeitsfeiern stattfanden. Aber an ihren Grenzen zu Zone Vier herrschte Krieg, und es war nicht möglich, ihr Land zu betreten.
Wir überlegten, ob diese Ehe sich an alten Sitten orientieren sollte, ob man erwartete, daß Zone Drei und Zone Vier gemeinsam ein Fest feierten. Aber die Zonen konnten sich nicht mischen; sie waren von Natur aus unverträglich. Wir waren noch nicht einmal sicher, wo die Grenze verlief. Unsere Seite wurde nicht bewacht. Die Bewohner der Zone Drei, die sich im Grenzgebiet verirrten oder der Grenze neugierig

näherten, was Kinder und junge Leute manchmal taten, spürten eine Abneigung oder zumindest Widerwillen gegen die fremde Luft und die unbekannte Atmosphäre, was sich in Langeweile und einer Art dumpfer Lethargie äußerte. Man kann nicht sagen, daß Zone Vier für uns die geheime Anziehungskraft und Faszination des Verbotenen besaß. Am ehesten trifft zu, wenn ich sage, daß wir sie vergaßen.
Sollten vielleicht zwei Feste gleichzeitig stattfinden, und man würde zumindest auf diese Weise feiern, daß die beiden Länder, so verschieden sie auch waren, doch etwas Gemeinsames zeigen konnten? Aber worin läge da der Sinn? Schließlich waren Feste und Feiern nicht gerade Vergnügungen, auf die wir im allgemeinen verzichten mußten.
Sollten wir unter uns kleinere Feiern veranstalten, um das Ereignis zu würdigen?
Neue Kleider? Festlicher Schmuck auf allen öffentlichen Plätzen? Geschenke und Andenken? All dies schien angemessen, wenn man auf die alten Lieder und Geschichten hörte.
Noch mehr Zeit verging. Wir wußten, daß Al•Ith niedergeschlagen war und ihre Gemächer nicht verließ. Das hatte sie noch nie getan; sie war immer für uns da, und wir konnten jederzeit zu ihr kommen. Im ganzen Land waren die Frauen gereizt und deprimiert.
Die Kinder litten.
Dann erreichte uns das erste deutlich sichtbare Zeichen der neuen Zeit. Ben Ata schickte eine Botschaft. Seine Männer würden kommen und Al•Ith zu ihm geleiten. Nichts anderes als diesen kühlen knappen Ton hatten wir von seiner Zone erwartet. Ein kriegführendes Land bediente sich keiner Höflichkeiten. Es war der Beweis für die Berechtigung unseres Widerwillens, uns auf das Niveau der Zone Vier zu begeben.
Al•Ith war verärgert und dachte an Auflehnung. Sie werde nicht gehen, verkündete sie.
Wieder kam ein Befehl, und er lautete eindeutig, sie müsse gehen.
Al•Ith legte ihre dunkelblauen Trauergewänder an, denn dies war, wie sie glaubte, die einzige Möglichkeit, die ihr blieb, ihre

inneren Gefühle auszudrücken. Sie gab keine Anweisungen für eine allgemeine Trauer, aber nichts anderes empfanden wir alle.
Das war verwirrend und – wie wir vermuteten – falsch. Wir billigen solche Gefühle nicht. Wir haben es bisher nicht getan, und es gibt keine Aufzeichnungen, die etwas anderes besagen. Als einzelne Menschen erwarten wir nicht – und es wird von uns nicht erwartet – zu weinen, zu trauern und zu leiden. Was kann einem von uns widerfahren, das nicht irgendwann jedem widerfährt? Der Schmerz bei einem Trauerfall, bei persönlichem Verlust, ist in öffentlichen Zeremonien formalisiert und ritualisiert worden, die wir alle als Kanäle und Ventile für unsere kleinen persönlichen Gefühle benutzen. Wir haben Gefühle! Aber diese Gefühle sollen sich immer nach außen richten und dazu benutzt werden, ein allgemeingültiges Konzept für uns und unser Land zu stützen. Aber in dieser neuen Haltung Al•Iths schien das Gegenteil zu liegen.
Niemals zuvor hatte es in unserer Zone so viele Tränen, Auseinandersetzungen und irrationale Unstimmigkeiten gegeben.
Al•Ith ließ alle ihre Kinder zu sich bringen, und als sie weinten, tat sie nichts, um es zu verhindern.
Sie beharrte darauf, soviel müsse ihr erlaubt sein, ohne daß man ihr tätige Auflehnung vorwerfen könne.
Es gab Leute – viele von uns –, die verstört waren; viele, die begannen, sie mit kritischen Augen zu sehen.
Wir konnten uns an etwas Ähnliches nicht erinnern; und bald sprachen wir davon, wie lange es her war, daß die Ernährer einen Befehl erteilt hatten. Wir überlegten, wie frühere Änderungen des Notwendigen – wir benutzten dafür immer nur dieses eine Wort, ohne es näher zu definieren – von uns aufgenommen worden waren, und weshalb wir uns diesmal so anders verhielten. Wir fragten uns, ob wir uns angewöhnt hatten, uns nicht richtig zu sehen. Aber wie konnte es falsch sein, mit dem Frieden, den Reichtümern und Annehmlichkeiten unseres Landes zufrieden zu sein? Wir glaubten, unsere Zone könne sich, was Wohlstand und Eintracht anging, mit

jeder anderen Zone messen. War es ein Fehler gewesen, darauf stolz zu sein?
Und wir erkannten, wie lange es her war, daß wir auch nur darüber nachgedacht hatten, was jenseits unserer Grenzen lag. Wir wußten, daß die Zone Drei nur eines der Gebiete war, die prinzipiell von Oben verwaltet wurden. Wenn wir überhaupt einmal in diese Richtung dachten, dann sahen wir uns in einer Wechselbeziehung zu diesen anderen Bereichen – aber nur auf abstrakte Weise. Waren wir vielleicht zu sehr eine Insel geworden? Zu selbstbezogen?
Al•Ith saß in ihren Gemächern und wartete.
Und dann kamen sie: ein Trupp von zwanzig Reitern in leichter Rüstung. Sie trugen Schilde, die sie gegen unsere höhere und dünnere Luft schützten, die ihnen geschadet hätte – sie brauchten diese Schilde. Aber warum der Kopfschutz und die berühmten Spiegelhemden der Zone Vier, von denen jede Waffe abprallte? Alle, die sich in der Nähe des Wegs aufhielten, den unsere unwillkommenen Gäste nahmen, blieben verdrießlich stehen und sahen sie kritisch an. Wir waren entschlossen, keine Freude zu zeigen, und die Reiter grüßten uns ebenfalls nicht. Schweigend legten die Soldaten den Weg zum Palast zurück und hielten vor Al•Iths Fenstern an. Sie brachten ein gesatteltes und gezäumtes Pferd mit. Al•Ith sah sie durch ihre Fenster. Lange geschah nichts. Dann erschien sie auf den weißen Stufen der großen Treppe – eine düstere Gestalt in dunklen Gewändern. Sie beobachtete schweigend die Soldaten. Ihr Erscheinen in einem solchen Aufzug, um sie abzuholen, konnte nur wie eine Gefangennahme wirken. Sie ließ ihnen viel Zeit, ihre Schönheit, ihre Stärke und ihre selbstbewußte Haltung zu betrachten. Dann kam sie langsam und allein die Stufen nach unten. Sie ging auf das Pferd zu, das man für sie gebracht hatte, sah ihm in die Augen und legte ihm die Hand an den Kopf. Das Pferd hieß Yori, und von diesem Moment an wurde es berühmt. Es war ein schöner Rappe, aber wahrscheinlich nicht außergewöhnlicher als die Pferde der Soldaten. Nachdem sie ihn begrüßt hatte, nahm sie ihm den schweren Sattel ab. Sie hielt den Sattel in den Armen und musterte die

Soldaten, einen nach dem anderen, bis schließlich einer der Männer begriff, was sie wollte. Sie warf ihm den Sattel zu, und als er ihn auffing, wich sein Pferd unter dem Aufprall seitlich aus. Der Soldat verzog leicht belustigt das Gesicht und warf seinen Kameraden einen Blick zu, während sie mit verschränkten Armen dastand und die Männer beobachtete. Es war das Lächeln, mit dem man ein kluges Kind bedenkt, wenn es sich erfolgreich an einer Aufgabe versucht, die eigentlich über seine Kräfte geht. Al•Ith entging dies natürlich nicht. Sie streifte dem Pferd langsam und bedächtig das Zaumzeug ab und warf es ebenfalls einem Soldaten zu. Damit gab sie zu verstehen, daß sie sich getäuscht hatten.
Dann warf sie den Kopf zurück, und die locker aufgesteckten Haare fielen ihr über den Rücken. Unsere Frauen haben die unterschiedlichsten Frisuren, aber wenn die Haare hochgesteckt sind, zu Zöpfen geflochten oder auf andere Weise gehalten werden, und eine Frau löst sie auf eine bestimmte Art, ist dies ein Zeichen von Trauer. Die Soldaten begriffen das aber nicht und bewunderten sie tölpelhaft. Vielleicht war die Geste für die Zuschauer bestimmt gewesen, die sich inzwischen auf dem kleinen Platz drängten. Al•Ith verzog voll Ungeduld und Verachtung für die Soldaten den Mund. Ich muß hier festhalten, daß diese Art von Überheblichkeit – ja, ich muß es so bezeichnen – etwas ist, das wir nicht von ihr erwarteten. Als wir über den Vorfall sprachen, stimmten alle überein, daß Al•Iths Verbitterung über diese Ehe ihr vielleicht schadete.
Dort stand sie mit gelösten Haaren und brennenden Augen und band sich langsam einen dünnen schwarzen Schleier um Kopf und Schultern. Auch das – Trauer. Hinter dem durchsichtigen Schwarz funkelten ihre Augen. Ein Soldat stieg umständlich ab, um ihr aufs Pferd zu helfen, aber sie war bereits aufgesprungen, noch ehe er den Boden berührte. Sie wendete und galoppierte durch die Gärten nach Osten, in Richtung der Grenze von Zone Vier. Die Soldaten folgten ihr. Auf uns Zuschauer wirkte es wie eine Verfolgung.
Vor der Stadt verlangsamte sie das Pferd und ritt im Schritt. Die Soldaten folgten ihrem Beispiel. Die Menschen am Straßenrand

grüßten Al•Ith und starrten auf die Soldaten. Jetzt sah es nicht mehr wie eine Verfolgung aus, denn die Soldaten waren verlegen und lächelten albern. Sie war Al•Ith, wie alle sie kannten.

Der Abstieg von der Hochebene im Innern unseres Landes führt über Pässe und durch Schluchten. Deshalb war es nicht möglich, schnell zu reiten. Außerdem hielt Al•Ith jedesmal an, wenn jemand mit ihr sprechen wollte. Sobald sie dies bemerkte, brachte sie ihr Pferd zum Stehen und wartete, bis die Leute bei ihr waren.

Jetzt drückten die Gesichter der Soldaten etwas anderes aus. Sie waren verdrossen, denn sie hatten erwartet, vor Einbruch der Dunkelheit die Grenze ihres Landes überschritten zu haben. Wieder winkte ihr eine Gruppe zu und rief nach ihr. Al•Ith hörte die ärgerlichen Äußerungen der Soldaten hinter sich, wendete das Pferd, ritt zu ihnen zurück und hielt wenige Schritte vor den ersten Reitern, die schnell ihre Pferde zügeln mußten.

»Was gibt es?« fragte sie. »Wäre es nicht besser, ihr würdet offen mit mir sprechen, anstatt euch wie kleine Kinder hinter meinem Rücken zu beklagen?«

Das gefiel ihnen nicht, und sie reagierten wütend, bis der Anführer ihnen schließlich Einhalt gebot.

»Wir haben unsere Befehle«, sagte er.

»In unserem Land verhalte ich mich, wie es bei uns Sitte ist«, erwiderte sie.

Sie sah, daß die Soldaten sie nicht verstanden, und sie mußte ihnen eine Erklärung geben: »Es ist der Wille des Volkes, daß ich mein Amt bekleide. Mir steht es nicht zu, überheblich weiterzureiten, wenn sie zu erkennen geben, daß sie etwas sagen wollen.«

Die Soldaten warfen sich Blicke zu. Das Gesicht des Anführers verriet deutliche Ungeduld.

»Ihr könnt nicht erwarten, daß ich mich euren Sitten zuliebe über unsere hinwegsetze«, sagte sie.

»Unsere Notrationen reichen nur für eine leichte Mahlzeit«, erwiderte er.

Al•Ith schüttelte ungläubig den Kopf, als könne sie nicht glauben, was sie gehört hatte.
Dies sollte keine Verachtung ausdrücken, aber die Soldaten nahmen es so auf. Der Anführer errötete und stieß hervor: »Wenn es sein muß, ist jeder von uns auf einem Feldzug in der Lage, tagelang zu hungern.«
»Soviel verlange ich nicht«, sagte sie ernst, und dieses Mal verstanden sie den Humor in ihren Worten. Die Soldaten lachten dankbar; Al•Ith gelang ein kurzes Lächeln, dann sagte sie mit einem Seufzer: »Ich weiß, ihr seid nicht freiwillig hier, sondern weil es die Versorger wollen.«
Aber unverständlicherweise empfanden die Soldaten dies als Beleidigung und Herausforderung. Die Pferde begannen zu tänzeln, als sie die Erregung ihrer Reiter spürten.
Sie zuckte leicht die Schultern, wendete und ritt zu der Gruppe junger Männer, die am Straßenrand auf sie warteten. Vor ihnen erstreckte sich eine weite Ebene, hinter ihnen erhoben sich die Berge. Das flache Land lag noch im goldenen Abendlicht, und die hohen Berggipfel strahlten zitternd in der Sonne, aber dort, wo sie standen, war es kalt und dämmrig. Die jungen Männer drängten sich beim Reden um Al•Iths Pferd, und sie zeigten keinerlei Furcht oder Ehrerbietung. Auf den Gesichtern der wartenden Reiter lag ein ungläubiges Staunen. Als ein junger Mann die Hand hob und das Pferd am Kopf streichelte, schnauften die Reiter mißbilligend. Aber sie gerieten in Zweifel und Konflikte. Sie wußten, sie konnten dieses große Königreich oder seine Herrscherin nicht verachten. Aber alles, was sie sahen, widersprach ihren eigenen Vorstellungen von dem, was richtig war.
Al•Ith verabschiedete sich von den jungen Männern mit einer Handbewegung, und die Reiter hinter ihr setzten auf dieses Signal hin, das nicht für sie bestimmt war, ihre Pferde in Gang. Sie ritt vor ihnen her, bis sie auf der Ebene angelangt waren, erst dann drehte sie sich wieder zu ihnen um.
»Ich glaube, daß ihr hier, mit den Bergen im Rücken, das Lager aufschlagen solltet.«
»Erstens«, erwiderte der Anführer knapp – denn er ärgerte sich

darüber, daß seine Soldaten instinktiv auf ihre Geste reagiert und losgeritten waren, anstatt seinen Befehl abzuwarten –, »erstens wollte ich nicht anhalten, bevor wir die Grenze erreicht haben, und zweitens...« Aber sein Zorn verschlug ihm die Sprache.

»Dies war nur ein Vorschlag«, sagte sie, »bis zur Grenze sind es noch neun oder zehn Stunden.«

»Bei diesem Tempo bestimmt.«

»Bei jedem Tempo. Nachts weht meist ein starker Ostwind über die Ebene.«

»Madame! Wofür haltet Ihr diese Männer? Wofür haltet Ihr uns?«

»Ich sehe, daß ihr Soldaten seid«, erwiderte sie, »aber ich dachte an die Tiere. Sie sind müde.«

»Sie werden das tun, was man ihnen befiehlt. Wie wir.«

Unsere Chronisten und Künstler haben aus diesem Wortwechsel zwischen Al•Ith und den Soldaten eine große Sache gemacht. Manche Geschichten beginnen sogar damit. Sie sitzt aufrecht vor ihnen auf dem Pferd, das nach dem langen, schweren Ritt den Kopf hängen läßt. Al•Ith streichelt es mit ihrer weißen Hand, an der Juwelen funkeln... Aber Al•Ith war für ihre schlichte Kleidung bekannt und verzichtete auf Schmuck und Prachtentfaltung. Sie zeigen ihre langen, schwarzen, wehenden Haare und den wehenden Schleier, der auf der Stirn von einer Brillantspange gehalten wird. Sie zeigen den zornigen Anführer, mit wutverzerrtem Gesicht, und die spöttischen Soldaten. Der scharfe Wind ist durch fliegende dunkle Wolken und das beinahe flachgedrückte Gras angedeutet.

In dieses Bild haben sich alle möglichen kleinen Tiere eingeschlichen. Vögel flattern um ihren Kopf. Ein kleines Reh, das Lieblingstier unserer Kinder, ist auf die staubige Straße gekommen und drückt seine Schnauze gegen die Nüstern von Al•Iths Pferd, das den Kopf hängen läßt, um es zu trösten, oder um ihm die Botschaften anderer Tiere zu übermitteln. Oft tragen die Bilder den Titel »Al•Iths Tiere«. Einige Geschichten berichten, wie die Soldaten versuchen, die Vögel und das Reh zu fangen, aber von Al•Ith zurechtgewiesen werden.

Ich nehme mir die Freiheit zu bezweifeln, daß die wirkliche Begebenheit sich den Soldaten oder selbst Al•Ith so dramatisch dargestellt hat. Die Soldaten wollten weiterreiten; sie wollten dieses Land verlassen, das sie nicht verstanden und das ihnen ständig Unbehagen bereitete. Der Anführer wollte nicht in die Lage gebracht werden, ihren Rat anzunehmen, aber er wollte auch nicht stundenlang im kalten Wind reiten.
Und der Wind machte sich bereits deutlich bemerkbar.
In dieser Situation war Al•Ith mehr sie selbst, als es seit vielen Wochen der Fall gewesen war. Sie erkannte, daß es viele Dinge gegeben hatte, die sie hätte tun sollen, während sie in ihren Gemächern trauerte. Pflichten waren vernachlässigt worden. Sie erinnerte sich, daß man ihr aus dem ganzen Land Botschaften geschickt hatte. Aber sie war zu sehr von ihrer Empörung beansprucht gewesen, um darauf zu reagieren.
Sie erkannte ihren Ungehorsam und seine Folgen. Das machte sie jetzt diesem Trupp Barbaren und dem jungen Anführer gegenüber sanfter.
»Du hast mir noch nicht deinen Namen gesagt«, erklärte sie.
Er zögerte und sagte dann: »Jarnti.«
»Du befehligst die Reiterei des Königs?«
»Ich bin der Befehlshaber aller Streitkräfte. Unter dem König.«
»Ich bitte um Entschuldigung.« Sie seufzte, und alle hörten es. Sie hielten es für Schwäche. Bei all diesen Erfahrungen mit ihr konnten sie den Triumph nicht unterdrücken, den primitive Menschen angesichts von Schwäche empfinden; dieselben Menschen, die der Stärke gegenüber erbärmlich sind und sich zusammenrotten.
»Ich möchte euch für ein paar Stunden verlassen«, sagte sie.
Ohne auf ein Zeichen ihres Anführers zu warten, umringten die Männer bei diesen Worten Al•Ith. Der Kreis schloß sich um sie wie um eine Gefangene.
»Das kann ich nicht zulassen«, sagte Jarnti.
»Welche Befehle hast du von deinem König?« fragte sie. Sie sprach ruhig und geduldig, aber die Männer hörten Unterwürfigkeit.

Lautes Gelächter erhob sich. Die aufgestauten Spannungen entluden sich. Sie lachten und johlten, und die Felswände hinter ihnen warfen das Echo zurück. Vögel, die sich bereits für die Nacht niedergelassen hatten, flogen erschreckt wieder auf. Tiere, die sich im hohen Gras am Wegrand versteckt hatten, sprangen geräuschvoll davon.
Ben Ata hatte dem Befehlshaber seiner Streitkräfte als letztes zugerufen: »Geh, hol diese... und bring sie her. Es bleibt mir nichts anderes übrig, als sie...« Denn während Al•Ith weinend und aufbegehrend in ihren Gemächern saß, war er wutentbrannt und fluchend durch die Lager seiner Truppen gestürmt. Jeder Soldat hatte gehört, was sein König über diese erzwungene Ehe dachte. Man bemitleidete ihn, während man in den Lagern trank, lachte und anzügliche Trinksprüche ausbrachte, die von einem Ende der Zone Vier bis zum anderen wiederholt wurden.
Auch diese Szene ist bei unseren Geschichtenerzählern und Künstlern sehr beliebt. Al•Ith sitzt auf ihrem müden Pferd, und brutal lachende Männer umringen sie. Das Gewand wird vom kalten Wind der Ebene dicht an ihren Körper gepreßt. Der Anführer beugt sich über sie, sein Gesicht ganz Tier. Sie ist in Gefahr.
Und es stimmt, sie war in Gefahr. Vielleicht das einzige Mal.
Inzwischen war es Nacht geworden. Nur der Himmel hinter ihnen war noch hell. Die untergehende Sonne schickte ihre flammenden Strahlen hoch ans Firmament und ließ die verschneiten Gipfel aufleuchten. Vor ihnen lag die inzwischen dunkle Ebene, und hin und wieder sah man in großen Abständen die Lichter von Dörfern und Siedlungen. Auf dem flachen Hochland hinter ihnen, durch das sie gekommen waren, drängten sich unsere Dörfer und Städte: ein lebendiges, bevölkertes Land. Jetzt schienen sie am Rande des Nichts, am Rande der Dunkelheit zu stehen. Die Heimat der Soldaten war ein niedriges Flachland; sie bauten ihre Städte nie auf Hügel oder an Abhänge. Höhen mochten sie nicht. Ja, wie wir sehen werden, hatte man ihnen sogar beigebracht, sie zu fürchten. Die Soldaten sehnten den Moment herbei, an dem sie dieses

schreckliche Plateau hinter sich lassen würden, das hoch zwischen den aufragenden Berggipfeln lag. Sie waren heruntergekommen und sahen nur Leere, obwohl sie mit flachem Land eine bewohnte Gegend assoziierten. In ihrem Lachen lag Panik. Entsetzen. Es schien, als könnten sie nicht aufhören zu lachen. Und mitten unter ihnen befand sich die kleine schweigende Gestalt von Al•Ith, die ruhig auf ihrem Pferd saß, während die anderen sich in den Sätteln hin- und herwarfen und – wie sie dachte – Geräusche wie erschreckte Tiere von sich gaben.

Irgendwann mußte ihr Lachen verstummen. Und als das geschah, hatte sich nichts verändert. Sie war noch immer da. Sie hatten sie mit ihrem Lärmen nicht beeindruckt. Die endlose Schwärze lag vor ihnen.

»Wie lautete Ben Atas Befehl?« fragte sie noch einmal.

Allgemeines Gekicher. Der Anführer warf den Störenfrieden einen mißbilligenden Blick zu, obwohl er ebenso heftig gelacht hatte wie alle anderen.

»Seine Befehle?« beharrte sie.

Schweigen.

»Du sollst mich zu ihm bringen. Das war es doch, denke ich.«

Schweigen.

»Du wirst mich nicht später als morgen zu ihm bringen...«

Sie blieb, wo sie war. Inzwischen jagte der Wind so heftig über die Ebene, daß die Pferde Mühe hatten, sich ihm entgegenzustellen.

Der Anführer gab einen kurzen Befehl, der etwas kleinlaut klang. Die Gruppe löste sich auf, und die Männer ritten auf der Suche nach einem Lagerplatz am Rand der Ebene entlang. Sie und der Anführer saßen auf ihren müden Pferden und beobachteten die Soldaten. Aber normalerweise wäre er bei seinen Männern gewesen, die, an Führung und Befehle gewöhnt, hilflos umherritten. Nach einer Weile rief er ihnen zu, die Stelle dort sei in Ordnung, und alle sprangen von den Pferden.

Die Höhe des Landes hatte die Tiere erschöpft, die an die

weiche und ruhige Luft der Zone Vier gewöhnt waren, und sie standen zitternd da.
»Hinter diesem Felsvorsprung gibt es Wasser«, sagte Al•Ith.
Er widersprach nicht, sondern rief den Soldaten zu, die Pferde um den Felsvorsprung zum Trinken zu führen. Sie stiegen vom Pferd, und ein Soldat kam herbei, um die Tiere mit den anderen zur Wasserstelle zu führen. An einer freien Stelle zwischen hohen Felsen flackerte ein Feuer. Im Gras verstreut lagen die Sättel, die den Männern später als Kissen dienen sollten.
Jarnti stand noch immer neben Al•Ith. Er wußte nicht, was er mit ihr tun sollte.
Die Männer zogen bereits ihre Rationen aus den Satteltaschen und aßen. Der säuerliche, staubige Geruch von getrocknetem Fleisch und Alkoholdunst erfüllte die Luft.
Jarnti bemerkte mit einem gereizten Lachen: »Herrin, Ihr interessiert Euch offenbar für unsere Soldaten. Unterscheiden sie sich so sehr von euren?«
»Wir haben keine Soldaten«, antwortete sie.
Auch diese Szene ist sehr berühmt bei uns. Ein flackerndes Feuer erleuchtet die Soldaten, die auf ihren Sätteln im Gras sitzen, getrocknetes Fleisch essen und aus Feldflaschen trinken. Andere bringen die Pferde zurück, die an einem Bach hinter dem Felsen getrunken haben, den man nicht sieht. Al•Ith steht neben Jarnti am Eingang dieser kleinen natürlichen Festung. Sie blicken auf die Pferde, die in einen aus aufragenden Felsen geformten Korral gebracht werden. Sie sind hungrig, und an diesem Abend gibt es für sie nichts zu fressen. Al•Ith betrachtet sie mitleidig. Jarnti überragt die kleine unbezwingbare Gestalt unserer Königin und wirkt wichtigtuerisch und prahlerisch.
»Keine Soldaten?« fragte Jarnti ungläubig. Aber natürlich hatte es immer Gerüchte dieser Art bei ihnen gegeben.
»Wir haben keine Feinde«, erklärte sie. Dann lächelte sie ihn an und fragte: »Habt ihr Feinde?«
Das verschlug ihm die Sprache.
Er konnte die Gedanken nicht fassen, die ihre Frage heraufbeschworen.

Während sie ihn noch immer anlächelte, kam ein Soldat aus dem kleinen Lager auf sie zu und stellte sich in ihre Nähe.
»Wozu steht er hier?«
»Habt Ihr noch nie etwas von einem Wachposten gehört?« fragte er sarkastisch.
»Doch, aber niemand wird euch angreifen.«
»Wir stellen immer Wachen auf«, sagte er.
Sie zuckte die Schultern.
Einige Soldaten schliefen bereits. Die Pferde ruhten erschöpft hinter ihrer steinernen Umzäunung.
»Jarnti, ich werde euch für ein paar Stunden verlassen«, sagte sie.
»Das kann ich nicht erlauben.«
»Wenn du es mir verbietest, Jarnti, überschreitest du deine Befehle.«
Er schwieg.
Auch dies ist eine beliebte Szene. Das lodernde Feuer beleuchtet die schlafenden Soldaten, die bedauernswerten Pferde und Jarnti, der sich verärgert und verblüfft mit beiden Händen an den Bart greift und Al•Ith ansieht, die ihn anlächelt.
»Außerdem«, fügte er hinzu, »habt Ihr noch nichts gegessen.«
Sie fragte freundlich: »Besagen deine Befehle auch, daß du mich zum Essen zwingen sollst?«
Er antwortete herausfordernd, voll Verärgerung und zäher Verbissenheit, da Al•Ith und die Situation ihn aus dem Gleichgewicht gebracht hatten: »Ja, wenn ich meine Befehle richtig deute, soll ich Euch zum Essen zwingen. Vielleicht sogar zum Schlafen, wenn es nötig ist.«
»Sieh her, Jarnti«, sagte sie und ging zu einem niedrigen Busch, der keine zehn Schritte entfernt stand. Sie pflückte von seinen Früchten, dicken Früchten in pergamentartigen Schoten. Sie brach die Schoten auf. In jeder Frucht gab es vier Segmente, die von einer weißen Substanz waren. Sie aß mehrere. Man konnte sehen, daß sie ihr nicht schmeckten, da sie den Mund verzog.
»Iß nur dann davon, wenn du wachbleiben willst«, sagte sie,

aber natürlich konnte er nicht widerstehen. Er stapfte zu dem Busch und pflückte ein paar Früchte. Er zog eine Grimasse, als er das saure, krümelige Zeug probierte.
»Jarnti«, sagte sie, »als Befehlshaber kannst du das Lager nicht verlassen. Habe ich recht?«
»Richtig«, antwortete er mit plumper Vertraulichkeit, denn anders konnte er ihre Freundlichkeit nicht erwidern.
»Ich werde noch ein paar Meilen gehen. Da du ohnedies vorhast, den armen Mann die ganze Nacht umsonst wachzuhalten, schlage ich vor, du schickst ihn mit mir, um sicher zu sein, daß ich zurückkomme.«
Jarnti spürte bereits die Wirkung der Früchte. Er fühlte sich munter und wußte, daß er nicht einschlafen konnte.
»Ich werde ihn auf seinem Posten lassen und selbst mitkommen«, antwortete er.
Er verließ sie, um die entsprechenden Befehle zu geben.
Währenddessen ging Al•Ith an den schlafenden Soldaten vorbei zu den Pferden und gab allen ein paar der bitteren Früchte zu fressen. Noch ehe sie das kleine Gefängnis verließ, hoben die Tiere die Köpfe, und ihre Augen glänzten wieder.
Sie und Jarnti wanderten über die schwarze Ebene auf die ersten glitzernden Lichter zu.
Diese Szene wird immer so dargestellt: ein sternenübersäter Himmel, eine leuchtende Mondsichel und der vorwärtsschreitende Soldat. Sein glänzender Brustpanzer, Helm und Schild machen ihn deutlich sichtbar. Al•Ith neben ihm ist nur als dunkler Schatten zu erkennen, aber ihre Augen leuchten sanft hinter dem Schleier.
So kann es nicht gewesen sein. Der heftige kalte Wind blies ihnen direkt ins Gesicht. Sie hüllte ihren Kopf völlig in den Schleier; er zog seinen Mantel eng um sich und über die untere Gesichtshälfte. Den Schild hielt er so, daß er beide vor dem Wind schützte. Er hatte beschlossen, diese Königin auf einem unangenehmen Ausflug zu begleiten, und er muß es bereut haben.
Es dauerte drei Stunden, bis sie die Siedlung erreichten, die aus Zelten und Hütten bestand. Es war das Hauptquartier der

Hirten. Sie gingen an vielen hundert Tieren vorbei, die die Köpfe hoben, aber nicht näher kamen oder davonliefen. Sie brauchten ihre ganze Kraft, um dem Wind standzuhalten, und zu mehr hatten sie keine Energie. Aber als die beiden in Rufweite der ersten Zelte gelangten, die im Schutz niedriger, struppiger Bäume standen, kamen in der Dunkelheit ein paar Tiere schnuppernd auf Al•Ith zu. Sie sprach zu ihnen und streckte ihnen zur Begrüßung die Hände entgegen.

Vor einem Zelt saßen Männer und Frauen um ein kleines Feuer.

Auch sie hatten die Köpfe gehoben, da sie die Ankunft von Fremden spürten. Al•Ith rief ihnen zu: »Al•Ith kommt«, und sie forderten sie auf, näherzutreten.

All dies erstaunte Jarnti, der mit Al•Ith in den Feuerschein trat, sich aber einige Schritte hinter ihr hielt.

Bei seinem Anblick zeigte sich auf den Gesichtern der Leute am Feuer Verwunderung.

»Das ist Jarnti aus der Zone Vier«, sagte Al•Ith, als sei dies etwas ganz Gewöhnliches. »Er ist gekommen, um mich zu ihrem König zu bringen.«

Es gab niemanden in unserem Land, der nicht wußte, wie sie über diese Ehe dachte, und viele blickten ihr neugierig ins Gesicht und in die Augen. Aber Al•Ith zeigte ihnen, daß sie jetzt ein anderes Anliegen hatte. Sie wartete, während Teppiche aus einem Zelt geholt wurden; als sie ausgebreitet waren, setzte sie sich und bedeutete Jarnti, er solle ihrem Beispiel folgen. Sie sagte den Leuten, Jarnti habe noch nichts gegessen, und man brachte ihm Brot und Hafergrütze. Sie gab zu erkennen, daß sie nichts essen wolle. Aber sie nahm einen Becher Wein an. Jarnti trank ihn krügeweise. Er schmeckte mild, aber er war stark. Man sah, daß es ihm nicht gut ging; er wirkte beinahe krank. Die Höhe unserer Ebene setzte ihm zu, und er hatte zu viele der stimulierenden Beeren auf nüchternen Magen gegessen. Der Wind, der über ihre Köpfe pfiff, ging ihm durch Mark und Bein; sie saßen geduckt um das kleine Feuer.

Auch diese Szene wird oft dargestellt.

Man sieht die muntere und lächelnde Al•Ith im Kreis der

Männer und Frauen der Siedlung. Sie hält einen Becher Wein in der Hand, und neben ihr sitzt der schläfrige und betrunkene Jarnti. Der Wind über ihnen hat alle Wolken vom Himmel gefegt, an dem die Sterne glitzern. Die kleinen Bäume neigen sich beinahe bis zur Erde. Die Viehherden vervollständigen die Szene am Feuer. Die Tiere blicken verwundert auf die Menschen und warten auf einen Blick ihrer Königin.
Sie sagte: »Als ich heute aus der Hauptstadt ritt und durch die Pässe herunterkam, hielten mich viele von euch an. Was hat das zu bedeuten, was sie über die Tiere sagen?«
Der Wortführer war ein alter Mann.
»Was haben sie dir gesagt, Al•Ith?«
»Daß etwas nicht in Ordnung ist.«
»Al•Ith, auch wir haben Boten mit Nachrichten darüber in die Hauptstadt geschickt.«
Al•Ith schwieg und sagte dann: »Ich habe mich sehr schuldig gemacht. Es kamen Botschaften, und ich war zu sehr mit meinen eigenen Problemen beschäftigt, um mich darum zu kümmern.«
Jarnti saß halb schlafend und zusammengesunken daneben. Aber bei diesen Worten fuhr sein Kopf hoch, und er ließ ein heiseres, triumphierendes Lachen hören. Dann brummte er: »Bestraft sie, schlagt sie, hört ihr? Sie gesteht!«, bevor sein Kopf wieder auf die Brust sank. Sein Mund stand offen, und der Becher fiel ihm beinahe aus der Hand. Eines der Mädchen nahm ihn vorsichtig an sich. Er griff schnell danach, schob die Unterlippe vor und hob herausfordernd das Kinn gegen sie. Sie war hübsch – und eine Frau; er wollte sie umarmen, aber sie zog sich schnell zurück, und er versank wieder in seine Trunkenheit.
In Al•Iths Augen standen Tränen. Die Frauen begriffen zuerst, dann auch die Männer, was Al•Ith bevorstand, als sie diesen Grobian und sein Benehmen sahen. Sie wollten in lautes Klagen und Jammern ausbrechen, aber Al•Ith hob die Hand und hinderte sie daran.
»Es läßt sich nicht ändern«, sagte sie leise mit zitternden Lippen. »Wir haben unsere Befehle. Und es ist offensichtlich,

unten in der Zone Vier gefällt ihnen das Ganze ebenso wenig wie uns.«
Sie sahen sie forschend an, und sie nickte. »Ja, Ben Ata ist sehr wütend. Das habe ich heute ihren Worten entnommen.«
»Ben Ata... Ben Ata...«, lallte der Soldat, und sein Kopf schwankte hin und her. »Er wird dir die Kleider vom Leib reißen, noch ehe du ihm mit deinen Zauberbeeren und Tricks etwas anhaben kannst.«
Bei diesen Worten stand einer der Männer auf und wollte Jarnti wegschleppen. Er packte ihn mit beiden Händen unter den Achseln. Aber Al•Ith hinderte ihn mit einer Handbewegung daran.
»Ich mache mir mehr Sorgen um die Tiere«, sagte sie. »Was stand in den Botschaften, die ihr mir geschickt habt?«
»Nichts Genaues, Al•Ith. Nur, daß unsere Tiere verstört sind. Sie sind schwermütig.«
»Und das ist auf allen Ebenen so?«
»Wie wir hören, ist es in der ganzen Zone so. Hat man dir oben auf dem Plateau nichts davon erzählt?«
»Ich habe bereits gesagt, es ist meine große Schuld. Ich habe meine Pflichten vernachlässigt.«
Schweigen. Über ihnen pfiff der Wind, aber nicht mehr so laut.
Jarnti war mit dem Becher in der Hand zusammengesunken und starrte ins Feuer. Aber in Wirklichkeit hörte er zu, da die Beeren die Wirkung haben, die Aufmerksamkeit wachzuhalten, selbst wenn die Muskeln erschlaffen und den Dienst versagen. Dieses Gespräch sollte überall in den Lagern der Zone Vier wiedergegeben werden, und nicht ungenau, obwohl bei ihnen der Nachdruck sicher darauf lag, daß die Königin des ganzen Landes »wie eine Dienstmagd« am Feuer saß; und natürlich, daß »sie dort oben« von den Tieren sprachen, als seien es Menschen.
Al•Ith wollte von dem alten Mann wissen: »Hast du die Tiere gefragt?«
»Seit es uns auffiel, bin ich bei den Herden gewesen. Ich war Tag für Tag bei ihnen. Alle sagen dasselbe. Sie wissen nicht,

warum, aber sie sind so traurig, daß sie sterben möchten. Sie haben den Lebenswillen verloren, Al•Ith.«
»Empfangen sie? Gebären sie?«
»Sie gebären noch. Aber es ist richtig, wenn du fragst, ob sie empfangen...«
Bei diesen Worten stieß Jarnti hervor: »Sie sagen zu ihrer Königin, sie habe recht! Das wagen sie! Schleppt sie davon! Prügelt sie...«
Sie beachteten ihn nicht, aber inzwischen aus Mitleid. Er saß unsicher und schwankend mit gerötetem Gesicht am Feuer, und sie sahen, daß es ihm so schlecht ging wie ihren Tieren. Während sie ihn beobachteten, weinte mehr als eine Frau still über das Schicksal ihrer Schwester.
»Wir glauben, daß sie nicht empfangen.«
Schweigen. Der Wind heulte nicht mehr; er klagte nur noch leise. Die Tiere, die einen großen Kreis gebildet hatten, hoben die Köpfe und schnupperten in die Luft: Der Wind würde sich bald legen, und dann war ihre nächtliche Qual vorüber.
»Und was ist mit euch, den Menschen?«
Alle nickten langsam: »Wir glauben, bei uns ist es nicht anders.«
»Du sagst, bei euch verbreitet sich dasselbe Gefühl wie bei den Tieren?«
»Ja, Al•Ith.«
Nun saßen sie lange Zeit schweigend da. Sie blickten sich an; fragend, bestätigend. Ihre Blicke trafen sich und trennten sich wieder, und jeder gab an den anderen weiter, was er empfand, bis sie schließlich alle wie ein Mensch fühlten und verstanden.
Währenddessen blieb der Soldat bewegungslos sitzen. Später würde er in den Lagern berichten, daß »die dort oben« tückische Drogen besaßen und sie gewissenlos benutzten.
Der Wind hatte sich gelegt. Es war still. Die Sterne glitzerten kalt an einem klaren Himmel. Aber im Osten, über der Grenze zur Zone Vier, bildeten sich Wolkenschleier.
Schließlich sagte eine der Frauen: »Al•Ith, einige von uns

haben sich gefragt, ob der neue Befehl der Versorger etwas mit unserer Traurigkeit zu tun hat.«
Al•Ith nickte.
»Niemand erinnert sich an etwas Derartiges«, sagte der alte Mann.
Al•Ith erwiderte: »Die Memoranden berichten von einer solchen Zeit. Aber sie liegt so lange zurück, daß die Historiker nichts darüber wissen.«
»Und was geschah damals?« fragte Jarnti, der seine Sprache wiedergefunden hatte.
»Wir erlebten eine Invasion«, sagte Al•Ith, »der Zone Vier. Wißt ihr nicht davon... aus eurer Geschichte? Aus euren Legenden?
Bei diesen Worten schüttelte Jarnti den Kopf und streckte ihnen den Spitzbart entgegen. Er grinste triumphierend.
»Kannst du uns nichts erzählen?« fragte Al•Ith.
Er grinste die Frauen an – eine nach der anderen. Dann fiel sein Kopf wieder auf die Brust.
»Al•Ith«, sagte ein Mädchen, das tränenüberströmt dasaß, »Al•Ith, was willst du mit solchen Männern machen?«
»Vielleicht ist Ben Ata nicht so schlimm«, warf eine andere Frau ein.
»Dieser Mann ist der Befehlshaber aller Streitkräfte«, sagte Al•Ith, und sie konnte nicht verhindern, daß ihr ein Schauer über den Rücken lief.
»*Dieser* Mann? *Er?*«
Jarnti spürte ihre Verblüffung und ihr Entsetzen, und wenn er in der Lage gewesen wäre, hätte er sie bestraft. Es gelang ihm, den Kopf zu heben und sie böse anzustarren, aber er zitterte und war schwach.
»Er muß soweit zu sich kommen, daß er zurück in das Lager am Rand der Berge gehen kann«, sagte Al•Ith.
Zwei junge Männer warfen sich einen Blick zu und standen auf. Sie packten ihn unter den Achselhöhlen, stellten ihn auf die Füße und gingen mit ihm auf und ab. Er stolperte und protestierte, gab aber schließlich nach, denn sein Kopf, der die ganze Zeit über klar blieb, sagte ihm, daß es notwendig sei.

Diese Szene ist als »Jarntis Gang« bekannt und gibt unseren Künstlern und Geschichtenerzählern immer wieder Anlaß zur Belustigung.

»Soweit ich es sehe, können wir nichts dagegen tun. Oder weiß jemand eine Antwort?« fragte Al•Ith die anderen. »Wenn dies eine alte Krankheit ist, dann ist sie unserer Medizin unbekannt, soviel steht fest. Wenn es eine neue Krankheit ist, werden unsere Ärzte sie bald benennen können. Aber wenn es eine Krankheit des Herzens ist, werden die Versorger wissen, was zu tun ist.«

Schweigen.

»Wissen bereits, was zu tun ist«, sagte sie lächelnd, aber nicht unbeschwert. »Bitte sagt allen in der Ebene, daß ich heute nacht hierhergekommen bin, und daß wir miteinander gesprochen und was wir gedacht haben.«

»Das werden wir tun«, antworteten sie. Dann standen alle auf und gingen mit ihr durch die Herden. Ein junges Mädchen rief drei Pferde, die bereitwillig herbeikamen und warteten, während die jungen Männer Jarnti auf das eine setzten, Al•Ith auf das andere stieg und das Mädchen auf das dritte. Die Tiere drängten sich um Al•Ith auf ihrem Pferd und riefen nach ihr, als die drei wegritten.

Draußen in der Ebene auf dem Rückweg ins Lager hatten sich die Gräser aufgerichtet und wirkten grau im Dämmerlicht. Der Himmel im Osten stand in Flammen.

Jarnti war wach geworden und saß militärisch aufrecht auf seinem Pferd.

»Herrin«, fragte er, »wie sprechen eure Leute mit den Tieren?«

»Sprecht ihr nicht mit den Tieren?«

»Nein.«

»Man bleibt bei ihnen. Man beobachtet sie. Man berührt sie mit den Händen und spürt, was sie fühlen. Man blickt ihnen in die Augen. Man hört auf den Tonfall ihrer Stimmen und auf das, was sie sich gegenseitig zurufen. Und wenn die Tiere anfangen zu begreifen, daß man sie versteht, muß man darauf achten, nicht das erste zu verpassen, was sie sagen. Wenn man das nicht

hört, geben sie sich keine Mühe, es noch einmal zu versuchen. Bald fühlt man, was sie fühlen und weiß, was sie denken, selbst wenn sie es einem nicht sagen.«
Jarnti schwieg eine Weile. Inzwischen hatten sie die Herden hinter sich gelassen.
»Natürlich beobachten wir sie und achten darauf, wie sie aussehen, ob sie krank sind oder so etwas.«
»Bei euch gibt es niemand, der weiß, wie man mit den Tieren fühlt?«
»Ja, manche können gut mit Tieren umgehen.«
Al•Ith schien zu diesem Thema nichts mehr sagen zu wollen.
»Vielleicht sind wir zu ungeduldig«, sagte Jarnti.
Weder Al•Ith noch das Mädchen erwiderten etwas darauf. Sie trabten auf die Berge zu. Die großen Gipfel des Hochlandes waren jetzt rosa und strahlten unter dem wilden Morgenhimmel.
»Herrin«, sagte er großspurig, denn er wußte nicht, wie er mit ihr oder einem anderen Menschen ungezwungen reden sollte, »wenn Ihr bei uns lebt, könnt Ihr dann einigen unserer Soldaten, die für die Pferde zu sorgen haben, dieses Wissen beibringen?«
Sie schwieg. Dann: »Weißt du, alle sagen Al•Ith zu mir. Verstehst du, noch nie hat mich jemand mit Herrin oder so ähnlich angeredet.«
Jetzt schwieg er.
»Also, werdet Ihr es tun?« fragte er mürrisch.
»Ja, wenn ich es kann«, antwortete sie schließlich.
Er kämpfte mit sich, um Dankbarkeit und Zufriedenheit auszudrücken. Aber er brachte kein Wort hervor.
Sie hatten bereits mehr als die Hälfte des Weges zurückgelegt.
Jarnti stieß dem Pferd plötzlich die Fersen in die Weichen. Es wieherte und bäumte sich auf. Dann blieb es stehen.
Auch die beiden Frauen hielten an.
»Wolltest du schneller reiten?« fragte das Mädchen.
Jarnti saß verdrossen auf seinem Pferd.

»Jetzt wird es dich nicht mehr tragen«, sagte sie und glitt von ihrem Pferd. Jarnti stieg ab. »Nimm meins.« Er tat es. Sie beruhigte das verwirrte Pferd, das er getreten hatte, und saß auf.

»*Denke*, daß du vor uns reiten willst«, sagte das Mädchen.

Jarnti wirkte beschämt und verlegen. Er wurde rot.

»Ich fürchte, du mußt dich mit uns abfinden«, sagte Al•Ith schließlich.

Als das Lager in Sicht kam, sprang sie vom Pferd. Es wendete sofort und galoppierte in Richtung der Herden zurück. Jarnti stieg ab. Und auch sein Pferd galoppierte davon. Voll Bewunderung betrachtete er das schöne Mädchen auf dem Pferd, das wendete, um zurückzureiten.

»Wenn du einmal in die Zone Vier kommst, laß es mich wissen!« rief er ihr nach.

Sie warf Al•Ith einen langen bedauernden Blick zu und bemerkte: »Wie gut, daß ich keine Königin bin.« Und sie jagte über die Ebene davon. Die beiden anderen Pferde wieherten und galoppierten mit fliegenden Hufen neben ihr her.

Während die Sonne hinter ihnen aufging, näherten sich Al•Ith und Jarnti dem Lager.

Lange bevor sie es erreichten, lag der scharfe Geruch von verbranntem Fleisch in der Luft.

Al•Ith sagte nichts, aber ihr Gesicht sprach.

»Tötet ihr keine Tiere?« fragte er gegen seinen Willen, aber von Neugier getrieben.

»Nur wenn es sich nicht vermeiden läßt. Es gibt genügend andere Dinge zu essen.«

»Wie euere schrecklichen Beeren«, sagte er und versuchte, versöhnlich zu klingen.

Die Männer im Lager hatten ein Reh erlegt. Jarnti aß nichts davon.

Sobald die Mahlzeit vorüber war, wurden mit Ausnahme von Al•Iths Pferd alle Pferde gesattelt. Sie beobachtete, wie unangenehm es für die Tiere war, das Gebiß in das Maul und zwischen die Zähne zu nehmen.

Sie sprang auf ihr Pferd und flüsterte ihm etwas zu. Jarnti beobachtete sie unbehaglich.
»Was habt Ihr ihm gesagt?« fragte er.
»Daß ich seine Freundin bin.«
Und wieder ritt sie voraus, zurück nach Osten über die Ebene.
Sie ritten an den Herden vorbei, bei denen sie in der Nacht gewesen waren, aber diesmal so weit entfernt, daß sie nur wie dunkle Flecken im Gras wirkten.
Jarnti ritt hinter Al•Ith.
Jetzt erinnerte er sich an das Gespräch der vergangenen Nacht am Feuer. Er erinnerte sich an den ungezwungenen Ton. Er sehnte sich danach – oder nach etwas, das darin zum Ausdruck kam, denn er kannte diese Art ungezwungener Vertrautheit nicht. »Außer manchmal mit einem Mädchen... nach gutem Sex«, dachte er.
Beinahe nachdenklich sagte er zu Al•Ith: »Könnt Ihr fühlen, daß die Tiere dort traurig sind?« Denn sie blickte ununterbrochen mit besorgter Miene in ihre Richtung.
»Du nicht?« fragte sie.
Er sah, daß sie weinte, während sie weiterritten.
Er war wütend. Er war irritiert. Er fühlte sich von etwas ausgeschlossen, auf das er ein Recht hatte.
Hinter ihnen lärmte der Trupp Soldaten.
Weit vor ihnen lag die Grenze. Plötzlich beugte sie sich vor, flüsterte dem Pferd etwas zu, und es preschte vorwärts. Jarnti und die Soldaten galoppierten laut rufend hinter ihr her, Al•Ith hatte keinen Schild, um sich vor der für sie tödlichen Luft der Zone Vier zu schützen. Sie ritt wie der wilde Wind, der jede Nacht bis zum Morgengrauen über die Ebene jagte. Die langen Haare wehten, und die Tränen rannen ihr übers Gesicht.
Erst nach einigen Meilen holte Jarnti sie ein – ein Soldat hatte ihm den Schild zugeworfen, er hatte ihn aufgefangen, und jetzt ritt er beinahe Kopf an Kopf mit ihr.
»Al•Ith«, rief er, »Ihr müßt das hier haben« und hielt den Schild hoch. Es dauerte lange, bis sie ihn hörte. Schließlich

wandte sie den Kopf, ohne das wahnsinnige Tempo zu verringern. Er erschrak beim Anblick ihres blutleeren, gequälten Gesichts. Er hielt den Schild hoch. Sie hob die Hand, um ihn aufzufangen. Er zögerte, denn der Schild war nicht leicht. Aber er erinnerte sich, wie sie am Tag zuvor den schweren Sattel gehoben hatte und warf ihr den Schild zu. Sie fing ihn mit einer Hand auf, ohne das Tempo zu verringern. Sie näherten sich der Grenze. Die Männer beobachteten Al•Ith, um zu sehen, wie sie auf den plötzlichen Wechsel der Luftdichte reagieren würde, denn sie waren am Tag zuvor alle mehr oder weniger krank gewesen. Ohne zu schwanken, ritt sie über die unsichtbare Barriere. Aber sie war blaß, und es schien ihr nicht gut zu gehen. Hinter der Grenzlinie standen im Abstand von einer halben Meile die Wachtürme, die von Soldaten und Waffen starrten. Al•Ith hielt nicht an. Jarnti und die anderen jagten ihr nach und riefen den Soldaten in den Wachtürmen zu, nicht zu schießen. Ohne einen Blick auf sie zu werfen, ritt Al•Ith vorbei.

Wieder befanden sie sich oberhalb einer weiten Ebene, zu der eine Straße durch Hügel und Felsen hinunterführte. Als sie den Rand des Steilhangs erreichten, hielt sie endlich an.

Die Soldaten sammelten sich hinter ihr. Al•Ith blickte auf ein Land hinunter, in dem viele Festungen und militärische Lager zu sehen waren.

Sie sprang vom Pferd. Aus dem Fort rannten Soldaten mit frischen Pferden. Die ermatteten Tiere des Trupps wurden weggetrieben, um sich zu erholen. Aber Al•Iths Pferd wollte sie nicht verlassen. Es blieb zitternd stehen und umkreiste sie dann wiehernd. Als die Soldaten kamen, um es einzufangen, wollte es nicht mit ihnen gehen.

»Darf ich es Euch schenken, Al•Ith?« fragte Jarnti. Sie freute sich und lächelte kurz. Zu mehr war sie nicht in der Lage.

Auch dem frischen Pferd nahm sie Sattel und Zaumzeug ab und warf es den erstaunten Soldaten zu. Dann ritt sie in die Zone Vier hinunter. Yori trabte neben ihr her und hob immer wieder den Kopf, um sie zu beschnuppern.

Und so hielt Al•Ith ihren Einzug in die Zone, von der wir alle

soviel gehört und über die wir uns soviel Gedanken gemacht hatten, in der wir aber nie gewesen waren.
Nicht einmal der Schild konnte ihr das Gefühl geben, sie selbst zu sein. Die Luft war flach und niederdrückend. Die Landschaft wirkte beengend und bedrückend. Wohin man in unserem Bereich auch blickt, drückt sich in den Umrissen des Hochlands und der Berge eine wilde Kraft und eine vielfältige Rauheit aus. Das Zentralplateau, auf dem viele unserer Städte liegen, ist keineswegs eben, sondern wird von Bergen umringt und ist von Schluchten und tief ausgewaschenen Flußbetten durchzogen. Bei uns wird das Auge ständig angeregt, umherzuschweifen, aber immer wieder fällt der Blick auf die verschneiten Gipfel, denen die Winde und die Farben unseres Himmels ihre Form geben. Und die Luft prickelt kalt und scharf im Blut. Aber hier breitete sich unter Al•Ith eine einförmige, langweilige Ebene aus, durchschnitten von Kanälen und gezähmten Flußläufen, an deren Ufern Reihen gerader und gestutzter Bäume standen. In regelmäßigen Abständen stieß man auf die geordneten Lager des Militärs. Städte und Dörfer schienen nicht größer zu sein als diese Lager. Der Himmel war graublau, und die Wasserläufe glänzten stumpf. Ein weiter flacher Hügel ungefähr im Zentrum dieser Landschaft war das einzig Tröstliche, das sie finden konnte, denn dort schien es etwas Ähnliches wie einen Park oder Gärten zu geben.
Unterdessen ritten sie den Abhang hinunter.
Hinter einer Wegbiegung kam ein gewaltiges rundes Gebäude aus grauen Steinen in den Blick, das sich massig zwischen Kanäle drängte. Es schien neu zu sein, denn die Erde und die Steine in der Nähe waren kahl und aufgewühlt. Ihr Entsetzen darüber, daß dies vielleicht ihr Bestimmungsort sein könnte, ließ ihr Pferd zögernd stehenbleiben. Der Trupp hinter ihr hielt an. Sie blickte zurück und sah auf allen Gesichtern verstohlenen Triumph. Jarnti unterdrückte ein Lächeln, wie es ein Führer tut, der andeuten will, daß er sich der Gefühlsäußerung seiner Untergebenen anschließen möchte. Während sie dort standen, und man nichts als das Scharren der Pferdehufe auf der steinigen Straße hörte, erkannte Al•Ith, daß sie sich

geirrt hatte: Die Art des Triumphes, den ihre Wächter zur Schau trugen, paßte nicht zu dem, was sie befürchtete.
»Wie lange kann es noch dauern, bis wir den König erreichen?« fragte sie. Und Jarnti deutete dies sofort als Erinnerung an ihre übergeordnete Stellung. Er wies die Männer mit einem strengen Blick zurecht, und auf seinem Gesicht zeigte sich Unterwürfigkeit.
All dies beobachtete sie und verstand... ihr wurde bewußt, welch ein barbarisches Land dies war.
Sie glaubten, der Anblick dieser berüchtigten »runden Festung der Todesstrahlen«, wie eines unserer Lieder es beschreibt, habe ihr Angst eingejagt.
Sie sagte sich nicht zum ersten und auch nicht zum letzten Mal, daß sie sich sehr wahrscheinlich nicht so schnell auf diese Leute mit ihrem sklavischen Gemüt einstellen würde; um sie auf die Probe zu stellen, lenkte sie ihr Pferd auf die Straße, die zu dem Gebäude führte. Sofort war Jarnti neben ihr und streckte die Hand nach dem Pferd aus. Sie hielt an. »Ich würde gerne eine der berühmten runden Festungen eurer Zone von innen sehen«, sagte sie.
»O nein, das könnt Ihr nicht. Es ist verboten«, sagte er wichtigtuerisch.
»Aber warum nicht? Die Waffen sind doch sicher nicht auf uns gerichtet.«
»Es ist gefährlich...« Aber in diesem Moment kamen ein paar Kinder um eine Seite des Gebäudes gelaufen. Sie verteilten sich beim Spielen im Gelände; zwei rannten in ein offenes Tor.
»Das sehe ich«, sagte sie und ritt weiter, ohne Jarnti oder die Soldaten noch eines Blicks zu würdigen.
Sie hatten die Ebene beinahe erreicht, als sie in der Nähe der Straße weidende Rinder sahen, die ein halbwüchsiger Junge hütete.
Jarnti rief den Jungen herbei, und der lief schon auf sie zu, als Jarnti sagte: »Ihr könntet ihm Eure Art mit Tieren umzugehen beibringen.« Als der Junge bleich und erschrocken am Straßenrand stand, schrie ihn Jarnti an: »Wirf dich nieder! Kannst du nicht sehen, wen wir zum König bringen?!«

Der Junge warf sich mit dem Gesicht nach unten in ganzer Länge ins Gras; es war noch keine halbe Minute her, daß er gerufen worden war.
Jarnti warf ihr halb bittende, halb befehlende Blicke zu. Sein Pferd tänzelte unter ihm, denn es spürte, wie begierig sein Herr war, ihr Wissen zu lernen.
»Nun«, sagte sie, »ich glaube kaum, daß wir auf diese Weise etwas lernen oder lehren können.«
Aber er sah inzwischen selbst, daß er die Sache falsch angepackt hatte und wurde deshalb rot und wütend. Er schrie: »Die Herrin würde gerne wissen, ob es deinen Tieren gut geht.«
Keine Antwort, dann ein Wimmern, aus dem man in etwa entnehmen konnte: »Sehr gut, ja, gut, Herr.«
Al•Ith glitt vom Pferd, ging zu dem Jungen und sagte: »Steh auf!« Sie sagte das befehlend, da er Befehle verstand. Langsam und zitternd stand er auf und brach vor ihr beinahe wieder zusammen. Sie wartete, bis sie wußte, daß er sich mit verstohlenen Blicken davon überzeugt hatte, daß sie nicht furchteinflößend war und sagte: »Ich komme aus Zone Drei. Unseren Tieren geht es seit einiger Zeit nicht gut. Kannst du mir sagen, ob dir bei deinen etwas Ungewöhnliches aufgefallen ist?«
Er preßte die Hände gegen seine Brust und keuchte, als sei er meilenweit gelaufen. Schließlich gelang es ihm zu sagen: »Ja, ja, das heißt, ich glaube, es ist so.«
Hinter ihnen ertönte Jarntis Stimme laut und witzelnd: »Haben sie traurige Gedanken?« Und die ganze Truppe wieherte.
Sie sah, daß hier nichts zu machen war und sagte zu dem Jungen: »Hab keine Angst, geh zurück zu deinen Tieren.« Sie wartete, bis er weggelaufen war und ging dann zu ihrem Pferd zurück. Jarnti wußte, daß er sich wieder ungeschickt benommen hatte, aber es war ihm ein Bedürfnis gewesen, denn ihr Anblick dort, klein und unbewaffnet neben dem wehrlosen und verängstigten Jungen, hatte ihn dazu getrieben, Stärke und Überlegenheit zu zeigen.
Ohne die Männer anzusehen, schwang Al•Ith sich auf das Pferd und ritt weiter. Sie fühlte sich sehr niedergeschlagen.

Dies war ihr schlimmstes Erlebnis. Alles in ihr schmerzte wegen der Brutalität, mit der man den armen Jungen behandelt hatte. Aber das waren die Methoden dieses Landes, und in dieser schweren Stunde konnte sie sich nicht vorstellen, daß sie sich mit diesen Rohlingen verständigen konnte. Natürlich dachte sie auch daran, was sie erwartete, wenn man sie vor Ben Ata führte.

Sie ritten den ganzen Vormittag über die Ebene mit den Wasserläufen und den nicht endenden Reihen langweiliger, knorriger Bäume. Sie ritt an der Spitze. Yori, das reiterlose Pferd und Jarnti folgten ihr und dahinter kam die Truppe. Alle schwiegen. Al•Ith hatte den Vorfall mit dem Jungen nicht mehr erwähnt; aber die Soldaten dachten jetzt daran, daß sie bald beim König sein würde und erwarteten nicht, daß Al•Ith etwas Gutes über sie berichtete. Deshalb waren sie mürrisch und verdrossen. Es gab nur wenige Menschen am Straßenrand oder in den flachen Booten auf den Kanälen. Aber alle, die die kleine Gruppe vorbeireiten sahen, erzählten, man habe niemanden lächeln gesehen: Diese Hochzeitsgesellschaft hätte gut auf eine Beerdigung gepaßt. Und das reiterlose Pferd führte zu den Gerüchten, Al•Ith sei gestürzt und tot, denn die schlanke Gestalt auf dem ersten Pferd hatte nichts Bemerkenswertes an sich. In ihrem einfachen dunkelblauen Gewand und dem schwarzen Schleier um den Kopf erschien sie ihnen wie eine Zofe oder Dienerin.

Es gab eine Ballade, die erzählt, wie das Pferd der toten Al•Ith mit den Soldaten zum König geht, um ihm zu sagen, daß es keine Hochzeit geben wird. Das Pferd steht an der Schwelle zum Brautgemach und wiehert dreimal Ben Ata, Ben Ata, Ben Ata – und als er aus der Tür tritt, sagt es zu ihm:

Dein Hochzeitsbett bleibt kalt und leer,
O König, deine Braut, sie lebt nicht mehr.
Wo sie herrscht, ist es kalt und dunkel.

Dieses Lied war sehr beliebt, und die Leute sangen es, als jeder bereits wußte, daß Al•Ith nicht tot und die Ehe geschlossen war. Natürlich wußten alle von Anfang an, daß es keine einfache Ehe war. Wie? Ja, wie werden solche Dinge bekannt? Das Lied wurde immer länger. Hier folgt eine Strophe, die aus den Quartieren der verheirateten Soldaten stammt:

In deinem Reich, tapfrer König, schenkst du Lob und Ehren.
Wo Tiere sich paaren, müssen Frauen sich verzehren.
Ich will deine Sklavin sein, tapfrer König.

Solche Verse waren bei uns niemals und nirgendwo denkbar, obwohl viele mitfühlende und zärtliche Balladen über Al•Ith entstanden. Es gibt Leute, die sagen, wo es Herrscher gibt, muß es diese Art derber Kritik geben, denn unabhängig von der Ebene der Herrschaft liegt es in der Natur der Beherrschten, sich Identifikation niedrigster Art mit dem Herrscher zu verschaffen. Wir behaupten, das stimmt nicht, und die Zone Drei ist ein Beweis dafür. Das Gewöhnliche und Alltägliche einer Autorität zu sehen und zu besingen, heißt nicht, sie zu verunglimpfen.
Solche Balladen der Zone Vier, die zu uns nach oben kamen, verwandelten sich, wenn sie die Grenze überschritten. Denn bei uns gab es nicht das Bedürfnis nach Verdrehungen und Zweideutigkeiten, die die Furcht vor einer tyrannischen Macht immer hervorbringt.
Man könnte beinahe sagen, daß eine bestimmte Art Ballade bei uns unmöglich ist: Es ist die Art Ballade, die ihren Grund oder ihre Motivation in der Klage hat oder der Verherrlichung des Verlusts.
In ihrer Zone entstanden durch das reiterlose Pferd Lieder über Tod und Leid – in unserer Zone Lieder über liebevolle Freundschaft.
Die Straße, die sich schnurgerade über die Ebene zog und ungefähr in der Mitte eine ebenso gerade Straße kreuzte, stieg leicht an und führte zu dem kleinen Hügel, den Al•Ith bereits von oben mit Erleichterung gesehen hatte. Die Kanäle mit dem schweren toten Wasser blieben hinter ihnen zurück. Es gab ein paar normale Bäume, die nicht zu knorrigen Stümpfen oder

Stöcken gestutzt worden waren. Auf dem Hügel sah sie Gärten. Hier hatte man das Wasser in Bewegung gebracht. Sie ritten jetzt neben Kanälen, in denen es schnell dahinschoß, über mehrere Stufen nach unten fiel und in Springbrunnen mündete. Die Luft war frisch und kühl, und als Al•Ith einen luftigen Pavillon mit bunten Säulen und Bogengängen vor sich sah, faßte sie Mut. Aber niemand war zu sehen. Sie verglich diesen leeren Garten und den scheinbar verlassenen Pavillon mit der freundlichen Atmosphäre ihres eigenen Palasts, als Jarnti plötzlich einen Befehl gab und der ganze Trupp anhielt. Die Soldaten sprangen von ihren Pferden und umringten Al•Ith. Sie stieg vom Pferd und sah sich von ihnen wie eine Kriegsgefangene in die Mitte genommen und weggeführt – und an der Selbstverständlichkeit ihres Tuns erkannte sie, daß die Männer dies nicht zum ersten Mal exerzierten.

Umgeben von den Soldaten mit Jarnti an der Spitze, streckte sie die Hand nach Yori aus, dem Pferd, das man ihr geschenkt hatte, und hielt es am Hals.

So erreichten sie die Stufen des Pavillons. Ben Ata trat heraus und blieb breitbeinig mit verschränkten Armen im Eingang stehen – ein bärtiger Soldat, dessen Kleidung sich in keiner Weise von der Jarntis oder der anderen Männer unterschied. Er war groß, blond und von den vielen Feldzügen muskulös. Die Sonne hatte Gesicht und Arme rötlich braun gebrannt. Seine Augen waren grau. Er blickte nicht auf Al•Ith, sondern auf das Pferd, denn auch er dachte im ersten Moment, seine Braut sei verunglückt.

Al•Ith ging rasch durch die Reihen der Soldaten, da sie vermutete, daß es Präzedenzfälle gab, mit denen sie nichts zu tun haben wollte. Sie hielt das Pferd noch immer, als sie vor ihn trat.

Jetzt sah er sie an, überrascht und stirnrunzelnd.

»Ich bin Al•Ith«, sagte sie, »und dieses Pferd hat Jarnti mir liebenswürdigerweise geschenkt. Würdest du bitte anordnen, daß es gut versorgt wird?«

Er fand keine Worte. Er nickte. Jarnti griff nach der Mähne des Pferdes und versuchte es wegzuführen. Aber es bäumte sich auf und wollte sich befreien. Al•Ith mußte ihm gut zureden und ihm versprechen, es sehr bald zu besuchen, ehe es sich wegbringen ließ. »Heute noch, ich schwöre es.« Und zu Jarnti gewendet: »Du darfst es nicht zu weit entfernt unterbringen. Und achte bitte darauf, daß es gefüttert und gut versorgt wird.«

Jarnti sah verlegen aus, die Soldaten verbargen ihr Grinsen, weil Ben Atas Gesicht ihnen keinen Hinweis gab. Normalerweise hätte man bei einer solchen Gelegenheit das Mädchen ins Haus geschleppt oder wie üblich grob vorwärtsgestoßen, aber jetzt wußte niemand, wie er sich verhalten sollte.

Al•Ith sagte: »Ben Ata, ich vermute, du hast hier Räume, in die ich mich für eine Weile zurückziehen kann? Ich bin den ganzen Tag geritten.«

Ben Ata fand die Fassung wieder. Sein Gesicht war hart, sogar bitter. Er hatte nicht gewußt, was ihn erwartete und war bereit gewesen, nachgiebig zu sein. Aber die Frau in dem düsteren Gewand stieß ihn ab. Sie hatte den Schleier nicht abgenommen, und außer dunklen Haaren konnte er kaum etwas erkennen. Er bevorzugte blonde Frauen.

Er warf Jarnti einen Blick zu und verschwand achselzuckend im Haus. Jarnti führte sie in ein Zimmer, das zu einer Flucht von Räumen gehörte, und sorgte dafür, daß sie alles hatte, was sie brauchte. Sie wollte weder essen noch trinken und erklärte, sie sei in ein paar Minuten bereit, den König zu sehen.

Und das tat sie. Ohne Zeremonie trat sie in dem dunklen Gewand, in dem sie angekommen war, aus dem Ruhezimmer. Aber sie hatte den Schleier abgelegt, ihre Haare waren geflochten und hingen ihr über die Schulter.

Ben Ata saß in einem sparsam möblierten, großen, hellen und luftigen Raum auf einem niedrigen Diwan oder Sofa. Sie erkannte, daß es sich um ein Brautgemach handelte, das für dieses Ereignis eingerichtet worden war. Aber ihr Bräutigam rührte sich nicht, als sie eintrat. Er rekelte sich auf einer Ecke des Diwans, die Hand unterm Kinn und den Ellbogen auf dem Knie. Sonst gab es keine Sitzgelegenheit. Deshalb setzte sie sich auf die andere Seite des Diwans, die Hand auf der Lehne, wie

jemand, der beabsichtigt, sofort wieder aufzustehen. Sie blickte ihn an, ohne zu lächeln. Er erwiderte ihren Blick, weit von einem Lächeln entfernt.
»Wie gefällt dir das Haus?« fragte er rauh. Es war deutlich, daß er nicht wußte, was er sagen oder tun sollte.
»Es ist also eigens gebaut worden?«
»Ja. Befehle. Genau nach Anweisungen gebaut. Es ist erst heute morgen fertig geworden.«
»Es ist elegant und angenehm«, sagte sie, »es unterscheidet sich sehr von allem, was ich auf meinem Weg hierher gesehen habe.«
»Ganz bestimmt nicht mein Stil«, erwiderte er, »aber um so besser, wenn es dein Stil ist.«
Aus seinen Worten klang eine Art mürrischer Höflichkeit, aber er wirkte unruhig, seufzte immer wieder, und es war deutlich, er wünschte sich nichts sehnlicher, als dem zu entkommen.
»Ich vermute, es war beabsichtigt, daß es uns beiden gefallen sollte«, bemerkte sie.
»Das ist mir gleichgültig«, antwortete er heftig und grob und ließ damit seinen Gefühlen freien Lauf. »Und dir offensichtlich auch.«
»Wir werden das Beste daraus machen«, sagte sie, und es sollte tröstlich klingen. Aber sie sagte es wild und bitter.
Sie sahen sich offen wie Komplizen an; zwei Gefangene, die außer dem Gefangensein nichts gemeinsam hatten.
Dieser erste zaghafte Moment der Verträglichkeit dauerte nicht lange. Er hatte sich auf ihr Hochzeitsbett geworfen und die Arme hinter dem Kopf verschränkt; die Füße in den staubigen Sandalen lagen achtlos auf dem bestickten Bettüberwurf aus feiner, zartfarbiger Wolle. Nirgendwo hätte er unpassender wirken können. An der Art, wie er dort lag und an die Decke starrte, als sei sie nicht vorhanden, konnte sie sich lebhaft seine normale Umgebung vorstellen.
Sie sah sich um. Es war ein sehr großer Raum. An zwei Seiten führten Rundbogen in den Garten. In jeder der beiden anderen Wände war eine schlichte Tür. Die eine führte zu den Zimmern, aus denen sie gekommen war, und die andere vermutlich

zu seinen Räumen. Die gewölbte Decke war hoch und an den Ecken gekehlt. Der Raum schimmerte in einem sanften Elfenbein, aber sie entdeckte goldene, blaue und gedämpft rote Ornamente; vor jedem Bogen hingen bestickte Vorhänge, die von juwelenbesetzten Spangen zurückgehalten wurden. Man hörte die Springbrunnen und rauschendes Wasser. All dies unterschied sich nicht sehr von der Fröhlichkeit und Frische der öffentlichen Gebäude in Andaroun, unserer Hauptstadt. Allerdings waren Al•Iths Gemächer dort schlichter.

Das große Zimmer war keineswegs nur ein leerer Raum. Die großen, kannelierten Bögen der gewölbten Decke, die ebenfalls in Gold, Himmelblau und Rot abgesetzt waren, vereinigten sich in der Mitte des Raums und mündeten in einer schlanken Säule. Der Boden war aus einem duftenden Holz. Außer dem großen niedrigen Diwan stand in der Nähe eines Bogens ein kleiner Tisch mit zwei anmutigen Stühlen zu beiden Seiten.

Ein Pferd wieherte. Einen Moment später erschien Yori in einem der Torbögen. Er wäre hereingekommen, wenn Al•Ith nicht rasch zu ihm gelaufen und ihn daran gehindert hätte. Man konnte sich leicht vorstellen, was geschehen war. Man hatte ihn eingesperrt, und er war über die Umzäunung gesprungen. Die Soldaten, die ihn bewachten, wagten nicht, Yori in den abgeschlossenen Garten mit dem Pavillon zu folgen, von dem das ganze Land seit Wochen sprach. Sie zog seinen Kopf zu sich herunter, flüsterte ihm zuerst in ein Ohr, dann in das andere, und das Pferd wendete und trabte zurück zu seinen Wächtern.

Als sie sich umdrehte, stand Ben Ata dicht hinter ihr und starrte sie an. »Ich sehe, es stimmt, was wir hier gehört haben. Ihr seid alle Hexen.«

»Diese Hexerei ist leicht zu lernen«, sagte sie, aber als er sie noch immer anstarrte, verließ sie ihr Humor. Sie ging entschlossen hinüber zum Bett, nahm eines der großen Kissen, warf es auf den Boden und setzte sich mit gekreuzten Beinen darauf. Sie hatte nicht daran gedacht, daß er nun das gleiche tun, oder über ihr, auf dem Bett sitzen bleiben mußte. Er war

unsicher; aber er schien sich von ihr herausgefordert zu fühlen, nahm seinerseits ein Kissen, schob es an die Wand und setzte sich ebenfalls.
Sie saßen sich auf den beiden Kissen gegenüber.
Sie fühlte sich wohl, denn dies war ihre Art zu sitzen. Für ihn war es unbequem, und er wagte nicht, sich zu bewegen, damit das Kissen auf dem glatten Boden nicht unter ihm wegrutschte.
»Trägst du immer solche Kleider?«
»Ich habe es für dich angezogen«, entgegnete sie, und er wurde wieder rot. Seit ihrer Ankunft hatte sie mehr wütende und verlegene Männer gesehen als in ihrem ganzen Leben, und sie begann sich zu fragen, ob sie alle an einer Blut- oder Hautkrankheit litten.
»Wenn ich gewußt hätte, daß du nichts mitbringst, hätte ich für dich Kleider nähen lassen. Woher sollte ich wissen, daß du hier wie eine Dienstmagd ankommst?«
»Ich trage nie aufwendige Kleider, Ben Ata.«
Er betrachtete gereizt und verärgert ihr einfaches, weites Gewand.
»Ich dachte, du wärst eine Königin.«
»Dich kann man nicht von deinen Soldaten unterscheiden.«
Plötzlich zeigte er seine Zähne in einem Grinsen und murmelte etwas, das sie als: »Zieh diesen Fetzen aus, und ich werd es dir zeigen!« verstand.
Sie wußte, er war wütend, aber nicht wie sehr. Wenn die Armee auf ihren Feldzügen ein neues Gebiet erreichte, stieß man eine Frau, die beinahe immer weinte, in sein Zelt oder warf sie ihm zu Füßen; vielleicht spuckte und fauchte sie; vielleicht biß und kratzte sie, wenn er in sie eindrang, oder sie weinte ohne aufzuhören. Manche bissen die Zähne zusammen und haßten ihn aus ganzer Seele. Da er kein Mann war, der es genoß, anderen Leid zuzufügen, befahl er, solche Mädchen wieder nach Hause zu bringen. Aber mit Frauen, die auf eine bestimmte Weise weinten oder sich wehrten, konnte er etwas anfangen, und sie zähmte er langsam. Dies waren die Konventionen, und ihnen unterwarf er sich. Er hatte mit Frauen im

ganzen Land geschlafen und sie nicht selten geschwängert. Aber er hatte nicht geheiratet und plante nicht zu heiraten. Das gegenwärtige Arrangement entsprach nicht seiner Vorstellung von einer Ehe, über die er die sentimentalen und hochfliegenden Träume eines Mannes hatte, der die Frauen nicht kennt. Diese Frau, die ihm nun auf unabsehbare Zeit aufgebürdet war, war mit seinen Erfahrungen nicht zu verstehen.
Alles an ihr störte ihn. Mit den dunklen Augen, den dunklen Haaren und den übrigen Attributen war sie nicht unschön, aber nichts an ihr reizte ihn körperlich, und deshalb blieb er kalt.
»Wie lange soll ich bei dir bleiben?« fragte sie in der knappen und trockenen Art, die er jetzt schon – ernüchtert – von ihr erwartete.
»Ein paar Tage, haben sie gesagt.«
Es entstand ein langes Schweigen. Der schöne große Raum war erfüllt vom Plätschern und Rauschen des Wassers und den wäßrigen Spiegelungen der Teiche und Brunnen.
»Wie macht ihr es in deinem Land?« fragte er und wußte wohl, wie plump die Frage war, aber ihm fiel nichts anderes ein.
»Macht *was*?«
»Na ja, wie wir gehört haben, gibt es bei euch viele Kinder.«
»Ich habe fünf eigene, aber ich bin die Mutter vieler Kinder. Es sind mehr als fünfzig.«
Sie konnte erkennen, daß alles, was sie sagte, die Distanz zwischen ihnen vergrößerte.
»Nach unserer Sitte bin ich die Mutter aller Waisenkinder.«
»Du adoptierst sie.«
»Dieses Wort kennen wir nicht. Ich bin ihre Mutter.«
»Und vermutlich empfindest du für sie das gleiche wie für deine eigenen Kinder«, sagte er ironisch.
»Nein, das habe ich nicht gesagt. Fünfzig Kinder sind zuviel, um mit ihnen in einer engen Beziehung zu stehen.«
»In welcher Hinsicht sind sie denn dann deine Kinder?«
»Sie haben alle dieselben Rechte. Und nach Möglichkeit widme ich allen gleich viel Zeit.«
»Von der Mutter *meiner* Kinder erwarte ich etwas anderes.«

»Denkst du, das wird von uns erwartet?«
Diese Frage machte ihn wütend. Er hatte nicht viel über diese schockierende und schimpfliche Bürde *nachgedacht*, die ihm auferlegt worden war; er hatte sich zu sehr darüber aufgeregt. Aber immerhin hatte er angenommen, daß es Kinder geben würde, »um die Allianz zu festigen« – oder etwas Ähnliches.
»Was sonst? Was hast du dir vorgestellt? Einmal alle paar Wochen ein Schäferstündchen? Mit dir!« Und er schnaubte seinen Abscheu vor ihr hinaus.
Sie versuchte, ihn nicht zu genau anzusehen. Sie hatte beobachtet, daß ein langer direkter Blick – wie es beim Gespräch ihre Art war – ihn aus der Fassung brachte. Und außerdem gefiel er ihr noch weniger als sie ihm. Sie fand ihn grob, diesen großen Soldaten mit seinem massigen erhitzten Körper, den wilden, zornigen Augen und den dicken sonnengebleichten Haaren, die sie an das Fell gewisser, sehr wertvoller Schafe erinnerte, die auf einem bestimmten Berg gezüchtet wurden.
»Bei der Paarung geht es um mehr, als nur Kinder zu zeugen«, bemerkte sie.
Die Selbstverständlichkeit, mit der sie das sagte, ließ ihn laut aufstöhnen, und er schlug mit der Faust hart auf den Boden.
»Das kann schon sein, aber man hat nicht den Eindruck, daß du viel darüber weißt.«
»O doch«, erwiderte sie, »es ist eines der Dinge, die wir in unserer Zone besonders gut beherrschen.«
»O nein«, rief er, »o nein, nein, nein, nein.« Er sprang auf, ging mit großen Schritten im Zimmer auf und ab und hämmerte mit den Fäusten gegen die schönen Wände.
Sie saß noch immer mit gekreuzten Beinen auf dem Kissen und beobachtete ihn interessiert wie ein merkwürdiges unbekanntes Tier.
Er blieb stehen. Er gab sich einen Ruck. Er drehte sich um, biß die Zähne zusammen, ging energisch auf sie zu, hob sie hoch und warf sie auf den Diwan. In erprobter Weise legte er ihr die Hand auf den Mund, riß ihr Kleid hoch, fühlte, ob er bereit war, stieß in sie und erledigte seine Aufgabe mit einem halben Dutzend schneller Bewegungen.

Dann richtete er sich auf; er hatte sich nicht auf sie gelegt, sondern war stehengeblieben; es war ihm bereits peinlich, und mit einer besorgten Geste, die sehr ungewöhnlich für ihn war, zeigte er, daß er sich falsch benommen hatte: Er zog ihr das Kleid über die Beine und nahm beinahe zärtlich die Hand von ihrem Mund.
Sie lag da und blickte ihn ausdruckslos an. Erstaunt. Sie weinte nicht. Sie kratzte nicht. Sie beschimpfte ihn auch nicht. Sie zeigte ihm nicht die kalte, unbarmherzige Abscheu, vor der er sich bei dieser Frau so fürchtete. Nichts. Es kam ihm vor, als sei sie an einem ihr völlig unbekannten Phänomen interessiert.
»O du!« stieß er zwischen den Zähnen hervor, »warum hat man mir gerade dich aufgehalst?«
Bei diesen Worten gab sie einen Ton von sich, der zweifellos Belustigung ausdrückte. Sie setzte sich, stellte die Füße auf den Boden und brach plötzlich in ein tonloses Weinen aus, das ihre Schultern erbeben ließ. Die Tränen versiegten ebenso plötzlich, wie sie gekommen waren. Dann ging sie langsam zu ihrem Kissen, setzte sich, lehnte den Rücken gegen die Wand und blickte ihn an.
Er bemerkte, daß sie sich vor ihm fürchtete, aber auf eine Weise, die ihm nicht gefiel.
»Nun«, sagte er, »das war das.« Er sah sie unsicher von der Seite an, als warte er auf einen Kommentar.
»Macht ihr es wirklich so?« fragte sie, »oder liegt es nur daran, daß du mich nicht magst?«
Bei diesen Worten warf er ihr einen verzweifelten Blick zu, setzte sich an das Fußende des Diwans und bearbeitete es mit den Fäusten.
Jetzt endlich sah sie, daß er ein Junge war, kaum mehr als ein kleiner Junge. Sie sah in ihm einen ihrer halberwachsenen Söhne, und zum ersten Mal wurde sie etwas weicher.
Sie blickte ihn an; in ihren großen Augen standen noch immer Tränen. Sie sagte: »Ich glaube, ihr könnt vielleicht etwas von uns lernen.«
Er schüttelte den großen wuscheligen Kopf, als stürme zuviel

auf ihn ein. Er blieb vornübergebeugt sitzen, sah sie nicht an, aber er hörte zu.
»Erstens, hast du nie etwas davon gehört, daß man den Zeitpunkt der Empfängnis bestimmen kann?«
Er krümmte sich, aber nur, weil sie wieder von Kindern redete. Er schlug mit der Faust aufs Bett, aber nur einmal.
»Weißt du nicht, daß man den Charakter eines Kindes bei der Empfängnis bestimmen kann?«
Er schüttelte den Kopf und ließ ihn hängen. Er seufzte.
»Wenn ich jetzt schwanger bin, was durchaus sein kann, dann hat uns das Kind nichts Gutes zu verdanken.«
Plötzlich warf er sich der Länge nach auf das Bett und blieb mit ausgestreckten Armen liegen.
Wieder herrschte langes Schweigen. Der Geruch der Paarung war eine leise, scharfe Erinnerung der Lust, und er blickte zu ihr hinüber. Sie lehnte sehr blaß und müde an der Wand. Am Mund hatte sie einen blauen Fleck, der Abdruck seines Daumens.
Er stöhnte auf: »Es sieht aus, als könnte ich etwas von dir lernen«, sagte er, und er sagte es nicht wie ein Kind.
Sie nickte. Sie blickten sich an und sahen nur, daß sie unglücklich waren und nicht wußten, was sie voneinander erwarten konnten.
Sie stand auf, setzte sich neben ihn auf den Diwan und legte ihre kleinen Hände auf seinen breiten Nacken. Er lag noch ausgestreckt da und hatte das Kinn auf die Faust gestützt.
Er drehte sich um. Er mußte sich zwingen, sie anzusehen.
Er blieb auf dem Rücken liegen, nahm ihre Hände, und sie saß ruhig bei ihm. Sie versuchte zu lächeln, aber ihre Lippen zitterten, und die Tränen rannen ihr über das Gesicht. Mit einem erstickten Laut zog er sie neben sich. Er bemerkte verwundert, daß auch in seinen Augen Tränen standen.
Er versuchte, diese seltsame Frau zu trösten. Er spürte ihre kleinen Hände auf seinen Schultern. Er spürte in dem Druck Trost und Mitleid.
So schliefen sie völlig erschöpft zusammen ein.
Dies war ihre erste Liebesbegegnung gewesen, ein Ereignis, das die Vorstellungen zweier Reiche miteinander verschmolz.

Er erwachte und war sofort munter. Seine Sinne arbeiteten fieberhaft, loteten den Raum aus, der ihn umgab, den es aber nicht geben sollte und versuchte, Geräusche zu deuten, die nach Flüstern, Gefahr klangen. Sein Zelt war offen geblieben... aber die Öffnung war größer als sie sein konnte. Hatte der Wind sein Zelt davongerissen... oder ein Angriff? Wasser... fließendes, aufsteigendes Wasser: Die Kanäle führten Hochwasser. Stand er schon im Wasser? Er erwartete den kalten, nassen Griff einer gefährlichen Flut um die Knöchel und setzte die Beine auf trockenen Boden, machte mehrere große Schritte und rief in der rauhen, verstörten Stimme des Alptraums nach seiner Ordonnanz, als er sah, daß er die Säule und einen Bogen für den Zelteingang gehalten hatte. Sofort fiel ihm alles wieder ein. Er blickte sich in der Dunkelheit um, da er glaubte, daß diese Frau, daß Al•Ith sich über ihn lustig machte. Aber es war sogar zu dunkel, um das Bett zu sehen. In diesem Moment wollte er nichts anderes als das Haus einfach verlassen und nie mehr zurückkommen. Mit der Erkenntnis, daß er die plätschernden Brunnen für Flutwellen und Überschwemmungen gehalten hatte, überkam ihn panische Angst: War er nicht mehr er selbst? Er war geschwächt, entmannt und zum Feigling geworden. Bitterkeit packte ihn. Sein Mund wurde ganz trocken. Er war entsetzt – über die Situation, über sich, über sie. Aber wenn er etwas kannte, dann war es Gehorsam. Ein Befehl hatte ihn in diesen weichlichen Pavillon geführt, und die Pflicht verlangte, daß er zu dem Diwan zurückging. Obwohl er überzeugt war, daß sie nicht mehr schlief und ihn irgendwie beobachtete, ging er vorsichtig durch die Dunkelheit, bis er mit den Schienbeinen gegen das weiche Bett stieß. Halb sitzend, halb stehend begann er, das Bett nach ihrem Körper abzutasten – nach ihr. Schließlich suchte er das ganze Bett ab und fand nichts. Sie war geflohen! Welche Erleichterung! Denn dann war es ihre Schuld, nicht seine! Er hatte nichts damit zu tun! Aber dann wichen diese Gedanken der Empörung und der Jagdlust. Wenn sie geflohen war, mußte man sie einfangen. Die Verwirrung und Unsicherheit der letzten Minuten schlugen in Energie um. Er begann munter zu pfeifen. Dann fiel ihm ein, daß sie irgendwo im Zimmer sein konnte, vielleicht hinter der Säule, und ihn beobachtete, sich vielleicht sogar über ihn lustig machte. Er drehte sich um, ging zur Säule und suchte tastend in der Dunkelheit nach ihr. Nichts. Er wollte wieder seine Ordonnanz rufen, erinnerte sich aber, daß es hier keine Bediensteten geben durfte. Er hatte nichts dagegen einzuwenden. Dieser König fühlte sich im Feld am glücklichsten, als Soldat unter Soldaten, der sich nur dadurch von ihnen unterschied, daß er die Entscheidungen traf. Aber es gefiel ihm nicht, daß er mit ihr ohne Bedienstete allein sein mußte; mit einer Frau allein sein mußte – mit dieser Frau. Sie war eine Hexe, stand sicher irgendwo im Raum und sah, wo er nichts sehen konnte. Wut bestärkte ihn in seiner Entschlossenheit. Er warf sich den Militärmantel über und ging mit großen Schritten zur Tür, die in den Garten mit den Springbrunnen führte.

Als er in der Dunkelheit aufgewacht war, hatte er nicht gewußt, wie spät es war. Im Lager stand auf seine Anordnung hin eine Wache vor seinem Zelt, die alle halbe Stunde die Zeit ansagte – nicht laut, aber deutlich hörbar. Wenn er wach lag, mußte er wissen, wo er war in den Ländern der Nacht. Die er nicht genoß, denen er sogar mißtraute. Er legte sich gern nach dem Abendessen nieder und schlief bis zum Morgengrauen – über die Zeit dazwischen wollte er am liebsten nichts wissen. Aber wenn er aus irgendeinem Grund nicht schlief, wartete er auf die gedämpfte, beruhigende Stimme des Wachpostens.

Jetzt stand er breitbeinig in der Türöffnung. Das dunkle Zimmer lag hinter ihm. Er blickte durch die Säulen des Bogengangs hinaus. Er wußte sofort, daß es in etwa einer Stunde hell werden würde, obwohl weder Mond noch Sterne am Himmel standen und die tiefhängenden Wolken schnell vorüberzogen. Ein unregelmäßiger heller Streif verriet ihm, wo das lange rechteckige Becken mit den sieben plätschernden Fontänen lag. Er erinnerte an die Gereiztheit – die sich seiner beinahe wieder bemächtigte. Die Abmessungen des Pavillons, die angrenzenden Räume, die Auffahrten, die Säulengänge, die Gärten, die vielen Teiche und Brunnen, die Wege, Treppen und

Terrassen – alles genau vorgeschrieben und in den Maßen festgelegt, und zwar in den verrücktesten Proportionen: Hälften, Viertel, Schnörkel, Unregelmäßigkeiten und Überraschungen. Er war auf eine Meuterei seiner Architekten gefaßt gewesen, die seit Jahren nichts als Festungen, Wachtürme und Kasernen bauten. Und für dieses besondere, sehr lange und schmale Becken, diesen Graben, wie er gemurmelt hatte, als er die Pläne sah, waren sieben Fontänen vorgeschrieben. Nicht zehn oder fünf oder zwanzig, nein sieben. Und das lange ovale Becken dahinter hatte drei von unterschiedlicher Größe... auf einer Seite der Brunnen stand eine Gruppe von neun Gewürzbäumen, und dort sah er einen beunruhigenden Schatten. Für eine Frau war er zu groß. Er hörte, daß sich etwas bewegte. Gerade als er erkannte, daß es ein Pferd war – dieses verdammte Pferd –, hatten sich seine Augen soweit an die Dunkelheit gewöhnt, daß er sie sah. Sie saß ruhig am Ende des langen, schmalen Beckens auf einer erhöhten steinernen Plattform oder Terrasse, die einen Durchmesser von genau siebeneinhalb Fuß hatte, vor dem ovalen Becken. Die Steinmetze hatten anzüglich bemerkt, dieser Platz eigne sich gut als Bett. Oh, diese Witze! Sie hatten ihn ganz krank gemacht, machten ihn noch krank, das Ganze... Er konnte nicht erkennen, ob sie ihn gesehen hatte. Aber ihm fiel ein: Wenn er sie sah, hatte sie ihn vermutlich auch gesehen.

Es war nichts Lächerliches an ihm, wie er dort stand: breitbeinig, mit verschränkten Armen, ganz militärisch und korrekt.

Ihm fiel auf, daß er immer noch wachsam und gespannt war; die Erwartungen einer Jagd, einer Verfolgung hatten sich noch nicht gelegt: Wenn sie dort saß, würde er nicht hinter ihr herjagen müssen – er an der Spitze seiner halben Armee hinter der armen, schmutzigen Ausreißerin, die durch Sümpfe und Schlamm floh... also entspannte er sich.

Er würde nicht den ersten Schritt tun oder sie begrüßen. Er wollte sie nicht begrüßen. Er hegte nicht die geringsten freundlichen Gefühle für sie. Er erinnerte sich nicht an den Moment geteilter Zärtlichkeit, und in dem Augenblick hätte er so etwas weit von sich gewiesen... er stand bereits seit einiger Zeit dort.

Minuten. Sie hatte sich nicht bewegt. Er sah ihr weiß schimmerndes Gesicht. Das triste schwarze Kleid war in der Nacht natürlich unsichtbar. Er glaubte, sie säße dort voll Haß auf ihn. Er konnte jetzt die feuchte Brise riechen, die sich immer kurz vor dem Morgengrauen erhob. Er liebte es, von diesem leichten Wind geweckt zu werden, der so sanft über die Erde strich, die Büsche in Bewegung brachte und den Geruch von Gras und Wasser mit sich trug. Wenn er auf Feldzügen oder Märschen draußen schlief, wurde er davon wach; es war ein angenehmer Gegensatz zu den regnerischen Winden, die manchmal wochenlang über das flache Land jagten... unbewußt war er ein paar Schritte hinausgegangen, an den Rand des Beckens. Er hatte seine Sandalen nicht ausgezogen und konnte deshalb jetzt nicht leise gehen und sie überraschen. Aber sie sagte noch immer nichts. Er war an den sieben albernen Fontänen vorbeigegangen und stand bei ihr am Rand der kleinen Terrasse, ehe sie den Kopf hob und bemerkte: »Es ist schön, hier zu sitzen, Ben Ata.«

»Wie ich sehe, hast du nicht gut geschlafen.«

»Ich schlafe nie mehr als zwei oder drei Stunden.«

Das ärgerte ihn. Natürlich war die Nacht ihr Element. Wie hätte es auch anders sein können!

Da es nichts anderes zu tun gab, setzte er sich auf den Stein – aber an den Rand, ein Stück von ihr entfernt.

Jetzt sah er, daß zwei Pferde unter den Gewürzbäumen standen. Ihr Pferd – das schwarze – und ein anderes, ein weißes. Das schwarze Pferd entdeckte er nur, weil es dicht bei dem weißen stand und einen dunklen Schatten auf das weiße Fell warf.

»Wie ich sehe, haltet ihr in eurem Land die Pferde wie wir die Hunde.«

»Nein, Ben Ata.« An ihrer Stimme hörte er, daß sie versöhnlich gestimmt war – oder fürchtete sie sich sogar? Beim Gedanken an ihre Furcht schlug sein Herz schneller, beruhigte sich aber sofort wieder. Er hörte sich seufzen. Ein drückendes Gewicht schien auf ihm zu lasten. Sein Schwung war dahin. Alles, aber auch alles sagte ihm, selbst seine Erinnerungen und

Hoffnungen, wie fremd ihm diese Frau war. Er spürte, wie ihre Fremdheit ihn belastete, wie sie ihn niederdrückte. Er versuchte fieberhaft, sich an Frauen wie sie zu erinnern, an Frauen, die sich mit ihr vergleichen ließen, um einen Anhaltspunkt zu finden, denn er wollte wirklich versuchen, sie zu verstehen. Aber es gab keine, die ihr auch nur im entferntesten glich. Seine Mutter? Bestimmt nicht! Sie war eine Närrin gewesen – glaubte er. Aber eigentlich hatte er sie nie richtig gesehen, denn mit sieben hatte man ihn zu den Soldaten geschickt, damit er dort erzogen wurde. Seine Schwestern? Abgesehen von den kurzen Besuchen zu Hause hatte er sie seit damals ebenfalls nicht mehr gesehen. Inzwischen waren sie verheiratet und lebten in weit entfernten Gegenden der Zone. Die Frauen seiner Offiziere? Das Problem war, er konnte sich nicht daran erinnern, daß eine Frau ihn jemals beunruhigt hätte, und gerade das tat Al•Ith. Sie reagierte nie, wie seine Erwartungen es vorschrieben. Er war gereizt und nervös wie ein schlecht behandeltes Pferd... schon wieder Pferde. Eigentlich mochte er keine Pferde. Er erinnerte sich nicht daran, früher darüber nachgedacht zu haben, ob er sie mochte oder nicht. Sie waren da.

»Ben Ata, als ich aufstand und hier herauskam, sah ich mein Pferd am Springbrunnen stehen. Zuerst glaubte ich, es sei nicht richtig versorgt worden, aber das war es nicht. Yori hatte weder Hunger noch Durst...«

Beide hörten, wie er langsam und tief ausatmete, weniger gereizt als verwundert, in einer Art schweigender, ihm auferlegter Geduld.

»... sondern war verstört. Deshalb sprang er über den Zaun seines Geheges und kam hierher, um mich zu suchen. Vermutlich bin ich deshalb aufgewacht. Ich versuchte herauszufinden, was ihn beunruhigt; aber es war nicht so leicht. Deshalb forderte ich ihn auf, einen seiner Freunde aus dem Korral zu holen...«

Er hatte wieder hörbar ausgeatmet – ein vorsichtiges Seufzen.

»Es überrascht mich«, sagte er leise und zögernd, als versuche

er sich in dieser neuen Art Sarkasmus, »daß du nicht selbst in die Ställe gegangen bist und das Pferd hergebracht hast.«
»Aber Ben Ata, du weißt, daß ich hier nicht weg kann. Nicht ohne meinen Schild. Ich muß mich auf den Pavillon und die Gärten beschränken. Die Luft eurer Zone würde mich sehr krank machen.«
»Gut, gut, das hatte ich vergessen. Nein, nicht vergessen... aber... oh, um Himmels willen...«
Flüche und Verwünschungen aller Art erstarben ihm auf den Lippen, und er hörte seine Worte, als habe sie ein Fremder gesprochen.
»Er ging, und es dauerte eine Weile, bis er mit diesem weißen Pferd zurückkam. Kennst du es?«
»Nein.«
»Sie kamen den Hügel herauf, kurz bevor ich dich in der Tür stehen sah. Sieh sie dir an, Ben Ata.«
Tatsächlich, jetzt sah er, daß die beiden Tiere mit hängenden Köpfen nebeneinander standen. Sie waren ein Bild der Mutlosigkeit.
»Ich will zu ihnen gehen.« Sie stand auf und ging barfuß durch das Wasser. Sie hob sich jetzt deutlich vor dem Morgenhimmel ab. Endloses Grau bedeckte das Land. Wolkenfetzen zogen dicht über ihnen dahin. Er folgte ihr unwillig. Als die Pferde Al•Ith sahen, kamen sie unter den Bäumen hervor und blieben mit hängenden Köpfen vor ihr stehen. Er beobachtete, wie sie zuerst das schwarze Pferd und dann das weiße streichelte. Sie beugte sich zu dem weißen Pferd und sprach mit ihm, und danach mit dem schwarzen. Er sah, wie sie die ruhigen, feuchten Pferdeleiber streichelte und dann, als sie zwischen beiden Tieren stand, ihnen die Arme um den Hals legte. Sie trat beiseite, klatschte einmal in die Hände, die Pferde wendeten und trabten den Hügel hinunter. Mit einem großen Sprung setzten beide gleichzeitig über die Steinmauer ihres Korrals.
Al•Ith drehte sich nach ihm um. Er sah sie jetzt deutlich. Ihr zierliches Gesicht war sehr blaß, und sie wirkte bekümmert. Die feuchten Haare fielen ihr offen über die Schultern, und ein feiner Schleier lag auf ihnen. An ihrem Mund war der blaue

Fleck. Ihn überkam das ungestüme Bedürfnis, sie an sich zu reißen – aber nicht aus Lust oder Liebe, weit davon entfernt. Die Welle der Brutalität überwältigte ihn beinahe. Aber da spürte er ihre kleine Hand in seiner, und dies verblüffte ihn zutiefst. Vielleicht hatte einmal ein anderes Kind ihm als kleinem Jungen vertrauensvoll und freundlich die Hand in die seine gelegt, aber seitdem hatte das niemand mehr getan.
Er konnte es nicht glauben. Während er widerwillige und feindselige Regungen in sich unterdrücken mußte, legte sie ihre Hand in seine, als sei dies etwas ganz Natürliches. Seine Hand blieb leblos und abweisend.
Dann ging sie schnell vor ihm her, vorbei an Blumen und sprudelnden Fontänen, bis sie den erhöhten runden Platz erreichte, wo sie sich setzte und die nackten Füße unter dem weiten Rock verbarg.
Seine Gedanken überschlugen sich voll Verwunderung, Auflehnung und Widerwillen. Diese große Königin, diese Beute – denn er konnte nichts anderes in ihr sehen – war ärmer und einfacher als die Mädchen, die das Vieh hüteten.
Sie blickte ihm drängend und besorgt in die Augen. »Ben Ata, etwas ist nicht in Ordnung.«
Wieder sein tiefer Seufzer: »Wenn du es sagst.«
»Ja. Ja, so ist es. Hat man dir berichtet, daß eure Tiere, eure Herden nicht gesund sind?«
Jetzt blickte er sie ernst und nachdenklich an. »Ja, es gab Berichte. Aber warte... niemand schien richtig zu wissen, was los ist.«
»Und die Geburtsrate in den Herden?«
»Ist gesunken. Ja, das stimmt.« Und obwohl er ihr zustimmen mußte, konnte er seinen Spott nicht unterdrücken: »Und was hatten dir die beiden Klepper zu berichten?«
»Sie wissen nicht, woran es liegt, aber sie sind alle niedergeschlagen. Alle. Sie haben den Willen und die Lust verloren, sich zu paaren...« Und als der obligatorische Witz drohte, sprach sie schnell weiter, um das zu übergehen – und *ihn* zu übergehen, wie Ben Ata in wilder Auflehnung gegen sie spürte –, und sagte: »Nein, hör zu, Ben Ata. Es handelt sich um alle Tiere.

Alle. Auch die Vögel. Und wie wir wissen, bedeutet dies, daß auch die Pflanzen, wenn nicht jetzt, dann doch bald...«
»Das wissen wir?«
»Ja, natürlich.«
Trotz des schwachen Versuchs, sie zu verhöhnen, suchten seine Augen ernst und verantwortungsbewußt fragend ihren Blick. Er glaubte ihr. Er war wachsam geworden und bereit zu tun, was er konnte. Diese Ernsthaftigkeit brachte ihn dazu, sich neben sie zu setzen; dichter als vorher, aber nicht so, als erhoffe er sich von ihrer Berührung Trost oder Bestätigung.
»Werden noch so viele Kinder wie früher geboren?«
»Nein. Die Geburtenrate geht seit langem ständig zurück.«
»Ja, bei uns auch.«
»Randbezirke unserer Zone sind bereits menschenleer.«
»Ja, bei uns ebenfalls.«
Sie schwiegen lange. Im Osten kämpfte sich das Licht der aufgehenden Sonne durch die feuchte Luft. Die Wolken glänzten in einem fahlen, nassen Gold, und über allem lag ein gelblicher Dunstschleier. In den Gewürzbäumen funkelten Regenbogen, und weiße Lichtstrahlen drangen durch die Nebelschwaden, die von den Sümpfen aufstiegen. Die Strahlen der Fontänen klatschten auf das Wasser, aber das Geräusch klang in der allgemeinen Feuchtigkeit gedämpft.
»Es ist eigentlich ganz hübsch«, sagte sie mit sehr leiser, niedergeschlagener Stimme, und er brach plötzlich in Lachen aus, aber keineswegs unfreundlich. »Nun, ganz so schlimm ist es nicht«, sagte er, »warte, bis die Sonne scheint und alles wieder trocken ist. Es gibt auch hier unten schöne Tage.«
»Ich hoffe es. Faß mal mein Kleid an, Ben Ata.«
Aber diese Aufforderung stellte die Distanz wieder her. Sicher sagte sie es nicht aus Koketterie; aber aus einem anderen Grund aufgefordert zu werden, ihr Kleid anzufassen, empfand er als Beleidigung. Er nahm eine Falte des dunkelblauen Kleids zwischen Daumen und Zeigefinger und verkündete, es sei feucht.
»Ben Ata, wir haben irgend etwas falsch gemacht. Beide Zonen. Sehr falsch. Was sollen wir tun?«

Er zog die Hand zurück und sagte stirnrunzelnd: »Warum sagen sie uns nicht einfach, was falsch ist, und damit gut. Dann können wir die Sache in Ordnung bringen.« Er bemerkte den Anflug eines sehr kleinen, schiefen Lächelns. »Was ist falsch daran?«

»Ich glaube, wir sollen es selbst herausfinden.«

»Aber warum! Wozu! Wozu soll das gut sein! Es ist Zeitverschwendung.«

»So einfach ist es nicht... ich glaube, das ist es«, sagte sie beinahe flüsternd.

»Woher weißt du das?« Aber während er fragte, wußte er, daß seine Frage bereits beantwortet war. »Wann habt ihr zum letzten Mal einen Befehl erhalten?«

»Es ist so lange her, daß niemand sich daran erinnert. Aber es gibt alte Geschichten... und Lieder«, sagte sie.

»Ich kann mich jedenfalls an nichts erinnern. Als ich König wurde, hat man mir nichts darüber erzählt. Als der Befehl eintraf, erinnerte ich mich, daß man ihnen gehorchen muß. Soviel wußte ich, aber mehr nicht.«

»Solange ich lebe, hat es Derartiges nicht gegeben. Auch nicht zu Lebzeiten meiner Mutter.«

»Und ihrer Mutter?«

»Seit Generationen von Müttern nicht.«

»Aha«, sagte er trocken und neutral.

»Weißt du, ich glaube, die Sache ist sehr ernst. Es ist alles sehr schlimm. Gefährlich. So muß es sein!«

»Glaubst du wirklich?«

»Wenn wir beide auf diese Weise zusammenkommen. Auf Befehl. Verstehst du?«

Jetzt schwieg er wieder. Er grübelte. Er seufzte unbewußt – es lag an der ungewohnten Anstrengung des Denkens; es war ihm neu, sich über solche Dinge Gedanken zu machen. Und sie beobachtete ihn. Sie spürte, diesen Mann, der ruhig dasaß, nachdachte und versuchte, hinter die Bedeutung ihres Dilemmas zu kommen – diesen Mann konnte sie mögen. Respektieren. Wieder suchte ihre Hand seine, aus einem freundlichen Impuls heraus, und seine große Hand schloß sich über der ihren

wie eine Vogelfalle. Sie öffnete sich sofort wieder, und Al•Ith sah, daß er ungläubig auf die zwei Hände blickte. Dann warf er ihr einen völlig hilflosen, unglücklichen Blick zu.
Jetzt seufzte sie, zog rasch ihre Hand zurück und stand auf. Sie drehte dem gelben und goldenen Himmel im Osten den Rücken zu und blickte über Ben Ata hinweg nach oben. Sie sah hinauf zu den Gipfeln und Höhen ihres Reichs. »Ohhhh«, rief sie leise, »sieh mal... ich hatte keine Vorstellung... ich hatte nicht die geringste Vorstellung...«
Die Berge der Zone Drei reckten sich bis zu mehr als einem Drittel des Weges zum Zenit. Sie blickte unverwandt mit zurückgelegtem Kopf zu den hochaufragenden leuchtenden Gipfeln. Die aufgehende Sonne ließ sie strahlen und glitzern, und auf den scharfen Zacken der höchsten Berge schienen sich rosa, rote und goldene Wolken zu türmen – aber es waren keine Wolken, sondern der Schnee von tausend Jahren. Tief unten vor diesem Massiv lag der dunkle Rand von Felsen und, von Befestigungen umringt, der Rand des Abhangs, den sie erst vor einem Tag heruntergeritten war. Die riesige Ebene zwischen dem Steilhang und den Ausläufern des Plateaus, das seinerseits die Basis der unzähligen Berge unseres Landes ist, war überhaupt nicht zu sehen. Man konnte nicht ahnen, daß es sie überhaupt gab. Wenn die Bewohner dieser tiefen feuchten Zone zu der Landschaft der hundert Bergketten hinaufblickten, konnten sie sich die unendliche Vielfalt einer Landschaft, eines Landes nicht vorstellen, das keiner von ihnen je sehen konnte. Al•Ith stand da, die Hände hinter dem zurückgebogenen Kopf verschränkt und blickte hoch... hoch; sie lächelte voll Freude und Verlangen und weinte vor Glück.
Ben Ata sah sie an. Er fühlte sich unbehaglich.
»Laß das«, sagte er barsch.
Zögernd richtete sie den Blick wieder nach unten und sah seine Mißbilligung. »Aber warum?«
»Das ist nicht gut.«
»Was ist nicht gut?«
»Wir ermutigen das nicht.«
»Was?«

»Wir nennen es Wolken sammeln.«
»Willst du damit sagen, die Leute blicken überhaupt nicht hinauf... in diese *Pracht*?«
»Es schwächt.«
»Aber das glaube ich nicht, Ben Ata.«
»Es ist so. Das ist Gesetz.«
»Ich glaube nicht, daß ich meine Augen davon abwenden könnte, wenn ich hier unten leben müßte. Sieh doch, sieh doch...« und überwältigt von dem weiten Panorama aus Licht und Farbe, das den ganzen westlichen Himmel füllte, breitete sie die Arme aus. »Wolken«, rief sie, »das sind keine Wolken! Es ist unser Land. Das sind wir.«
»Es gibt Zeiten, in denen wir dorthinauf blicken. Festgelegte Zeiten. Feste. Alle zehn Jahre. Wenn man jemanden dabei ertappt, daß er zu lange nach oben blickt, wird er bestraft.«
»Und wie bestraft ihr ihn?«
»Wir befestigen schwere Gewichte an seinem Kopf, damit er nicht mehr nach oben blicken kann.«
»Das ist böse, Ben Ata.«
»Ich habe dieses Gesetz nicht gemacht. Es ist schon immer so gewesen.«
»Immer, immer, immer... woher weißt du das?«
»Ich glaube nicht, daß jemand von uns das Gesetz je in Frage gestellt hat. Du bist die erste.«
Sie sank neben ihn. Dicht neben ihn. Wieder bemerkte er an sich das leichte Zurückweichen, gegen das er nichts tun konnte. Ihre Begeisterung, ihre Verzückung stieß ihn ab. Er konnte den Anblick ihres strahlenden lächelnden Gesichts kaum ertragen. Aber andererseits spürte er eine gewisse Erleichterung darüber, daß sie nicht immer so blaß und ernst war. Ihr Gesicht, auf dem der rosige Widerschein der fernen Berge lag, war jetzt mindestens ebenso hübsch und rosig angehaucht wie die Gesichter anderer Frauen, an die er sich erinnern konnte; das schwere Haar, in dem noch immer Tautropfen schimmerten, lag in Locken um ihr Gesicht.
Aber er sagte: »Du darfst das nicht tun. Es verstößt gegen

unsere Gesetze. Solange du hier bist, mußt du unsere Gesetze befolgen.«
»Ja, das ist richtig«, flüsterte sie und wendete die Augen ab.
»In deinem Land kannst du natürlich tun, was dir gefällt.« Er klang jetzt wie ihr Bruder, der jahrelang Kämmerer in ihrem Haushalt gewesen war, ehe er darum gebeten hatte, die Stellung eines Wahrers der Memoranden übernehmen zu dürfen.
»Aber in unserem Land sind wir so, Ben Ata.«
Plötzlich war sie wie geblendet, als habe sie ein Lichtstrahl durchzuckt. »Ben Ata, ich hatte gerade ein...«, aber es war fort. Sie legte das Gesicht in die Hände, wiegte sich hin und her und versuchte, sich an das zu erinnern, was ihr gerade entflohen war.
»Bist du krank?«
»Nein, ich bin nicht krank. Aber ich habe beinahe etwas verstanden.«
»Sag mir, wenn es dir wieder einfällt.«
Mit diesen Worten stand der Soldat auf und blickte – nur einen Moment lang – auf die Pracht des bergigen Paradieses am Himmel. Er murmelte: »Sehr richtig, natürlich sollten die Leute ihre Zeit nicht damit verschwenden...« Energisch wendete er den Blick ab und stapfte in Richtung Pavillon. Al•Ith folgte ihm langsam; sie ging an dem schmalen Becken entlang, an den Fontänen vorbei... eins, zwei, drei – auch sie warf einen letzten Blick auf ihr Land, senkte entschlossen die Augen und sah statt dessen, wie die sieben Fontänen die glänzende Wasseroberfläche aufwühlten, die den tiefhängenden grauen Himmel spiegeln wollte.
Im Pavillon erwartete sie alles unverändert. Der große, stille, luftige, glänzend weiße Raum mit den zarten Stickereien und den leuchtenden Farbmustern. Der weiche Diwan, auf dem sie kaum Spuren hinterlassen hatten. Durch die Bögen auf der gegenüberliegenden Seite sah man nichts als Grau. Es regnete, und der Hügel, an dessen Hang sich der Park bis hinunter zu den Lagern erstreckte, war wie ausgelöscht.
Ben Ata stand in der Mitte des Raums bei der Säule und sah sie auf komisch verwirrte Art an. Sie blickte ebenso zurück.

In diesem Moment empfanden sie Freundschaft füreinander. Kameradschaft. Wenn sie nichts anderes waren, diese beiden, so waren sie doch Repräsentanten und Verkörperungen ihrer Länder. Sie verkörperten die Besorgnis ihrer Zonen. Bei ihm nahm diese Sorge die Form von Gehorsam und Pflicht an. Bei ihr wurde der schwere Druck durch die Lebhaftigkeit ihrer Antworten auf Ereignisse und Situationen gemildert, aber sie waren einander ähnlich. Ihre Völker blieben, was sie waren, was ihre Gedanken waren. Ihr Leben konnte nichts anderes sein, nicht mehr oder weniger... und doch war beiden jetzt zutiefst bewußt – so daß sie bis ins Innerste erschüttert und aufgewühlt wurden –, daß all ihre Besorgnis und das ganze Pflichtgefühl sie nicht gehindert hatten, etwas grundsätzlich Falsches zu tun... Sie sahen sich an, und keiner wendete den Blick ab, sondern sie versuchte, hinter seine ernsten, gedankenschweren grauen Augen und er hinter ihre sanft glänzenden schwarzen Augen vorzudringen, um etwas Tieferes, anderes zu erreichen.
»Was sollen wir tun, Ben Ata?« flüsterte sie.
Dieses Mal streckte er die Hand aus, nur ein wenig, und sie ging zu ihm und umfaßte sie mit beiden Händen. »Wir müssen nachdenken«, sagte sie, »wir müssen versuchen, es herauszufinden...«
Jetzt nahm er sie zart in seine großen Arme, beinahe als fürchte er, sie durch seine Größe und sein Gewicht zu erdrücken, und als versuche oder erprobe er völlig neue und nicht gänzlich wilkommene Empfindungen. Er mied den blauen Fleck an ihrem Mund und blickte in dieses Gesicht, das aus einer Substanz oder einem Licht gemacht zu sein schien, das zu besitzen er nie hoffen oder auch nur wünschen konnte. Er küßte sie ungeschickt wie ein Junge. Er spürte, wie ihr Mund lebendig wurde und auf eine Weise reagierte, die ihn noch immer nur alarmieren konnte. Schnelle leichte Küsse, der subtile Geschmack und das zarte Lächeln unbeschwerter Gemeinsamkeit, das Necken und das Antworten auf das Antworten auf das Antworten – all dies war eine unerträgliche Zumutung, und nach wenigen Augenblicken trug er sie wieder

zum Bett. Ihm entging nicht, daß sie vor ihm zurückzuckte und sich verkrampfte, während er sie festhielt, um eindringen zu können, als lehne alles in ihr und an ihr ihn ab. Er spürte das und verglich es mit den Anfängen des sinnlichen Dialogs, den er unterbrochen hatte. Ihre Art schien ihm immer zu schwierig zu sein, zumindest unvertraut oder gerade jetzt außerhalb seiner Reichweite. Und seine Art kam ihm roh vor... er konnte nicht eindringen und sie völlig in Besitz nehmen, ohne einen verstohlenen Blick auf den blauen Fleck, den er verursacht hatte, zu werfen, und das beschämte ihn nun so sehr, daß er stöhnte, als er sich in sie ergoß und still liegenblieb. Zu seinem Erstaunen war er von Trauer erfüllt.
Sie war völlig still, und ein Blick in ihr Gesicht zeigte ihm, daß ihre Augen offen und tiefbetrübt waren.
»Schon gut«, sagte er, »ich weiß, du hältst mich für einen Hinterwäldler.«
»Ihr habt sehr schlechte Gewohnheiten in eurem Land«, bemerkte sie schließlich mit kalter Stimme. Trotzdem glaubte er zumindest an die Möglichkeit, ihre Freundlichkeit wiederzuerwecken.
Er sprang auf, hüllte sich in den Mantel und zog das blaue Kleid über ihre Beine.
»Weißt du, was ich tun werde«, fauchte er sie geradezu an, »ich werde dir ein paar Kleider aus der Stadt kommen lassen.«
Darauf begann sie zu lachen. Mit abgewendetem Kopf und der Hand vor dem Mund lachte sie schwach, aber sie lachte. Erleichtert lächelte er, obwohl er wußte, daß ihr Lachen ebensogut ein Weinen sein konnte.
»Es ist jedenfalls Zeit, daß wir beide etwas essen«, sagte er. Das hörte sich noch mehr nach ihrem Bruder, dem Kämmerer, an. Und sie lachte lauter, drehte sich um, preßte die Hände an den Kopf und rief: »Mach, daß du rauskommst, geh und laß mich allein.«
Er ging mit schnellen Schritten in seine Gemächer auf der rechten Seite des großen Pavillons.
Dort badete er und zog sich um. Er legte eine Tunika an, die für Zeremonien und festliche Anlässe bestimmt war, denn in

seinen Schränken fand er nichts anderes, das ihm für diese Zusammenkunft oder das Hochzeitsfrühstück geeignet erschien.
Dann ging er wieder in den Hauptraum. Al•Ith hatte sich in ihre Gemächer zurückgezogen. Er setzte sich an den kleinen Tisch am Fenster vor den Bögen, wo der nasse Wind eine graue Regenwand vor sich hertrieb, und begann fast sofort, das Kinn in die Hand gestützt, über ihre Schwierigkeiten als Herrscher nachzudenken. Dort fand sie ihn später, so tief in Gedanken versunken, daß er sie nicht hörte.
Sie hatte in ihren Schränken einen leichten weißen Überwurf aus Leinen entdeckt, den eines der Dienstmädchen nach dem Saubermachen dortgelassen hatte. Sie hatte ihr dunkelblaues Kleid nicht mehr angezogen und war, wie er bemerkte, in dem Arbeitskleid eines Dienstmädchens zu ihm gekommen – das sah er erst, nachdem er schließlich ihre Anwesenheit bemerkte.
Aber er sagte nichts. Er dachte, das frische Weiß stehe ihr gut. Er dachte, eigentlich ist sie hübsch, wenn nur ihr Gesichtsausdruck mehr seinen Wünschen entsprechen würde. Aber sie war wieder ernst, und das entsprach seiner wirklichen Stimmung.
Zwischen ihren Stühlen stand ein kleiner, quadratischer Tisch mit Schnitzereien und farbigen Intarsien. In dem Befehl war auch sein Aussehen genau vorgeschrieben worden.
Er fragte: »Was möchtest du essen?«
Als sie gerade antworten wollte, klatschte er in die Hände, und vor ihr standen Obst, Brot und ein heißes duftendes Getränk.
»Sehr frugal«, sagte er und klatschte wieder in die Hände. Vor ihm standen kaltes Fleisch und der harte Zwieback, die die Soldaten auf den Feldzügen aßen.
»Sehr frugal«, sagte sie.
»Beeindruckt dich mein kleiner Trick nicht?« fragte er munter, und es sollte brüderlich-sarkastisch klingen.
»Sehr, aber vermutlich gehört es zu den Befehlen.«
»Ja! Kennt ihr so etwas?«

»Nein.«
»Also, wir denken uns etwas, und es steht vor uns.« An seinem jungenhaften Vergnügen konnte sie sehen, daß er etwas anderes auftauchen lassen wollte.
»Nein... nicht«, sagte sie, »wir dürfen es nicht mißbrauchen.«
»Du hast recht... *natürlich.*« Und er aß schnell und mit großen Bissen.
Beide zogen diese Mahlzeit bewußt in die Länge. Jedem gefiel der andere am besten in der Rolle des verantwortungsbewußten Souveräns – nachdenklich und ernsthaft. Wenn sie sich doch nur so benehmen würde wie die Frauen, die er kannte, redete er sich ein, aber in Wirklichkeit hatte er sich bereits an sie gewöhnt und begonnen, sich auf sie zu verlassen. Was sie betraf, so konnte sie ihre natürliche Antipathie gegen seinen körperlichen Typ nur beiseite schieben, wenn sie sah, daß er dachte und versuchte, sich ihr zu nähern, um das zu teilen, was – wie sie wußte – ihnen beiden bevorstand.
Sie sprachen mehr als sie aßen. Sie beobachteten den strömenden Regen, der vor dem Bogengang niederging und sie in gleichförmiger Stille einschloß.
Im Verlauf des Nachmittags hörte es auf zu regnen. Barfuß schlenderten sie hinaus und gingen zwischen den unermüdlichen Fontänen hin und her, deren Wasser sich noch immer in die Becken ergoß, die bereits überflossen; überall auf den Wegen stand zentimeterhoch warmes Wasser. Wie ein Kind stampfte und schlurfte Ben Ata durch das seichte Wasser. Es schien, als habe man ihn von der Leine gelassen. Er sah albern aus, und Al•Ith fand das abstoßend. Dieser Mann konnte nicht unbefangen spielen. Er wirkte schuldbewußt, wie jemand, der darauf wartete, bestraft zu werden. Sie schlug bald vor, wieder ins Haus zu gehen, und er wurde sofort wieder steif und korrekt wie ein Kind, das man zu hart gerügt hatte. Sie warf einen flüchtigen Blick auf die Gipfel ihres Landes, die die untergehende Sonne bereits in ein kristallklares Blau tauchte, und sie bemerkte, wie er die Lippen zusammenpreßte und den Kopf schüttelte. Er kannte keinen Mittelweg – Erlaubnis oder

Verbot, eins oder das andere! Aber drinnen gewannen sie ihr Gleichgewicht zurück und konnten wieder miteinander reden.

Sie waren zu keinem Schluß darüber gekommen, was in ihren Reichen nicht in Ordnung sei oder wo sie falsche Entscheidungen getroffen hatten – denn beiden war klar, daß dies der Fall sein mußte. Aber sie hatten die ganze Zeit über das Gefühl, daß sie dicht davorstanden, etwas zu verstehen, das sich ihnen immer wieder entzog.

Die Schatten des Abends senkten sich über den Pavillon, und in den Kehlungen der gewölbten Decke leuchteten Lichter auf. Die beiden gingen durch ihr – Gefängnis. Denn jeder wußte, daß der andere es so empfand. Aber sie waren nicht in der Lage, sich weit genug in den anderen hineinzuversetzen, um zu verstehen, weshalb. Ben Ata wollte mit jeder Faser seines Wesens dieser Umgebung entfliehen und Al•Ith abschütteln; allein ihre Gegenwart schien in ihm einen unkontrollierbaren Widerstand auszulösen, denn wenn sie ihn beim Hin- und Hergehen beinahe zu streifen schien, zuckte er zurück, und sein Körper wehrte sich. So etwas hatte er in seinem Leben noch nicht erlebt. Aber er war auch noch nie mit einer Frau so lange allein gewesen, ganz zu schweigen von einer Frau, die, wie er sich immer wieder vorsagte, »wie ein Mann« redete und sich auch so benahm. Als diese starken Gefühle nachließen, fragte er sich erstaunt, ob er vielleicht krank sei. Gedanken an ihre möglichen Künste in schwarzer Magie kehrten zurück. Und sie? Al•Ith war bekümmert und traurig. Am liebsten hätte sie geweint. Solche Empfindungen waren ihr fremd. Sie konnte sich nicht daran erinnern, je dieses dumpfe und angenehme Bedürfnis gespürt zu haben zu weinen, sich gehenzulassen, den Kopf an eine Schulter zu legen – nicht an die Schulter irgendeines Menschen und ganz bestimmt nicht an die Schulter Ben Atas. Und doch ertappte sie sich mehr als einmal bei dem Wunsch, er möge sie wieder zu dem Diwan tragen; nicht »um sie zu lieben« – ganz bestimmt nicht, denn er war ein Barbar –, sondern um sie in seine Arme zu schließen. Dieses Bedürfnis mußte sie erstaunen und beunruhigen. Sie glaubte unter der niederdrückenden Luft dieser Zone zu leiden. Trotz ihres Schilds, trotz der Besonderheit dieses Ortes mußte sie auf irgendeine Weise negativ beeinflußt sein. Ihr ganzes Wesen sehnte sich danach, frei und wieder in ihrem Reich zu sein, wo man von jedem erwarten konnte, unbeschwert, freundlich und heiter zu sein, und wo Tränen ein Zeichen von Krankheit waren.

Sie gingen schließlich so erregt auf und ab, hin und her, daß sie sogar darüber lachten und versuchten, es komisch zu finden – plötzlich hörte sie einen gedämpften Aufschrei und begriff sofort, daß er am Ende seiner Kräfte war. Er sagte: »Ich muß gehen und mich darum kümmern, daß...« Mit diesen Worten verschwand er in der Dunkelheit und lief den Hügel hinunter.

Sie wußte, er war ins Lager gegangen – dort war er zu Hause.

Sie konnte nach seinem Weggehen leichter atmen. Aber während sie noch immer auf und ab ging, traten ihr Worte so klar ins Bewußtsein, als würden sie ihr ins Ohr gesprochen: »Al•Ith, es ist Zeit für dich, nach Hause zu gehen. Du wirst später zurückkommen müssen, aber jetzt geh nach Hause.«

Sie zweifelte nicht daran, daß dies der Befehl war. Schlagartig besserte sich ihre Stimmung. Sie nahm sich noch nicht einmal die Zeit, das dunkle Gewand wieder anzuziehen. In dem weißen Magdkittel lief sie in die entgegengesetzte Richtung, die ihr Mann Ben Ata gewählt hatte. Sie blieb bei den Fontänen stehen und rief nach ihrem Pferd, indem sie es in Gedanken aufforderte zu kommen. Bald hörte sie ihn den Hügel hinauftraben und sich seinen Weg durch Blumen und Brunnen suchen. Noch ehe Ben Ata seine Soldaten erreicht haben konnte, saß sie auf seinem Rücken, ritt den Hügel hinunter und auf der Straße nach Westen.

Sie befürchtete nicht, angehalten zu werden. Es war dunkel. Sie mußte nur der Straße folgen, die ohne Kreuzungen oder Kurven geradeaus führte; auf der einen Seite stand die schnurgerade Reihe der Bäume, die in der Dunkelheit wie Laubsträuße aussahen, und auf der anderen befand sich der Kanal.

Hier gingen nur sehr wenige Leute in der Dunkelheit vor die Tür. Ben Ata hatte sich darüber entsetzt, daß in ihrem Reich die Nacht für alle Arten von Vergnügungen da war, für Besuche und Feste. Er versicherte ihr, die Luft hier unten sei viel zu gefährlich und räumte ein, daß das bei ihnen vielleicht nicht der Fall sei. Al•Ith empfand sie nur unangenehm und feucht; noch lange bevor der Morgen graute, begann die Straße langsam und stetig anzusteigen bis zu dem Punkt, an dem der Steilhang begann. Sie mußte unbedingt vermeiden, von den Soldaten auf dieser Seite der Grenze angehalten zu werden. Sie trennte die Ärmel aus dem Kittel, riß sie auseinander und band sie um die Hufe ihres treuen Pferdes. Dann ritt sie geräuschlos weiter.

Sie sah die Schaf- und Rinderherden nicht, an denen sie vorüberkam, aber sie hörte sie, und sie mußte an den armen, verängstigten Jungen denken, der vor ihr im Staub gelegen hatte. Sie sah das große »gefährliche« Rundgebäude nicht und nahm sich vor, bei ihrem nächsten Besuch, der leider unvermeidbar war, Ben Ata danach zu fragen. Sie begegnete keinem Menschen. In der Nähe der Grenze hörte sie singende und lärmende Soldaten, aber niemand hielt sie auf.

Der Morgen dämmerte am Himmel weit hinter ihr. Al•Ith blickte staunend und bewundernd zu ihren schneebedeckten Bergen hinauf. Plötzlich hörte sie ein galoppierendes Pferd hinter sich und nahm an, es sei Ben Ata. Sie hielt an und wartete geduldig, bis der Reiter sie eingeholt hatte. Es war Jarnti. Er trug keine Rüstung, aber den üblichen Militärmantel, und er hatte seinen Schild bei sich.

»Wohin wollt Ihr, Herrin?«

»Nach Hause... wie mir befohlen wurde.«

»Ben Ata weiß nichts davon. Er ist mit den Offizieren im Versammlungszelt.«

»Daran zweifle ich nicht«, antwortete sie. Aber er reagierte nicht auf ihren Scherz. Er sah sie nicht an, sondern blickte zur Seite... wieder mit diesem verstohlenen, beschämten Blick, den sie an ihm bereits kannte. Aber er schien sich darum zu bemühen, seine Augen noch weiter zur Seite zu richten...

dann drehte er ebenso mühsam seinen Kopf zur anderen Seite. Und danach schien er zu versuchen, den Kopf zu heben, aber es mißlang ihm.
Sie empfand plötzlich, daß sie dicht daran war, etwas zu verstehen.
»Jarnti, blickst du je zu den Bergen empor?«
»Nein«, sagte er und ließ seinen Rappen aus Protest gegen eine solche Unterstellung tänzeln.
»Weshalb nicht?«
»Es ist uns verboten.«
»Es scheint, euch ist sehr viel verboten. Sieh mal, wie schön sie sind.«
Wieder tänzelte und scheute sein Pferd, und sie sah, wie er sich krampfhaft bemühte, den Blick zu heben. Die Augen wanderten unruhig von einer Seite zur anderen. Aber er hob den Kopf nicht. Er konnte ihn nicht heben.
»Hast du als Kind Wolken gesammelt?«
»Ja.«
»Und man hat dich mit dem schweren Helm dafür bestraft. Wie lange mußtest du ihn tragen?«
»Sehr lange«, brach es in längst vergessenem Zorn aus ihm heraus. Dann gewann der Gehorsam wieder die Oberhand.
»Gibt es viele ungehorsame Kinder, die die Berge betrachten?«
»Ja, sehr viele. Manchmal auch junge Leute.«
»Und alle tragen zur Strafe den Helm und sind danach gehorsam?«
»So ist es.«
»Woher wußtest du, daß ich nicht mehr da war?«
»Dieses Pferd wollte nicht allein im Korral bleiben. Es sprang über die Mauer und galoppierte hinter Euch her. Da wußte ich, daß Ihr weg wart. Ich fing es ein und folgte Euch.«
»Ich werde jetzt weiterreiten, Jarnti, und ich bin sicher, daß wir uns wiedersehen. Aber sage Ben Ata, er muß nicht wieder eine Kompanie Soldaten schicken, wenn er den Befehl erhält, daß wir uns in eurer Zone treffen müssen.«
»Wir tun, was wir für richtig halten.«

»Wie viele Soldaten waren laut Befehl notwendig, um mich abzuholen? Ich glaube keine.«
»Ihr seid nicht sicher, wenn Ihr allein reitet.«
»Ich bin bis hierher gekommen, und ich kann dir versichern, wenn ich in meinem Land bin, muß ich nichts fürchten.«
»Das weiß ich«, sagte er leise voll Bewunderung und mit einer Sehnsucht in der Stimme, die ihr verriet, daß er von dem Besuch in ihrer Zone sein ganzes Leben lang träumen würde, obwohl er vielleicht nicht wußte weshalb.
Al•Ith sah den Mann prüfend an, der zur Seite blickte.
Er war so groß, stark und braun gebrannt wie Ben Ata, aber seine Haare und Augen waren schwarz. Aber da sie Ben Ata kennengelernt hatte, kannte sie ihn ebenfalls. Im Umgang mit seiner Frau oder mit Frauen war er genauso – großspurig und ein Grobian. Für einen Moment wünschte sie sich, in diesen Armen zu liegen, die wie Säulen waren, »sicher« und »geschützt«. Die Intensität dieses Gefühls setzte sie in Erstaunen.
»Auf Wiedersehen, Jarnti«, rief sie, »sage Ben Ata, ich werde ihn wiedersehen, wenn ich muß.« Jarnti verzog das Gesicht, und das belohnte sie für ihre boshafte Bemerkung. Sie empfand sofort Reue. »Sag ihm... sag ihm...«, aber ihr fiel nichts Freundliches oder Besänftigendes ein. »Sag, ich bin gegangen, weil es mir befohlen wurde«, brachte sie schließlich hervor und galoppierte durch die Felsen des Steilhangs die Straße hinauf. Als sie sich umdrehte, sah sie, wie er steifnackig versuchte, zu den verbotenen Bergen hinaufzublicken. Aber es gelang ihm nicht: Mühsam hob er den Kopf ein wenig, aber er fiel wieder nach unten.
Mit vorgehaltenem Schild überquerte sie die Grenze. In der frischen, reinen, prickelnden Luft ihres Landes warf sie den Schild von sich, sprang vom Pferd, tanzte befreit von dem Schild um das Pferd und lachte, ohne aufhören zu können. Die Gipfel der Berge, die sich hoch in den Himmel reckten, strahlten glutrot und violett in der Morgensonne.
Sie wünschte nichts mehr als auf dem Plateau zu sein, am Fuß der Berge. Aber zuerst wollte sie sich bestimmter Dinge versichern. Als sie sich in ihren gewohnten Gemütszustand

zurückgesungen und -getanzt hatte, stieg sie aufs Pferd und verließ die Straße, die hinauf zum Plateau führte. Sie wollte das Plateau von rechts nach links umreiten und die äußeren Regionen der Zone besuchen. In dieser vorwiegend ländlichen Gegend lebten Hirten und Bauern. Und ihr gefiel es dort immer... aber die letzte Reise lag einige Zeit zurück... wie lange? Unterschwellig wußte sie wohl, daß es schon sehr lange her war. Was war geschehen? Wie hatte sie so nachlässig werden können? Denn das war sie. Unverantwortlich. Kein Wort hätte schlimmer sein können. Milder konnte man nicht urteilen. Das Wort trieb und peitschte sie vorwärts. Nach einer solchen Freude am Tanz und der Aussöhnung mit sich selbst bis zu dem Punkt, an dem jede Zelle sang und jubilierte, hätte sie normalerweise erwartet, unbeschwert durch das hohe duftende Gras der Steppe zu reiten, zu wandern, zu laufen und sich völlig den Genüssen des Tages, dem Sonnenlicht, dem frischen aromatischen Wind, dem wechselnden Licht, dem ständig wechselndem Licht auf den Berggipfeln hinzugeben... aber nein. Diesmal war es nicht so. Ganz im Gegenteil. Warum? Sie sprang sogar vom Pferd, legte ihm die Arme um den Hals und preßte das Gesicht in die dampfende Hitze dort, als könne die Kraft des Pferdes das Verstehen in ihr nähren. War sie besonders beschäftigt gewesen? Nein, das konnte sie nicht glauben. Das Leben war schön wie immer gewesen... mit den Kindern, den Freunden, den Liebhabern und der liebenswerten Lebensweise dieses Reichs. Sie versetzten die Rhythmen des Körpers und des Geistes in gute Stimmung, sorgten für Freundlichkeit... wenn sie an die lächelnden, zufriedenen Gesichter der Menschen in ihrem Leben dachte, lehnte sie sich dagegen auf, daß etwas falsch sein sollte – wie konnte das sein?!
Sie hörte die Stimme eines Mannes, der fragte: »Brauchst du Hilfe?« Sie drehte sich um und sah, daß es ein Landwirt von einem der kommunalen Höfe war. Jung, gesund und mit dieser besonderen strahlenden Wärme, ein Zeichen für Wohlergehen und Zufriedenheit, die in Ben Atas Reich so auffallend fehlten.

»Nein, mir fehlt nichts«, sagte sie. Aber er sah sie zweifelnd an. Ihr fiel ein, daß sie den inzwischen ärmellosen und zerfetzten kurzen weißen Kittel trug, und daß die Hufe des Pferdes mit Stoff umwickelt waren. Sie nahm die Lappen von den Hufen, und während sie das tat, sagte er: »Ah, ich weiß, wer du bist! Wie ist das, in der Zone Vier verheiratet zu sein?« Es war eine freundliche Frage, die sie normalerweise erwartet hätte. Aber sie warf ihm einen kurzen, argwöhnischen Blick zu, den sie sofort als »Zone-Vier-Blick« einordnete. Nein, natürlich wollte er nicht »aufdringlich« sein – ein Zone-Vier-Wort! Oh, eineinhalb Tage dort unten hatten sie sehr verändert.

»Du hast recht, ich bin Al•Ith. Ich hatte vergessen, was ich anhabe. Glaubst du, eine der Frauen bei euch könnte mir ein Kleid leihen?«

»Natürlich. Ich hole gleich eins.«

Und er lief auf eine Gruppe Bauernhäuser zu, in deren Nähe Rinder und Schafe weideten.

Sie entdeckte einen kleinen Baum, ließ das Pferd grasen und setzte sich darunter.

Als er mit einem Kleid in der Hand zurückgelaufen kam, sah er sie dort. Dicht bei ihr stand das fressende Pferd, nahe genug, um sie immer wieder mit den Nüstern zärtlich zu beschnuppern.

»Wie heißt dein Pferd, Al•Ith?«

»Ich habe noch keinen Namen gefunden, der gut genug für ihn ist.«

»Aha, dann ist er ein ganz besonderer Freund.«

»Ja, beinahe vom ersten Moment an hat er Freundschaft mit mir geschlossen.«

»Yori«, sagte er, »dein Gefährte, dein Freund.«

»Ja, das paßt sehr gut!« Sie streichelte die Nüstern des Pferdes und flüsterte ihm seinen Namen ins Ohr: Yori.

»Yori«, sagte der Mann, »natürlich wußte ich, wer du bist. Als ich dich sah, spürte ich sofort, daß wir Freunde sind. Auch ich heiße Yori.« Er setzte sich ihr gegenüber ins Gras, legte die Arme auf die Knie und beugte sich lächelnd vor.

Und jetzt geriet Al•Ith in große Verwirrung. Sie lächelte und

nickte, sagte aber nichts. Unter normalen Umständen hätte sie auf solche Worte sofort reagiert. Dieser Mann gefiel ihr, ihr Körper und sein Körper verstanden sich gut... und das vom ersten Blick an. Hier im warmen, trockenen und duftenden Gras, im Schatten des kleinen Baums, der sich sanft im Wind wiegte, wäre es so leicht gewesen, die Hand auszustrecken, in seine zu legen und eine oder zwei köstliche spielerische Stunden zu erleben. Aber in ihrem Innern schienen Stimmen nein, nein zu rufen. Warum? War sie bereits schwanger? Oh, sie hoffte nicht, denn sie hatte in der Vergangenheit auf diese Weise noch nie ein Kind empfangen. Im Falle einer Schwangerschaft war es völlig in Ordnung, ja sogar erforderlich und gewollt, daß sie in dem einmaligen und individuellen Wesen dieses Mannes badete und sich stärkte, damit das Kind seine Worte hören, sein Wesen in sich aufnehmen konnte und genährt würde. In der Vergangenheit hatte sie bei einer Schwangerschaft – und nach welcher Sorgfalt, Überlegung und langer, wohlbedachter Wahl war es dazu gekommen –, sobald sie es mit Sicherheit wußte, mehrere Männer als guten Einfluß für das Kind ausgewählt. Die Männer wußten, weshalb und zu welchem Zweck sie gewählt worden waren und wirkten mit ihr in diesem Akt der Segnung und Huldigung des Fötus zusammen. Diese Männer nahmen in ihrem Herzen und in den Annalen der Zone einen besonderen Platz ein. Sie waren ebenso Väter der Kinder, wie die Genväter es waren. Jedes Kind in der Zone hatte solche sorgfältig ausgewählten geistigen Väter, die für das Kind ebenso verantwortlich waren wie der Genvater. Diese Männer bildeten mit der Genmutter und den Frauen, die für das Kind sorgten, eine Gruppe. Sie betrachteten sich als die Eltern, die gemeinsam oder individuell für das Kind da waren, wann immer sie gebraucht wurden. Wenn Al•Ith tatsächlich schwanger war, konnte sie nicht früh genug damit beginnen, gute Einflüsse für ihr Kind zu wählen.
»Yori...«, das Pferd stellte die Ohren auf und kam zu ihnen. Beide lächelten und streichelten den Hengst sanft, um ihn zu beruhigen. »Glaubst du, ich bin schwanger?«
»Ich weiß nicht.«

»Wüßtest du es unter normalen Umständen?«
»Ja, bisher habe ich es immer gewußt.«
»Hast du viele Kinder?«
»Ich bin zweimal Genvater – und erwarte, es in fünf Jahren wieder zu werden, wenn ich an der Reihe bin – und ich bin siebenmal geistiger Vater.«
»Hast du es immer gewußt?«
»Ja, schon beim ersten Mal.«
Sie blickten sich nachdenklich an, was eigentlich zum Spiel geführt hätte, aber zwischen ihnen stand eine unsichtbare Barriere.
»Wenn ich ich selbst wäre, würde ich dich allen Männern vorziehen, und ich würde dich auch als Genvater wählen, wenn von mir ein Genkind verlangt würde, aber...«
Schatten jagten über die weite Steppe. Das Gras wogte und flüsterte. Die Blätter im Baum über ihnen rauschten. Yori, das Pferd, hob den Kopf und wieherte, wie um Gedanken der Luft anzuvertrauen, die zu schmerzhaft waren, um sie zurückzuhalten. Sie saß da, und die Tränen rannen ihr über das Gesicht.
»Al•Ith, du weinst!« sagte er leise und erschrocken.
»Ich weiß! In den letzten Tagen habe ich nichts anderes getan! Warum? Ich verstehe mich selbst nicht. Ich verstehe nichts!«
Sie schlug die Hände vors Gesicht und weinte, während Yori, der Mann, ihr die Hände streichelte und Yori, das Pferd, an ihrem Arm schnupperte.
Durch ihre Hände flossen Wellen des Verstehens. Ihre getrennten Körper trauerten, denn beide wußten, daß sie eigentlich zusammensein sollten. Al•Ith sagte: »Es ist schrecklich dort unten! Hat mich das vergiftet?«
»Warum ist es schrecklich? Wie ist es da?«
»Wie soll ich das wissen?« Sie klang gereizt, und das erschreckte sie. Sie sprang auf. »Ich bin reizbar! Ich bin wütend! Ich habe das Bedürfnis, mich in starke Arme zu werfen und zu weinen – in deine... oh, sei nicht entsetzt, hab keine Angst! Natürlich werde ich so etwas nicht tun. Ich mißtraue plötzlich Worten und Blicken – jetzt sag du mir, wie es in Zone Vier ist!«
»Setz dich, Al•Ith.« Dieser Befehl – so nahm sie die Worte

auf – bewirkte, daß sie sich setzte. Und als sie saß, überlegte sie, daß er nicht an einen Befehl oder ein Kommando gedacht hatte. Es war der Rat eines Freundes, aber sie hatte einen Befehl *gehört.*

»Es ist ein Land der Zwänge«, sagte sie, »dort wird ein Druck ausgeübt, den wir nicht kennen, und von dem wir nichts wissen. Die Menschen können dort nur auf Befehle und Zwänge reagieren.«

»Befehle?«

»Nein, nicht auf *Befehle*, nicht auf *den* Befehl. Sondern tu dies, tu das. Sie haben kein inneres Gespür für das Gesetz.«

»Waren sie immer so?« fragte er mit plötzlicher Erleuchtung. Sie spürte das, setzte sich auf, beugte sich vor und blickte ihn prüfend an.

»Ja«, sagte sie, »das kann es sein. Ich glaube, du hast recht!«

»Al•Ith, bei uns sieht es sehr schlecht aus.«

»Ich weiß. Ich weiß es jetzt. Ich hätte es schon früher wissen sollen, wenn ich nicht meine Pflichten vernachlässigt hätte.«

»Ja, wir sagen jetzt, daß du deine Pflichten vernachlässigt haben mußt. Erst jetzt. Denn erst jetzt treten die unterschiedlichen Ereignisse zusammen, und das öffnet uns die Augen.«

»Warum ist niemand gekommen, um mir zu sagen...« und sie erinnerte sich, daß sie gekommen waren, aber sie hatte ihnen nicht zugehört. »Oh, es ist richtig, daß ich bestraft werde...«, rief sie. Diese erstaunlichen Worte führten dazu, daß sie leise und bitter hinzufügte: »Hast du das gehört? Davon spreche ich.«

»Ich habe es gehört.«

Sie schwiegen wieder, saßen eng beisammen, in Harmonie.

»Vielleicht würdest du geheilt, wenn wir uns vereinigen«, schlug er vor.

»Als du das gesagt hast, war meine erste Reaktion Mißtrauen – nein, warte, hör zu: ›Er sagt das aus Eigennutz.‹ Nein, du darfst nicht schockiert sein. Ich versuche zu erklären... so ist es bei ihnen dort unten, und sie haben mich angesteckt. Wenn wir uns innig lieben würden, könnte ich vielleicht geheilt werden, oder es ginge mir zumindest besser. Aber ich habe eine

andere Verpflichtung; ich muß mich einer Pflicht beugen ... ich habe das Gefühl, es wäre nicht ehrenhaft.«
»Ehrenhaft?« Er sah sie mit einem fragenden Lächeln an.
»Ja. Ehrenhaft.«
»Du gehörst nicht Ben Ata, und du gehörst nicht in sein Reich.«
»Wer weiß!« Sie stand auf. In dem dünnen weißen Kittel war sie beinahe nackt. Sie hätte ebensogut nackt sein können. Er trug die bequeme Kleidung seines Berufs – eine weite Hose und ein Hemd. Sie standen dicht beisammen und hielten sich an den Händen. Nur wenige Schritte von ihnen entfernt stand der schwarze Hengst Yori und streckte den Kopf nach ihnen aus. Bei den Chronisten und Künstlern unserer Zone ist diese Szene sehr beliebt. Man nennt sie »Abschied«. Oder für die Feinsinnigeren: »Al•Iths Abstieg in die Dunkelheit«.
»Eigentlich möchte ich dich bitten, mich zu begleiten«, sagte sie, »aber ich tue es nicht. Ich kenne mich nicht. Ich traue mir nicht. Ich muß allein gehen. Aber erzähle mir, wie die Dinge in diesem Teil der Steppe stehen.«
Sie hielten sich an den Händen, und er sprach eine Weile über die Traurigkeit der Tiere, die Mißernten, die Verschlechterung des Wetters und die Abnahme der Geburten bei Tieren und Menschen.
»Ich danke dir. Ich werde jetzt das Kleid anziehen. Sag mir bitte, wem ich es zurückgeben soll.«
»Es gehört meiner Schwester. Sie schenkt es dir als Freundin.«
»Wenn ich zu Hause bin, werde ich ihr zum Dank eines meiner Kleider schicken.«
Er verabschiedete sich von ihr mit einem Lächeln und einem leichten Kuß auf die Wange und ging. Sie streifte den weißen Kittel ab und blieb eine Zeitlang wohlig nackt in der Sonne stehen, ehe sie das Kleid seiner Schwester anzog. Es war dunkelrot und so geschnitten, wie sie es liebte: enganliegende Taille und Ärmel und einen weiten Rock.
Sie schwang sich auf Yoris Rücken und ritt in den Norden ihres Reichs.

Überall, wo sie anhielt, in den Dörfern, auf den Bauernhöfen und bei den Hirten, um mit den Leuten zu sprechen und ihnen Fragen zu stellen, hörte sie dasselbe. Entweder verschlechterte sich die Lage sehr schnell, oder sie war hier im Norden schlimmer, wo bereits die frühen Herbstfröste erschwerend in der Luft lagen.
Sie blieb an jedem Ort nur solange sie mußte. Man empfing sie überall mit der alten Freundlichkeit, aber jeder, Männer, Frauen und sogar Kinder, sprach zu ihr im Bewußtsein, daß sie einen Fehler begangen hatte, und daß diese neue Ehe oder Verbindung mit Zone Vier mit diesem Fehler oder Versagen in Zusammenhang stand.
Während sie durch die wilde Landschaft der nördlichen Region ritt – hügelig, oft steil und schroff, mit vielen Bächen –, erinnerte sie sich an die unbeschwerten, geruhsamen Zeiten der Vergangenheit. Aber es war nur eine Erinnerung, denn jetzt pochte es in ihrem Blut Ben Ata, Ben Ata, Ben Ata, und sie konnte ihn nicht vergessen, und doch war jede Erinnerung an ihn schmerzlich und hatte einen bitteren Beigeschmack. Sie wußte, und wußte es mit jedem Tag, jeder Stunde besser, daß sie sich am Rand eines Abstiegs in Möglichkeiten ihrer selbst befand, von denen sie nicht geahnt hatte, daß sie ihr offenstanden. Und sie hatte keine Möglichkeit, dies abzuwenden.
Auf ihrem Weg um das Zentralmassiv, das immer zu ihrer Linken blieb, verließ sie nun den Norden und kam in den Westen. Hier war es wieder Spätsommer, und die Sonne schien angenehm warm. Sie ritt durch eine Landschaft des Reichtums und der Fülle, aber aus dem, was sie hörte, sprach immer dasselbe. Frauen, Männer und Kinder begrüßten sie mit den Worten: »Al•Ith, Al•Ith, was ist geschehen? Welchen Fehler haben wir begangen? Welchen Fehler hast du begangen?«
Das Gefühl von Schuld lastete schwer auf ihr. Sie wußte es nicht, denn die Möglichkeit eines solchen Zustands war ihr unbekannt. Sie bemerkte, daß von all den vielen trübsinnigen und niederdrückenden Gefühlen, die sich in ihr regten und die unterschiedlichsten Schattierungen, Gewichte und Farben annahmen, dieses eine wieder und wieder zurückkehrte. Schließ-

lich schien es Grundlage und innere Substanz aller anderen zu sein; und so lernte sie seinen Geschmack und sein Wesen kennen. Schuld nannte sie dieses Gefühl. *Ich, Al•Ith, bin schuldig.* Aber wenn dieser Gedanke in ihr aufstieg, zog sie sich voll Ablehnung und Mißtrauen von ihm zurück. Wie konnte sie, Al•Ith, schuldig sein? Wie konnte nur sie einen Fehler gemacht haben... sie mochte eine Gefangene der Zone Vier sein, aber sie hatte das Wissen nicht verloren, das die Grundlage allen Wissens ist: Alles ist miteinander verbunden, vermischt und verflochten; alles ist eins; es ist unmöglich, daß ein Individuum allein einen Fehler begeht. Wenn es einen Fehler gab, war er jedem zuzuschreiben, jedem in jeder Zone – und zweifellos auch jedem jenseits der Zonen. Dieser Gedanke durchzuckte Al•Ith wie eine Mahnung. Sie hatte schon lange, sehr lange nicht mehr darüber nachgedacht, was jenseits der Zonen vor sich ging... und ebensowenig dachte sie jetzt an Zone Eins und Zone Zwei – Zone Zwei lag dort, im Nordwesten hinter einem Horizont, der sich in Blau und Purpur verlor... Sie hatte nicht mehr dorthin geblickt seit... seit... es fiel ihr nicht mehr ein. Sie stand auf einer kleinen Anhöhe in der Mitte der westlichen Regionen. Sie glitt von dem edlen Yori, legte ihm liebevoll die Arme um den Hals und nahm sich Zeit, nach Nordwesten, zur Zone Zwei zu blicken. Was lag dort? Sie wußte es nicht. Sie hatte nicht darüber nachgedacht. Sie hatte nicht danach gefragt. Oder hatte sie es vor langer Zeit getan? Sie konnte sich nicht daran erinnern, jemals wie jetzt gestanden und unverwandt dorthin geblickt zu haben. Wann hatte sie ihren verwunderten Augen erlaubt, sich in diesen endlosen, blauen trügerischen Weiten zu verlieren... Ihr Blick schien von dem Blau angezogen zu werden, ihm zu folgen, sich in Blau, Blau, Blau aufzulösen... einem verschmelzenden, pulsierenden, sich ständig verändernden Blau. Al•Ith versank in die tiefsten Gründe ihres Wesens und kam mit einem Wissen wieder zu sich, von dem sie ahnte, daß es erst geboren werden würde. Noch nicht, aber bald... »Dort ist es«, flüsterte sie, »dort... wenn ich es nur fassen könnte...« Sie stieg auf das Pferd und ritt auf ihrem weiten Kreis weiter nach links, ließ die

westlichen Regionen hinter sich und erreichte den Süden. Hier war sie am liebsten, hier war sie immer am liebsten gewesen. Ja, sie hatte Vorwände gesucht, um öfter hier sein zu können als in den anderen Regionen... erst vor kurzem war sie mit allen Kindern, dem Hof und, wie es schien, der Hälfte der Bevölkerung des Plateaus hier gewesen. Und wie schön war es gewesen – Feiern und Singen – rückblickend erschien es ihr, als hätten sie die ganzen Sommermonate über gesungen, getanzt und gefeiert. Und nie in ihrem ausgefüllten Leben hatte sie sich Pausen gegönnt, um ihre Augen auf die blauen Weiten jener Zone zu richten, die für sie ebenso hoch oben lag, wie die Zone Drei für die Bewohner von Zone Vier... Der Gedanke erschütterte sie, erschütterte sie so stark wie eine Empfängnis – wie eine Empfängnis es tun sollte, wenn sie richtig geplant und orchestriert war – ein sehr starkes und drängendes Bedürfnis, dem sie folgen sollte, das dorthin strebte...
Und während sie durch die Dörfer und Siedlungen des Südens ritt und von allen mit großer Freundlichkeit und dankbarer Erinnerung an die schöne Zeit, die sie miteinander verbracht hatten, begrüßt wurde, hörte sie wieder, lauter als zuvor: »Du hast einen Fehler begangen, Al•Ith, einen Fehler...«
Sie ritt weiter und sagte sich: Nein, ich nicht, ich nicht. Wie kann ich einen Fehler begangen haben, wenn ich hier Königin bin. Ich bin Königin, weil ihr mich gewählt habt, und ihr habt mich gewählt, weil wir eins sind und ihr das wißt – ich bin das Beste meines Volkes. Ich sage, ihr seid mein; ihr sagt, ich bin euer, eure Al•Ith, und deshalb kann ich nur einen Fehler begangen haben, den ihr begangen habt – der Fehler liegt irgendwo anders, irgendwo tiefer oder irgendwo höher. Immer wieder ritt sie die Hügel hinauf, an deren Hängen die üppigen Weinberge des Südens lagen, damit sie dort oben stehen und nach Nordwesten blicken konnte, in die azurblauen Weiten des anderen Landes – zumindest tat sie das so lange, bis sie das Zentralmassiv umrundet hatte und ihr die Sicht dorthin versperrt war. Sie würde dieses Gebiet auch nicht mehr sehen können, bis sie das Plateau erreicht hatte, und sie beabsichtigte, es schnell und auf direktem Weg zu durchqueren. Sie wollte nur

kurz in der Hauptstadt anhalten, um ihre Kinder und uns alle zu begrüßen und danach bis zum äußersten Rand reiten, der sich über dem Nordwesten und Westen erhob. Dort würde sie so lange in den blauen Dunst blicken, bis das, woran sie sich erinnern mußte – und sie wußte, daß darin der Schlüssel zu allem lag –, wieder in ihr Bewußtsein trat.

Sie ritt durch den Süden der Zone – auf und ab, hin und her. Mehrmals begegnete sie Männern, denen sie sich, wenn alles in Ordnung gewesen wäre, genähert hätte, damit ihre unterschiedlichen und vielfältigen Eigenschaften zum Wohl des Kindes in sie einfließen würden, das vielleicht in ihr wuchs – aber war das der Fall? Dies war eine neue Quelle schwerer Selbstvorwürfe und mangelnder Selbstwahrnehmung – denn es war schon beinahe ein Monat vergangen, seit sie mit Ben Ata zusammengewesen war, und sie wußte immer noch nicht, ob sie ein Kind erwartete. Denn natürlich wußte man es, begriff eine solche Tatsache – nicht durch etwas Körperliches, sondern auf Grund der Reaktionen und geschärften Intuitionen des gesamten Wesens. Schuldig, oh, schuldig... aber sie war es *nicht*; dieser Gedanke war in sich selbst ein Grund für Schuld – er war so albern, ichbezogen und engstirnig. So ritt Al•Ith weiter, aufgewühlt und mit sich selbst zerfallen. Ihr Geist war ruhig, klar und ausgeglichen, aber darunter, in ihrem Körper kämpften, rebellierten, klagten und schrien Gefühle, die sie als lächerlich verurteilte.

Der Rest ihres Wesens, die höheren Bereiche, in denen sie normalerweise weilte, auf die sie sich verließ – diese Weiten in ihr, von denen sie wußte, daß sie ihr wahres, wirkliches Ich waren –, schienen in diesen Tagen sehr fern zu sein. Sie war ein gefallenes Geschöpf, die arme Al•Ith, und sie wußte es.

Immer noch dröhnte es in ihrem Blut und im Rhythmus der Pferdehufe: Ben Ata, Ben Ata...

Als sie wieder die Straße erreichte, die schnurgerade durch die Ebene zum Zentralplateau und seinen Bergen führte, wendete sie ihr Pferd nach links, um hinaus und nach Hause

zu reiten. Aber die unverkennbare Stimme sprach plötzlich und deutlich zu ihr: »Kehre um und gehe zu Ben Ata zurück...«, und als sie zögerte: »Geh jetzt, Al•Ith.«
Sie wendete das Pferd und ritt nach Osten. Beim Verlassen der Zone Vier hatte sie in ihrem Tanz der Erleichterung und des Triumphs den Schild von sich geworfen und war glücklich gewesen, ihn vergessen zu können. Ohne diesen Schutz konnte sie jetzt nicht in die Zone Vier zurückreiten. Da sie nicht wußte, was sie tun sollte, tat sie nichts. *Sie* würden um ihre mißliche Lage wissen und sie versorgen.
Unterwegs drehte sie sich immer wieder um und blickte zurück auf den mächtigen Kern ihres Landes mit seinem Schimmern, den Lichtern und den Schatten... jetzt beschäftigte sie ein Gedanke, den sie noch nie zuvor gehabt hatte... sie dachte gleichzeitig an die blauen Weiten, die dahinter lagen. Und in ihrer Vorstellung erweiterte oder verlängerte sich ihr schönes Reich. Es war nicht unendlich gewesen, sondern begrenzt, in allen Einzelheiten bekannt, sich selbst genug... aber jetzt dehnte es sich aus, schwappte über die Grenzen und schob sich nach oben, in Bereiche, die ihr wie unbekannte Möglichkeiten ihres eigenen Geistes erschienen.
Jedesmal, wenn sie sich umwendete, um zurückzublicken, gab sie sich einen Ruck und zwang sich, nach vorne zu sehen und sich dem zu stellen, was sie erwartete. Hinter ihr lagen nur Höhen, Entfernungen, Perspektiven. Vor ihr wartete Zone Vier.
Und Ben Ata. Sie entdeckte in sich den Gedanken, daß dieser große massige Mann, der erst vor kurzem in ihr Leben getreten war, auf irgendeine Weise ein Gegengewicht zu den fernen blauen Höhen der Zone Zwei sein mußte – aber sie lächelte nicht. Sie schien jetzt nicht mehr lachen zu können. Aber was sie an sich beobachtete, war ein höchst unvertrauter Drang zu albernem Verhalten. In ihrem ganzen Leben war sie noch nie einem Menschen begegnet – Frau, Mann oder Kind –, ohne sich ihm zu öffnen, damit der Strom der Vertrautheit sofort fließen konnte. Und jetzt arbeiteten in ihr, ohne eige-

nes Zutun, wie sie glaubte, Listen und Tricks, die ihr völlig neu waren. Sie würde Ben Ata *so* und *so* und *so* begrüßen... sie dachte sich kurze Blicke, Lächeln, Lockungen und gespielte Zurückhaltung aus. Und sie war angewidert.

Wie erwartet, sah sie an der Grenze eine Gestalt auf einem Pferd, aber es war nicht Ben Ata und auch nicht Jarnti. Auf einer schönen braunen Stute saß eine große, dunkelhaarige, kraftvolle Frau. Ihre Haare waren in Zöpfe geflochten und lagen ihr um den Kopf wie eine Krone. Ihre Augen blickten aufrichtig und ehrlich. Aber auch vorsichtig, und aus ihrem ganzen Wesen sprach ein Bedürfnis nach Anerkennung, das sie gut unter Kontrolle hielt. Vor ihr über dem schweren Sattel, der unverzichtbaren Ausrüstung für alle Pferde der Zone Vier, lagen zwei glitzernde, metallene Rechtecke; sie hatte einen Schild für Al•Ith mitgebracht.

»Ich heiße Dabeeb, Jarntis Frau«, sagte sie. »Ben Ata hat mich geschickt.«

Die beiden Frauen saßen auf ihren Pferden und betrachteten einander offen und freundlich.

Dabeeb sah eine schöne schlanke Frau. Die Haare fielen ihr über den Rücken, und ihre Augen blickten so herzlich und freundlich, daß Dabeeb nach Weinen zumute war.

Al•Ith sah eine gutaussehende Frau, die in ihrer eigenen Zone auf den ersten Blick eine höchst verantwortungsvolle und schwierige Stellung bekleidet hätte – aber hier hatte sie alle Anzeichen einer Sklavin.

Sie wandte den Blick nicht von Al•Ith, denn sie suchte nach einem Zeichen der Zurückweisung oder Verachtung. Sogar der Strafe... und doch war sie ganz Bereitwilligkeit und Zuneigung.

»Wundert Ihr Euch, daß ich hier bin, Herrin?«

»Nein... oh, bitte nicht! Ich heiße Al•Ith...«, und bei dieser Erinnerung an die Sitten jener Zone sank ihr das Herz.

»Es fällt uns schwer«, bemerkte Dabeeb. Sie sagte das mit leiser, eindringlicher Stimme, aus der Selbstachtung sprach, und Al•Ith horchte auf.

»Ich habe den Namen Dabeeb noch nie gehört.«

»Dabeeb bedeutet etwas, das durch Schlagen weichgemacht wurde.«
Al•Ith lachte.
»Ja, das stimmt.«
»Und wer hat dir diesen Namen gegeben?«
»Meine Mutter.«
»Ah... ich verstehe.«
»Ja, meine Mutter liebte Späße.«
»Sie fehlt dir!« rief Al•Ith, als sie Tränen in Dabeebs Augen sah.
»Ja, das stimmt. Sie verstand die Dinge, wie sie waren.«
»Und sie hat dich sehr stark gemacht... die Frau, die durch Schlagen weich gemacht wurde.«
»Ja, wie sie selbst. Gib immer nach, aber gib nie auf, hat sie gesagt.«
»Wie kommt es, daß du allein hier bist? Ist es für eine Frau nicht ungewöhnlich, allein zu reisen?«
»Es ist unmöglich«, antwortete Dabeeb. »Es kommt praktisch nie vor. Aber ich glaube, Ben Ata wollte Euch eine Freude machen... da ist noch etwas. Jarnti hatte sich schon darauf vorbereitet, Euch abzuholen...«
»Sehr nett von ihm.«
Ein schnelles, verschmitztes Lächeln: »Ben Ata war eifersüchtig –«, und ein blitzschneller Blick, um zu sehen, wie Al•Ith reagierte. Dann senkte sie den Kopf, biß sich auf die Lippen.
»Eifersüchtig?« fragte Al•Ith. Sie kannte dieses Wort nicht, erinnerte sich dann aber, es in alten Chroniken gelesen zu haben. Sie versuchte sich vorzustellen, was es in diesem Zusammenhang bedeuten konnte, als sie bemerkte, daß Dabeeb rot geworden war und gekränkt wirkte: Dabeeb glaubte, Al•Ith halte Jarnti ihrer nicht würdig.
»Ich glaube, ich war noch nie eifersüchtig. Wir erwarten nicht, so etwas wie Eifersucht zu empfinden.«
»Dann unterscheidet Ihr Euch sehr von uns, Herrin.«
Die beiden Frauen ritten zusammen den Paß hinunter. Mit all ihren sichtbaren und unsichtbaren Sinnen versuchten sie, einander einzuschätzen.

Was Dabeeb empfand, ließ sie nach kurzer Strecke ausrufen: »Oh, ich wünsche mir, wie Ihr zu sein. Wenn ich nur wie Ihr sein könnte. Ihr seid frei. Darf ich Euch begleiten, wenn Ihr wieder nach Hause zurückkehrt?«

»Wenn es erlaubt ist.« Beide Frauen seufzten und spürten das Gewicht des Befehls.

Al•Ith dachte, daß diese Frau einen starken Kern besaß, etwas Hartnäckiges, Ausdauerndes. Er war durch Leiden und Schmerzen entstanden, die Al•Ith sich nicht vorstellen konnte. Und deshalb war sie neugierig und sehr interessiert, mehr zu erfahren. Aber sie wußte nicht, wie sie ihr Fragen stellen oder was sie fragen sollte.

»Heißt das, die Frauen haben jetzt mehr Freiheiten, wenn du mich mit Ben Atas Erlaubnis abholen darfst?«

»Ben Ata hat es erlaubt. Mein Mann nicht.« Und sie lachte ihr verschmitztes Lachen, das Al•Ith bereits als für sie charakteristisch kannte.

»Was wird er also tun?«

»Ich bin sicher, er wird einen Weg finden, um es mich *spüren* zu lassen.« Sie erwartete, daß Al•Ith in ihr vielsagendes Lachen einstimmen würde.

»Ich fürchte, ich verstehe nicht, was du meinst.« Aber sie verstand, als sie den humorvollen, geduldigen Ausdruck auf Dabeebs Gesicht sah.

»Hast du je an Auflehnung gedacht?«

Dabeeb senkte die Stimme und antwortete: »Aber es ist der Befehl... oder nicht?«

»Ich weiß es nicht.«

»Ihr wißt es nicht?«

»Ich stelle fest, daß ich vieles nicht weiß, das ich zu wissen glaubte. Kannst du zum Beispiel sagen, ob eine Frau schwanger ist?«

»Aber natürlich. Ihr nicht?«

»Bisher immer. Aber jetzt nicht. Nicht hier.«

Dabeeb verstand sofort, denn sie nickte und sagte: »Nun, Ihr seid nicht schwanger, das versichere ich Euch.«

»Na, das ist jedenfalls etwas.«

»Plant Ihr, nicht schwanger zu werden?« Wieder senkte sie die Stimme und blickte sich verstohlen um, obwohl sie gerade den Fuß des Steilhangs erreicht hatten und vor ihnen die sumpfigen Felder lagen, auf denen keine Menschenseele zu entdecken war.
»Ich glaube, wir benutzen das Wort planen in einem anderen Sinn.«
»Werdet Ihr es mich lehren?« flüsterte sie so leise, daß man es über dem Klappern der Hufe gerade noch hören konnte.
»Ich bringe dir bei, was ich kann. Was erlaubt ist.«
»Ah ja... ich verstehe.« Und ihr Seufzer verriet Al•Ith alles, was sie über die Frauen dieser Zone wissen mußte. Resignation. Duldsamkeit. Humor. Und unter diesem Panzer immer das Klopfen und Bohren eines heftigen Verlangens.
Al•Ith brachte Yori zum Stehen. Dabeeb hielt ebenfalls an. Al•Ith streckte die Hand aus. Nachdem sie ihre Vorsicht und ihre Widerstände bezwungen hatte, tat Dabeeb dasselbe. Al•Ith flüsterte ihr über die Entfernung hinweg zu: »Ich werde dir alles sagen, was ich weiß. Ich werde dir helfen, so gut ich kann. Ich will deine Freundin sein, soweit es mir möglich ist. Ich verspreche es.« Denn Al•Ith hatte begriffen, daß solche Worte und diese Sprache notwendig waren. In ihrem Land kannte sie solche Überlegungen nicht. Sie hatte sich auch nicht vorgestellt, solche Worte benutzen zu müssen. Aber jetzt sah sie, daß sich Dabeebs schöne schwarze Augen mit Tränen füllten, die ihr über die rosigen Wangen liefen. Die Worte waren richtig und notwendig gewesen.
»Danke, Al•Ith«, flüsterte sie mit gebrochener Stimme.
Als sie die Stelle erreichten, von der man deutlich die Pavillons auf der Anhöhe sah, sagte Al•Ith: »Würdest du mir bitte eines deiner Kleider leihen? In Ben Atas Augen bin ich nicht richtig angezogen.«
Dabeeb blickte sehnsüchtig auf das dunkelrote, bestickte Kleid, das Al•Ith trug, und antwortete: »So etwas Schönes habe ich bei uns noch nie gesehen. Aber das würden sie in

tausend Jahren nicht verstehen!« Sie sagte das mit nachsichtiger Milde, und Al•Ith konnte sich nur vorstellen, daß man so mit einem kleinen Kind sprach. Aber es lag auch eine schreckliche Verachtung in den Worten.
»Du bist elegant, Al•Ith. Ich wünschte, ich könnte so elegant sein...«
Und sie blickte mißbilligend auf ihr Kleid. Es war aus einem hübschen gemusterten Stoff, aber ihm fehlten die Angemessenheit und das Flair, die die Kleider der Zone Drei unverwechselbar machten.
»Du brauchst dir deshalb keine Sorgen zu machen. Alle reden von den Kleidern, die Ben Ata in der Stadt für dich bestellt hat. Ganze Schränke voll... obwohl ich nicht sicher bin, daß sie dir gefallen werden.«
Sie ritt mit Al•Ith den Hügel hinauf bis zu den Gärten und Springbrunnen. Sie beugte sich vor und umarmte Al•Ith plötzlich voll Zuneigung. »Ich werde an Euch denken, Herrin. Wir alle, alle Frauen sind auf Eurer Seite, vergeßt das nicht!« Sie ritt den Hügel hinunter, und im Wind waren ihre Tränen wie Regentropfen.
Al•Ith durchquerte die Gärten am unteren Ende. Sie stieg ab, schickte Yori in den Korral, ging durch den Garten auf den Pavillon zu und wartete darauf, daß Ben Ata sich zeigen würde. Sie bemerkte in sich die erstaunlichste Mischung unbekannter Gefühle, die insgesamt ein höchst befremdlicher Widerstreit waren. Sie spürte eine Art spöttische, amüsierte Regung: »Ich werde es dir schon zeigen!«, und: »Du glaubst, du wirst mich unterkriegen!«
Das hieß nicht, daß sie Ben Ata nicht mochte. Nein, es bedeutete eine angenehme Herausforderung und ein Gefühl der Kampfbereitschaft.
Sie freute sich sogar darauf, ihn zu sehen, damit der neue Schlagabtausch beginnen konnte. Diesmal standen am Horizont ganz bestimmt keine Tränen! Sie fühlte sich ruhig und zuversichtlich. Sie hatte alle ihre Kräfte gesammelt und hielt sie unter Kontrolle.
Sie besaß auch einen inneren unangreifbaren Kern. Sie wußte

es, denn auf dem Ritt durch die Ebene hatte sie gerade diese Eigenschaft an Dabeeb gespürt und versucht, sie einzuschätzen.
In dieser Verfassung wartete sie auf die Begegnung mit Ben Ata.
Der mit verschränkten Armen an der zentralen Säule lehnte, in einer Pose, die ihre eigene Stimmung widerspiegelte. Er lächelte hart und spöttisch.
»Wie hat dir deine Begleitung gefallen?« fragte er, und sie erinnerte sich daran, daß er angeblich eifersüchtig war.
»Sehr gut. Natürlich nicht in dem Maß wie der gutaussehende Jarnti.«
Bei diesen Worten kam er mit funkelnden Augen schnell auf sie zu, und sie erkannte, daß er sie möglicherweise schlagen würde. Aber er lächelte auf eine Art, die ihr sagte, daß sie später dafür bezahlen würde und streckte ihr die Hände entgegen, die sie ergriff und spöttisch lächelnd hin und her schwenkte.
»Das ist ein hübsches Kleid«, sagte er, denn er hatte sich vorgenommen, ihr ein Kompliment zu machen.
»Du magst also Rot?«
»Ich glaube, ich mag *dich*«, antwortete er und griff gegen seinen Willen nach ihr – denn das stimmte nicht; er mochte sie eher weniger als zuvor. Zwar sagten ihm seine Sinne, die Frau in dem roten, aufreizenden Kleid könne ihm sehr wohl gefallen, aber er hatte ihre Unabhängigkeit vergessen, von der ihn jedes Lächeln, jeder Blick, jede Geste in Kenntnis setzte.
Sie entzog sich Ben Ata und flüchtete in den Raum. Dabei warf sie ihm über die Schulter einen spöttischen Blick zu, der sie selbst erstaunte – sie wußte nicht, daß solche Fähigkeiten in ihr steckten! Und er, um sie zu necken, folgte ihr nicht, sondern blieb stehen – in seiner kurzen, grünen gegürteten Tunika, barhäuptig und mit verschränkten Armen eine Säule von einem Mann. Sie lächelte ein »rätselhaftes« Lächeln – und während sie dieses Lächeln auf den Lippen fühlte, staunte sie darüber – umfaßte die schlanke Mittelsäule mit beiden Händen und wiegte sich auf eine Weise hin und her, die ihn

entflammen mußte. Und das tat es auch, aber er rührte sich nicht von der Stelle.
Er blieb grinsend stehen, während sie sich wiegte und lächelte…
Als Al•Ith ihn damals vor einigen Wochen abends verlassen hatte, war er widerstrebend um Mitternacht zurückgekehrt, nachdem er sich bei seinen Soldaten erholt hatte, und stellte fest, daß sie nicht mehr da war. Trotz seiner Wut begriff er, daß sie einer Weisung gefolgt sein mußte. Er spürte in sich einen Mangel, ein Bedürfnis und eine Unzulänglichkeit, die er nicht erklären und mit der er nicht fertig werden konnte. Das eine wußte er, es war nicht Al•Ith, die er vermißte.
Er war ein sehr gewissenhafter Mensch.
Er hatte verstanden, daß ihm für bestimmte Praktiken das notwendige Verständnis fehlte, daß er einfach wenig wußte.
Er verachtete Männer, die in die Bordelle der Stadt gingen und hielt sie für ausschweifend. Aber dorthin ging er jetzt. Nachdem er sich bei Jarnti und den anderen Offizieren genau informiert hatte, betrat er ein bestimmtes Etablissement und bat um ein Gespräch mit der Madame. Sie verstand sofort, was er wollte, und sie hatte es bereits verstanden, als das Gerücht seinen Besuch in ihrem Haus ankündigte. Trotzdem hörte sie sich lächelnd an, was er ungeschickt, aber entschlossen erklärte.
Sie ließ ihn in ein Zimmer bringen, in dem bereits ein Mädchen auf ihn wartete, das genaue und detaillierte Anweisungen hatte. Natürlich waren Ben Atas Fähigkeiten und Mängel im ganzen Land von Frau zu Frau besprochen worden. Schließlich hatten die zahllosen Feldzüge, die zahllosen Manöver, die zahllosen Plünderungen, Vergewaltigungen und Raubzüge hingerissenen oder enttäuschten Frauen genug Gelegenheiten geboten, ihre Erfahrungen zu verbreiten.
Ben Ata sah sich mit einer fachkundigen jungen Frau im Bett, die ihn nicht wenig überraschte. Man kann nicht sagen, daß es so ganz seinem Geschmack entsprach, sich dem Vergnügen so lange zu widmen, denn er beharrte nach wie vor darauf, daß dies kaum die richtige Beschäftigung für einen Mann sei.

Es bleibt eine Tatsache, daß man Ben Ata den ganzen Monat hindurch Lust verschaffte – anders kann man es nicht ausdrükken –, während Al•Ith durch ihr Reich ritt, um Informationen zu sammeln. Wie in einer Schule erteilte man ihm sehr viele unterschiedliche Lektionen in Anatomie, Potential und Fähigkeiten des männlichen und weiblichen Körpers. Er war kein besonders gelehriger Schüler. Aber andererseits war er bestimmt auch kein Faulpelz, denn wenn er sich erst einmal ein Ziel gesetzt hatte, konnte ihn nichts so leicht davon abbringen.

Elys, diese Kurtisane, denn sie war keine gewöhnliche Hure – die Madame, eine wirkliche Kennerin auf ihrem Gebiet, hatte sie unter sehr vielen ausgewählt; ja man hatte sie sogar wegen ihres Rufs aus einer anderen Stadt kommen lassen – diese Kurtisane brachte ihm alles bei, was sie wußte.

Was Elys in einem Monat durchaus harter Arbeit erreichte, war, Ben Ata schließlich an den Gedanken zu gewöhnen, daß Lust vielgestaltig sein kann. Dies war zumindest eine Grundlage.

Und jetzt glaubte er, alles zu wissen, was es zu wissen gab.

Aber in dem Moment, als Al•Ith so bezaubernd und spöttisch in den Pavillon schlenderte, erinnerte er sich an etwas, das er in diesem enervierenden Monat völlig vergessen hatte. Die leichten, flüchtigen und erregenden Küsse, auf die er nicht zu reagieren wußte, waren aus seinem Bewußtsein entschwunden. Aufforderung, Antwort und Frage, gleichgestimmte Reaktionen und Gegenreaktionen – nichts von all dem gab es im Wissen der Kurtisane Elys, denn sie hatte in ihrem Leben nur ungleiche Beziehungen kennengelernt, sei es mit Männern oder Frauen.

Während Al•Ith sich unbeschwert und fröhlich an der Säule wiegte, lächelte und wartete, begriff Ben Ata, daß er wieder von vorne anfangen mußte. Es gab kein Entrinnen. Er konnte sich nicht weigern, denn der Monat als Lehrling, als williger Lehrling, war bereits das Ja zu dem gewesen, was kommen sollte.

Während er eine gleichwertige Frau herausforderte und den

Kampf aufnahm, erriet Al•Ith an dem Blick, mit dem er sie ansah, was in ihm vorging. Und deshalb verließ sie ihre Säule, ging zu ihm und begann, Ben Ata zu lehren, was Gleichheit und Offenheit in der Liebe bedeuten.

Es war eine erschreckende Erfahrung für ihn, denn er erlebte Genüsse, die er sich bei Elys nicht hatte vorstellen können. Es gab keinen Vergleich zwischen der schweren Sinnlichkeit dort und den antwortgebenden und sich ändernden Rhythmen hier. Er öffnete sich nicht nur körperlichen Reaktionen, die er sich nicht im Traum vorgestellt hatte, sondern schlimmer, Gefühlen, die er gar nicht erleben wollte. Er versank in Zärtlichkeit, in Leidenschaft, in wildester Intensität, und er wußte nicht, ob er das Schmerz oder Entzücken nennen sollte... und dies immer weiter, während sie unbeschwert und ganz in ihrem Element ihn mit jedem Moment weiter und weiter führte – eine entschlossene aber unruhige Gefährtin.

Natürlich konnte er das nicht lange durchhalten. Gleichheit wird nicht in einer oder zwei Lektionen gelernt. Er war in seinen Reaktionen von Natur aus langsam und schwerfällig: Er konnte nicht anders sein. Die flüchtigen Vergnügen würden ihm immer verschlossen sein. Aber bereits in dem Bereich, den er gerade noch ertragen konnte, hatte er an sich Möglichkeiten kennengelernt, die weit über das hinausgingen, was er für erreichbar gehalten hatte. Als sie innehielten, war er halb erleichtert und halb traurig darüber, daß die Intensitäten vorüber sein sollten. Aber sie ließ nicht zu, daß er von der Ebene der Sensibilität, die sie beide erreicht hatten, wieder herabsank. Sie liebten sich die ganze Nacht und den ganzen nächsten Tag, und sie unterbrachen nicht, um zu essen, aber sie ließen sich ein wenig Wein bringen. Als sie vollkommen und völlig vereinigt waren und ihr Tastsinn ihnen nicht mehr verriet, wo der eine anfing und der andere aufhörte und die Augen es ihnen sagen mußten, fielen sie in einen tiefen ruhigen Schlaf, der vierundzwanzig Stunden dauerte. Und als sie gleichzeitig bei Anbruch der Nacht erwachten, hörten sie am Ende des Gartens eine Trommel schlagen, schlagen und schlagen; sie wußten sofort, das Trommeln verkündete dem ganzen

Land und darüber hinaus auch ihrem Land, daß die Ehe vollzogen war. Von dieser Zeit an sollte die Trommel immer vom Moment ihres Zusammentreffens bis zu dem Moment der Trennung schlagen, damit jeder wußte, daß sie beisammen waren, und in Gedanken an ihrer Ehe teilhaben sollte, in Wohlwollen – und, natürlich, in Nachahmung.

Sie lagen sich in den Armen, als lägen sie am Grund eines Meeres, in dem sie ertrunken waren. Aber jetzt begann der langsame und taktvolle Rückzug der Körper, Schenkel von Schenkel, Knie von Knie... es war beinahe dunkel, und obwohl beide spürten, daß ihr Alltags-Ich den Wundern der gerade vergangenen Tage und Nächte entgegenstand, gab es doch keinerlei Mißklang. Denn schon waren sie nur allzu schnell bereit, nicht an das zu glauben, was sie erreicht hatten. Mit einer entschuldigenden und beinahe zärtlichen Bewegung zog er seinen warmen Arm unter ihrem Nacken hervor, setzte sich, stand auf und reckte sich. Aus jeder Dehnung dieser kräftigen Muskeln sprach Erleichterung, und sie lächelte in der Dunkelheit. Al•Ith wurde ebenfalls wieder sie selbst. Aber es war deutlich, daß er es für unhöflich hielt, sie sofort zu verlassen. Er warf sich den Militärmantel über und setzte sich ans Fußende des Diwans.

»Wenn wir uns etwas zurechtgemacht haben«, sagte er, »können wir uns zum Abendessen treffen.«

»Eine gute Idee!« Ihre Stimme kam von der Tür zu ihren Räumen, denn sie hatte das Bett leise verlassen, ohne daß er es bemerkt hatte. Und war verschwunden.

Nichts hatte sich in den Wochen ihrer Abwesenheit verändert, allerdings standen die Türen einer Schrankwand offen, und dort hingen reihenweise Kleider, Roben, Pelze und Mäntel. Sie hatte so etwas noch nicht gesehen und murmelte, dies sei eindeutig eine Art Lager für ein ganzes Bordell – denn dieses Wort hatte sie bereits von ihm gelernt. Sie nahm ein Kleid nach dem anderen heraus. Die Stoffe waren gut, und sie untersuchte Seiden, Satins und Wollstoffe mit Kennerblick auf ihre Qualität. Zweifellos verstand man sich in diesem Land auf ihre Herstellung. Aber über die geschmacklose Verarbeitung konnte sie nur staunen. Sie fand nichts, was nicht auf irgendeine Weise übertrieben war. Die Kleider betonten entweder Gesäß oder Busen, enthüllten sie oder schnürten sie unbequem ein, und wenn das nicht der Fall war, harmonierten Material oder Farbe nicht mit dem Stil. Nirgends entdeckte sie das instinktive Gefühl für die richtige Kombination von Entwurf und Material, und nirgends Raffinesse. Aber da sie daran dachte, daß eine Verführung nicht so bald wieder angebracht war, entschied sie sich für ein vernünftiges, langes grünes Kleid, das ihr wegen der zielsicheren Falschheit in jedem Detail auffiel, das aber besser war, als die meisten anderen. Sie badete, frisierte ihre Haare in etwa so, wie sie es bei Dabeeb gesehen hatte – fraulich war vermutlich das Wort dafür – und zog das grüne Kleid an. Dann kehrte sie in den Hauptraum zurück. Ben Ata saß an dem kleinen Tisch vor dem Fenster und erwartete sie mißmutig. Als er ihre Aufmachung sah, hellte sich seine Miene auf, dann aber war er enttäuscht.

»Ist das eins von unseren?« fragte er zweifelnd, und sie erwiderte: »O ja, großer König!« Sie tauschten den kameradschaftlichen, wissenden Blick, das Lächeln der gründlich Gepaarten. Als sie sich jetzt ansahen, nachdem ihr Getrenntsein, ihr Anderssein wiedergekehrt war, konnten die beiden Bewohner so unterschiedlicher Reiche nicht an das glauben, was sie in den Stunden des Eintauchens ineinander gewonnen hatten. Sie war für ihn wieder eine Fremde, an der alles fremdartig war. Obwohl er sie jetzt in einer Weise liebgewonnen hatte, die ihn ihr mehr entfernte als an sie band, denn er fürchtete sich zutiefst davor, wohin sie ihn führen konnte. Und sie, als sie diesen großen Ochsen von einem Soldaten sah, dem die Haare nach dem Bad am Kopf klebten, dachte, sie sei zu beglückwünschen, ihn überhaupt soweit geführt zu haben.

Mit ihren Gedanken bestellten sie kräftige Mahlzeiten, die kamen, und eine Weile aßen sie mit großem Appetit.

Inzwischen schlug die Trommel im Garten. Sie schlug und schlug und schlug.

Sie hatten die Mahlzeit kaum beendet, als sie aufsprangen, hinausgingen und den Garten von einem Ende zum anderen

durchstreiften. Sie konnten weder Trommler noch Trommel entdecken. Aber der Klang war da – irgendwo – hier? – nein, dort – immer wieder schienen sie dicht vor der Quelle der Töne zu stehen, aber sie fanden sie nie.
Sie erkannten, daß sie nie erfahren würden, woher das Trommeln kam, und sie kehrten in den Pavillon zurück. Nicht Hand in Hand. Noch nicht einmal nahe beisammen. Jeder fühlte sich verschlossen, vollständig abgekapselt, völlig undurchdringlich für den anderen, diesen Fremden.
»Wie auch immer«, sagte sie, als setzte sie ein unterbrochenes Gespräch fort, »ich bin mit Sicherheit schwanger.«
»Wirklich? Bist du sicher? Ausgezeichnet!« Er hatte das Gefühl, irgendeine Umarmung sei angebracht und wollte eine entsprechende Geste machen, aber da sie diese Regung eindeutig nicht teilte, ließ er es dankbar sein.
»Natürlich bin ich sicher.«
»Warum? Wie?«
»Wie die Frauen *deines* Landes es wissen, aber sicher nicht auf unsere Weise.« Und dabei lachte sie. Sie lachte, während er höflich darauf wartete, daß sie aufhörte.
»Gut, ich freue mich.«
»Gut, ich freue mich auch, da es vermutlich das ist, was von uns erwartet wird.«
»Bist du sicher?«
»Nein, natürlich nicht. Ich weiß gar nichts.«
»Was sollen wir jetzt tun?«
»Woher soll ich das wissen? Aber vielleicht fordern sie mich auf, nach Hause zu gehen.«
Als sie seine plötzliche Erleichterung sah, schüttelte sie sich vor Lachen. Sie wies mit dem Finger auf ihn, und als er begriff, was sie gesehen hatte, und dies bereitwillig auch für sich zugab, stimmte er in ihr Lachen ein. Nach diesem fröhlichen Lachen mußten sie sich eingestehen, daß es noch lange nicht Mitternacht war. Wenn es nach ihnen gegangen wäre, hätten sie sich getrennt.
»Schach?« schlug er vor.
»Warum nicht.«

Er schlug sie, dann schlug sie ihn. Sie spielten beide sehr gut und waren Meister und Meisterin des Spiels in ihren Ländern. Dies bedeutete, daß die Spiele lange dauerten, und der Morgen graute bereits, als sie aufhörten.
Beide überlegten (und hofften, der andere würde es nicht merken), ob es angebracht sei, wieder miteinander zu schlafen, entschieden sich aber dagegen.
Sie gingen hinaus in den Garten, hinaus in den Morgennebel und zu dem plätschernden Wasser. Die Trommel schlug überall, in ihrem Blut und in ihren Köpfen. Sie lenkte seine Aufmerksamkeit auf die Soldaten, die in den feuchten, dunstigen Wiesen aufmarschierten. Sie beobachtete sein Gesicht und respektierte, was sie darin sah: Er wußte vollkommen Bescheid über das, was dort geschah, und sie spürte, er überlegte sich Lob, Kritik und Befehle, um sein Werk – die Armee – zu vervollkommnen.
»Und wer«, fragte sie in einer Weise, die ihm sagte, daß sie es ernst meinte, »sind deine Feinde?«
Er wirkte sofort gespannt, und sie wußte, er hatte intensiv über diese Frage nachgedacht, die sie Jarnti zum ersten Mal gestellt hatte, der sie höhnisch, aber innerlich verwirrt an seinen König weitergegeben hatte.
»Wozu haben wir Armeen, wenn wir keine Feinde haben?« fragte er keineswegs im Scherz, sondern um ihr zu zeigen, daß er sie ernst nahm.
»Gegen wen kämpft ihr?«
Er verharrte in gespanntem Schweigen. Sie wußte, er erinnerte sich an Raub und Plünderungen auf den unzähligen Feldzügen und dachte, wenn dies alles für das Gespenst einer falsch verstandenen Idee geschehen wäre, dann...
»Wir sind nicht eure Feinde – keiner von uns kann die Grenze überqueren, ohne Schaden zu nehmen – und doch stehen an der Grenze überall deine Wachtürme, gerade weit genug entfernt, damit die Soldaten nicht krank werden.«
Er zuckte vielsagend mit den Schultern.
»Wie lange ist es her, daß dort auch nur ein einziger Warnschuß fiel?«

Er lachte kurz und zustimmend: »Das ist schon so lange her, daß sich niemand daran erinnert. Allerdings nehmen wir ab und zu jemanden als Spion fest... lassen ihn dann aber wieder laufen.«
Sie lachte: »Warum also?«
»Wir haben große und effiziente Armeen.«
Unten, im goldenen Nebel, der gerade aufstieg und sich in Höhe ihrer Augen auflöste, marschierten und exerzierten die Soldaten in ihren bunten, glänzenden Uniformen. Und die scharfen, bellenden Befehle schienen auf gleicher Höhe zu verhallen, als seien Befehle und Nebel eins.
»Und Zone Fünf? Hast du dort Festungen? Eine Grenze?«
»Gefechte und sogar Schlachten.«
Dies überraschte sie. Sie hatte vergessen, daß dort Krieg herrschte.
»Sicher«, sagte sie, »aber sicher...«
»Ja, ich weiß.« Verlegen, peinlich berührt und entschuldigend, als sei er ihr gegenüber im Unrecht und nicht ihnen – den Versorgern und Befehlenden –, stammelte er: »Ich habe darüber nachgedacht, seit du das Thema zur Sprache gebracht hast. Es stimmt... natürlich sollten wir nicht kämpfen...«
»Richtige Schlachten?«
»Nun ja... nichts sehr Ernsthaftes...«
»Verwundete? Tote?«
»Verwundete und Tote.«
Sie atmete tief – ein langer, entsetzter, sogar angstvoller Seufzer. Er blickte sie todtraurig an. »Ja, ich weiß. Aber ich schwöre... es hat sich entwickelt. Ich dachte nie... keiner von uns dachte... erst als du...« Und er schlug mit der großen Faust auf den Rand eines Wasserbeckens.
»Wer beginnt sie? Die Kämpfe? Ist es für Menschen dieser Zone möglich, in die andere zu gehen – und zurückzukommen –, ohne daß es gefährlich für sie ist oder ihnen schadet?«
»Ich weiß, es gab einmal eine Zeit, da war es dort ebenso unmöglich, von einer Zone in die andere zu gehen, wie jetzt ohne Schild von eurer in unsere Zone. Aber etwas scheint sich

verändert zu haben. Ich will nicht sagen, es ist leicht. Es gibt keinen Grenzverkehr in größerem Ausmaß. Es kommt auch nicht häufig vor. Die Kämpfe finden entlang der Grenze statt – manchmal auf dieser Seite und manchmal auf der anderen –, aber niemals tief im Innern ihrer Zone.«

»Warst du schon einmal dort?«

»Mehr als einmal.«

»Wie ist es in der Zone Fünf?«

Er schauderte und rieb sich die Arme, als sei ihm kalt. Er wurde blaß aus Abneigung gegen die Zone Fünf.

»Ist es so schlimm?« fragte sie nicht ohne Ironie, denn Al•Ith wußte, daß er für dieses Reich dasselbe empfand wie sie und wir alle in Zone Drei für seine Zone. Er verstand die Ironie, begriff, nickte und legte ihr voll Zuneigung den Arm um die Schultern: »Ja, so schlimm ist es.«

Und er zog sie an sich, vergrub sein Gesicht in ihrem Haar, und sie hörte ihn murmeln: »Was sollen wir tun, Al•Ith? Was? Es ist schlimm genug, daß ich erst jetzt angefangen habe, darüber nachzudenken.«

»Wie ich über die Unvollkommenheiten in unserer Zone. Weißt du, Ben Ata, ich hatte noch keine Gelegenheit, es dir zu sagen, seit wir uns das letzte Mal gesehen haben, bin ich kreuz und quer durch die äußeren Regionen unserer Zone geritten...«

»Allein?« fragte er gegen seinen Willen scharf und ungläubig; und er konnte nicht lachen, als sie nachsichtig sagte: »Natürlich allein, weil ich es wollte... aber darum geht es nicht, Ben Ata. An einem bestimmten hohen Punkt in unserem Land, unterhalb des Zentralmassivs, hatte ich einen freien Blick nach Nordwesten. Dort sah ich... aber das Problem ist, seit so langer Zeit hat das keiner von uns mehr getan. Ich glaube, keiner könnte mir sagen, wann wir es zum letzten Mal getan haben. Ihr braucht Strafhelme, um die Menschen davon abzuhalten, dorthin zu sehen...« und sie drehte ihn um, daß sich seine verwirrten Augen auf die hohen Berge der Zone Drei richteten, die jetzt in den Farben eines feurigen Opals leuchteten. »Dein Volk blickt nicht dort hinauf. Nein, wende den

Blick nicht ab, Ben Ata! Aber bei uns blicken die Menschen *nie* über die Grenzen – ohne Verbote und Androhungen von Strafen. Es kommt uns nicht in den Sinn. Uns geht es zu gut, wir sind zu glücklich, alles ist so bequem und angenehm, Ben Ata... Ich weiß nicht, was ich sagen oder denken soll...«, erstaunt und bestürzt bemerkte sie, daß ihr wieder Tränen über die Wangen liefen. Er beugte sich über sie, vergaß die lockenden Farben der hohen Gipfel und versuchte bestürzt, sie zu trösten. Er wischte ihr sogar mit seinem großen Zeigefinger eine Träne von den Wimpern und betrachtete sie, als habe er noch nie eine solche Träne gesehen.
In Liedern, Bildern und Geschichten heißt diese Szene »Al•Iths Träne«. Man glaubt allgemein, sie habe etwas mit den zärtlichen Gefühlen des Paares zu tun, nachdem Al•Ith Ben Ata gesagt hatte, daß sie schwanger sei. In Wirklichkeit war es so, wie ich es hier erzähle.
Al•Ith lag an der starken Männerbrust, Ben Ata wiegte und tröstete sie, während sie weinte, wie sie es sich in letzter Zeit oft gewünscht hatte. Sie glaubte nicht, daß es ihr helfen würde, aber das hielt sie nicht davon ab, es zu genießen, solange es dauerte.
Er war entzückt, daß diese schrecklich selbständige Frau weinen konnte wie jede andere; aber auch er glaubte nicht daran. Es paßte einfach nicht zu ihr, und er war erleichtert, als sie sich aufrichtete, noch einmal schluchzte, sich mit den zarten Händen die Tränen abwischte und wieder aufrecht neben ihm an der Brüstung stand.
»Und wie ist Zone Zwei?« fragte er.
»Du weißt mehr über unsere Zone, als ich dir über Zone Zwei sagen kann. Ich weiß nur, daß man dasteht und hinaufblickt und hinaufblickt, ohne je genug davon zu bekommen. Es ist, als blicke man in blaue Nebel oder in blaues Wasser... aber welch ein Blau, welch ein Blau, ich habe noch nie ein solches Blau gesehen...«
»Darin sehe ich keinen Sinn«, sagte er knapp, »damit kommt man nicht weiter.«
Genau diese Antwort hatte sie von ihm erwartet. Sie lachte,

und er stimmte in ihr Lachen ein. Das brachte sie wieder auf den Diwan zurück. Dieses Mal erreichten sie keineswegs die Höhe der letzten Tage; es war mehr eine Bestätigung, daß dies überhaupt noch möglich war – denn sie unterschieden sich so sehr voneinander, daß beide immer wieder von Staunen darüber erfaßt wurden, daß sie überhaupt zusammen sein konnten. So sollten sie es bis zum Schluß empfinden.

Inzwischen war es wieder Mittag geworden: ein heißer, schwüler Tag. Sie schockierte ihn, als sie nackt in einen der Brunnen sprang. Er hatte Springbrunnen nie unter diesem Aspekt betrachtet; trotzdem folgte er ihrem Beispiel, aber nicht ohne Hemmungen. Er beklagte sich darüber, daß die Goldfische ihn kitzelten, daß sie die Fische aufschreckten und überhaupt, »wenn uns jemand sieht...«.

Aber wer konnte sie schon sehen?

»Der Trommler«, gab er zu bedenken, »logischerweise muß jemand hier sein«, denn das Trommeln ging weiter, weiter und weiter, gleichgültig, was sie taten oder sagten.

»Weißt du, was wir tun müssen«, sagte sie, als sie wieder angezogen am kleinen Tisch saßen. »Du erinnerst dich an eine Zeit, als es für die Menschen der Zone Vier und der Zone Fünf nicht möglich war zusammenzukommen. Jetzt könnt ihr es – ihr kämpft sogar gegeneinander. Also was ist geschehen? Wir müssen es herausfinden. Und wenn uns das gelungen ist, müssen wir herausfinden, wozu eure Streitkräfte ursprünglich bestimmt waren. Warum habt ihr Armeen? Der ganze Reichtum deines Landes fließt in die Armee. Kein Wunder, daß ihr so arm seid.

»Wir und arm? Was soll das heißen!«

»Ben Ata, ihr seid arm! Du weißt es nicht, aber es ist erschütternd. Bei uns lebt der ärmste Hirte besser als du, ein König. Und diese Kleider in den Schränken! Ich will nicht sagen, sie seien nicht ordentlich und gut verarbeitet... oder ungeeignet für ihren Zweck. Aber wenn diese Kleider nach eurer Vorstellung einer Königin angemessen sein sollen... denn natürlich muß bei euch eine Königin anders gekleidet sein als die Frau eines Soldaten...«

»Aber natürlich! Es muß doch Rangunterschiede geben.«
»Natürlich... wie ihr glaubt. Aber ich sage dir, es ist nicht notwendig. Warum müßt ihr Rangunterschiede und eine Hierarchie haben? Doch nur, weil ihr so arm seid. Warum mußt du diese große Spange an deinem Mantel tragen, die verkündet, daß du Ben Ata bist? Bei uns weiß jeder, daß ich Al•Ith bin und wüßte es, selbst wenn ich in Lumpen käme. Begreifst du, Ben Ata, ihr seid arm, ein armes Volk. Alles, was ich sehe, wenn ich durch dieses Land reite... oh, ich spreche nicht vom Pavillon, der nur für diesen Zweck gebaut wurde, und der wahrscheinlich wieder verschwindet, wenn wir uns trennen...«
»Werden wir uns wieder trennen?«
»Aber natürlich! Was denkst du denn? Glaubst du, wir würden für immer zusammenbleiben? Wir sind zu einem bestimmten Zweck hier... wir müssen unsere beiden Länder heilen und herausfinden, was wir falsch gemacht haben, und was wir tun sollen, wirklich tun sollen...«
Sie beugte sich vor, und aus ihren Augen sprachen Leidenschaft und Überzeugungskraft.
Er lehnte sich zurück und betrachtete sie ironisch. Er war verletzt. Er hatte nicht im Traum daran gedacht, daß ein Fremder sein Land als arm, von Mangel gezeichnet und zurückgeblieben bezeichnen könnte. Es störte ihn nicht, daß diese Frau ihn als roh und ungebildet ansah – was offensichtlich der Fall war. Er war ein Soldat, und Soldaten waren... Soldaten. Aber er hatte geglaubt, sein Reich sei in seiner Art vorbildlich. Er erstarrte. Er war kalt und wütend. Er betrachtete distanziert – mit völliger Ablehnung – ihre glänzenden Augen und das leuchtende Gesicht.
Plötzlich stand er auf und ging wütend im Zimmer hin und her.
»Für dich zählt nur Luxus, wie du selbst gesagt hast. Bequemlichkeit. Annehmlichkeiten. Du hast es selbst gesagt. Du hast es selbst gesagt...«
»Ja, das habe ich.« Natürlich stürzte er sich darauf – ein Eingeständnis war das Zeichen von Schwäche – er schüttelte

sich vor verächtlichem Lachen und deutete mit dem Finger auf sie.
»Du benimmst dich wie ein halbwüchsiger Junge, Ben Ata«, sagte sie und stand auf. »Wenn wir reich sind und es uns an nichts fehlt, ist das nur schlecht, weil wir darüber unsere wirkliche Aufgabe vergessen haben. Aber daß ihr arm und unkultiviert seid, liegt nur daran, daß euer ganzer Reichtum vom Krieg verschlungen wird... von einem nutzlosen, dummen, sinnlosen Krieg...« Sie stand herausfordernd vor ihm.
Sein Haß auf sie war jetzt so groß, daß er die Hand hob, um sie zu schlagen. Seine mächtige Faust, die so groß zu sein schien wie ihr kleiner Kopf, hing über ihr, um sie niederzuschlagen – aber sie blieb ungerührt stehen und sah ihn an.
»Ben Ata, ich bin sehr viel schwächer als du, und wenn es auf Gewalt hinausläuft, kannst du tun, was du willst. Ich kann es nicht verhindern. In deinem schrecklichen Land kann ich auch keine der wirklichen Kräfte anwenden, um dir Einhalt zu gebieten...«
Jetzt mußte er sie natürlich auf das Bett werfen und sie wie eine der hilflosesten Frauen auf seinen Raubzügen behandeln.
Sie leistete keinen Widerstand, denn sie konnte es nicht. Aber sie wendete den Kopf, schloß die Augen und war so abwesend, als sei sie tot.
Er vergewaltigte eine tote Frau – zumindest erschien es ihm so. Er verabscheute sich und sie – denn sie trieb ihn dazu. Dann erinnerte er sich, daß sie schwanger war, und daß er vielleicht dem Fötus schadete. Das hinderte ihn daran, es noch einmal zu tun, was er normalerweise getan hätte. Er wälzte sich von ihr, schüttelte sich voll Abneigung und sagte: »Und das ist das. Das ist das.«
In der Stille hörten beide, daß die Trommel schwieg.
Al•Ith stand mühsam auf, ging in ihre Gemächer und kam fast sofort in ihrem eigenen dunkelroten Kleid zurück. Sie sah ihn nicht an.
»Du kannst erst gehen, wenn sie es dir sagen.« Es klang dumm und drohend.

»Hörst du nicht, die Trommel schlägt nicht mehr«, antwortete sie mit lebloser Stimme.
Sie ging hinaus, rief nach ihrem Pferd und wartete. Augenblicklich hörte er das Klappern der Hufe zwischen den Springbrunnen.
»Dann komm nicht zurück«, sagte er gebrochen. Er konnte nicht glauben, was geschehen war. Er konnte den vorausgegangenen Teil der Begegnung nicht mit seinem jetzigen Tun in Einklang bringen.
Ihm schien es, als habe er an der Schwelle zu einer Landschaft gestanden, die er sich nie hätte träumen lassen, und nun war sie wieder verschwunden.
»Du kannst zu deinen verdammten Huren zurückgehen«, sagte Al•Ith und schwang sich auf Yori. Als sie sich diese Worte sagen hören, die ganz sicher nicht ihre eigenen, sondern Worte der Zone Vier waren, fügte sie rasch hinzu: »Oh, ich muß dieses schreckliche Land auf der Stelle verlassen«, und die Aufrichtigkeit, mit der sie das sagte, schnitt ihm ins Herz.
Sie galoppierte davon. Er rannte den Hügel hinunter zu seinem Pferd und ritt wie der Sturm hinter ihr her. Er holte sie erst ein, als sie schon eine große Strecke auf der Straße nach Westen zurückgelegt hatte. Die beiden Pferde, das schwarze und das weiße, flogen Seite an Seite dahin. Es war erst später Nachmittag, und auf der Straße und in den Booten auf den Kanälen arbeiteten noch Menschen. Sie sahen, wie die Königin der Zone Drei »wie ein Dämon« aus ihrem Land davonritt, und der König, »der arme Mann, so blaß wie der Tod«, ihr folgte.
Das war jedoch nur auf dem ersten Teil des Weges so, denn sie hatte ihren Schild vergessen, und in der Nähe der Grenze klammerte sie sich wie betäubt an Yoris Mähne, wohl wissend, was mit ihr geschah. Sie würde sterben, wenn sie ohnmächtig wurde und sich nicht festhalten konnte. Yori spürte das Nachlassen ihrer Kräfte, verlangsamte das Tempo und ging vorsichtig weiter. Ben Ata sah, wie seiner Frau die Sinne schwanden, hob sie von Yoris Rücken und trug sie. Die Leute auf dem zweiten Teil des Weges berichteten, die Königin sei krank gewesen, aus Kummer darüber, die Zone verlassen zu

müssen. Der König habe sie »wie ein Kind gewiegt« und geweint, während er dahinritt.
Yori folgte dem König. Ben Ata setzte Al•Ith dicht hinter der Grenze auf den Boden – er war nicht weit vorgedrungen, denn er konnte in ihrer Zone ebensowenig ungeschützt reisen wie sie in seiner. Sobald sie wieder zu sich kam, trat er zurück und stützte sie nur noch mit einer Hand an der Schulter. Als sie die Augen öffnete, war die wilde, dunkle Nacht bereits hereingebrochen, und der scharfe Wind, der immer von Osten in ihr Land blies, war bereits so stark, daß sie dagegen ankämpfen mußte, davongeweht zu werden. Sie sah den bleichen und finster blickenden Ben Ata und glaubte, er sei zornig. Seine Besorgnis sah sie nicht.
Ihr Pferd stand neben ihr. Sie stieg auf und floh in die Dunkelheit. Sie und Yori verschwanden wie Blätter im Sturm.
Ben Ata ritt ins Lager zurück und überlegte, wann sie wieder den Befehl erhalten würde, zu ihm zu kommen.
Sie war noch nicht weit geritten, als der Verstand ihr sagte, was geschehen sein mußte. Jetzt bedauerte sie ihr Verhalten, denn sie wußte, daß es auch Ben Ata leid tat. Sie wünschte, sie könnte ihm wenigstens durch ein Wort sagen, daß sie wußte, er hatte sie zur Grenze getragen und ihr hinübergeholfen. Er konnte jetzt ebensowenig glauben, daß er sie niedergeworfen und bestraft hatte, wie sie ihre heftigen Anschuldigungen und die Kritik an seinem Land.
Wie hatte sie das tun können! Sie, die in ihrem Land nicht fähig war, jemandem ein grausames oder auch nur unbedachtes Wort zu sagen, hatte sich diesem Mann gegenüber, der nicht mehr und nicht weniger schuldig war als sie, der – ohne eigenes Verschulden – als König über dieses traurige, öde und arme Land regierte, zur Bosheit hinreißen lassen.
Er war wieder bei seiner Armee; sie ritt zurück in ihre Hauptstadt; und beide dachten voll Mitgefühl an den anderen.
Als sie den Paß zwischen der Ebene und dem Plateau erreicht hatte, hielt sie Yori an und blickte auf die schneebedeckten Berge, die sie umgaben. Hier zwischen diesen Bergen hatte sie

ihr Leben verbracht; es hatte ihre Kräfte und ihren Geist belebt und genährt zu beobachten, wie sie ihre Formen zu verändern schienen und immer neue Stimmungen entstehen ließen.
Während sie jetzt langsam ihr Pferd auf der Stelle kreisen ließ, sah sie die Berge, wie sie sie immer gesehen hatte – aber auch so wie sie sie von dort unten im Tiefland gesehen hatte, wenn sie mit Ben Ata hinaufblickte. Sie wußte, verboten oder nicht, er würde in diesem Moment zu den Gipfeln blicken: Er würde nicht anders können. Und seine Offiziere, die ihn selbstvergessen zwischen den Zelten und Wachposten stehen sahen, würden sich zuerst mit erhobenen Augenbrauen ansehen, und dann würde einer nach dem anderen seinem Beispiel folgen – und die Soldaten taten es ihnen nach. Al•Ith dachte an die Frauen und vermutete, daß sie Hüterinnen aller möglichen geheimen Überzeugungen waren. Wahrscheinlich hatten sie nie aufgehört, oder zumindest viele von ihnen, in unbeobachteten Momenten den Himmel im Westen anzusehen, wo die schneebedeckten Berge so hoch in den Himmel ragten, daß man sie kaum von den Wolken unterscheiden konnte.
Jetzt erinnerte sie sich an ein Lied – ja, sie hatte es gehört, als sie in Ben Atas Armen lag. Damals hatte sie es nicht mit Bewußtsein aufgenommen, aber genug im Gedächtnis behalten, um es jetzt wieder zu hören. Das Lied war Teil der wachsenden Lust ihrer staunenden Körper gewesen:

Wie sollen wir den Ort erreichen,
wo das Licht ist,
dorthin kommen, wo die Freude ist?

Dort, wo das Licht auf den Gipfeln glüht,
die Hoffnung blüht.

Wolken? – nein,
Schnee...

Hier Regen,
dort Schnee:

Glühendes weißes Eis,
und Schneeflocken tanzen weiß.

Wie können wir dorthin reisen,
wo die Berge uns den Weg weisen

Hinauf, hinauf, hinauf aus diesem Tiefland,
in das Hochland

Führt uns der Weg
führt uns der Weg...

Das hatte eine hohe, melodische Frauenstimme gesungen, während sie sich liebten, und diese Worte waren für immer mit ihrer Erinnerung aneinander verschmolzen.
Und doch wußte sie, daß diese Worte für jemanden, der sie zufällig hörte, ein Soldat oder die uneingeweihte Frau eines Soldaten, bedeutungslos gewesen wären – die eingeweihten Frauen hörten sie; sie und Ben Ata hatten sie gehört – oder? Hatte er sie gehört? Sie wollte ihn bei ihrer nächsten Begegnung danach fragen.
Sie ritt weiter, und die Menschen auf den Straßen begrüßten sie herzlich. Sie hielt an, um sich mit ihnen zu unterhalten, sich ihre Botschaften anzuhören und ihnen zu sagen, daß sie von Ben Ata schwanger war. Die Neuigkeit verbreitete sich wie im Flug auf dem Plateau, da jeder sie dem anderen erzählte, und als Al•Ith die Hauptstadt erreichte, säumte eine fröhliche singende Menge die Straßen und begrüßte das ungeborene Kind. Als sie schließlich den Palast erreichte, konnte sie sich wieder über die unbeschwerte Heiterkeit freuen, die für die Bewohner der Zone Drei die übliche Verfassung ist.
Auf der breiten Treppe erwarteten sie ihre Schwester Murti• und alle Kinder, die Al•Ith Mutter nannten. Sie schenkten ihr ihre Liebe und ein herzliches Willkommen. Al•Ith verbrachte mit ihnen den ganzen Tag und die ganze Nacht, um sich anzuhören, was sich in ihrer Abwesenheit ereignet hatte. Inzwischen läuteten die Glocken unseres Nachrichtenturms, damit jeder in unserer Zone wußte, daß Al•Ith wieder gesund

zurückgekommen war und daß es ein neues Kind geben würde.
Dann zog sie sich mit ihrer Schwester zurück und überließ die Kinder ihren geistigen Vätern, den Unterrichtsstunden und Spielen. Die beiden Frauen gingen auf das höchste Dach des Palastes, wo die anderen Dächer sich terrassenförmig unter ihnen ausbreiteten. Von dort gelangte man in einen hohen Turm, der alle anderen Gebäude der Hauptstadt überragte. Dort oben stand sie mit Murti•, die sich über den anstrengenden Ausflug wunderte und sich nicht erinnern konnte, auch nur den Versuch unternommen zu haben, vorher einmal hierherzukommen. Al•Ith sagte: »Sieh, sieh dorthin...« und deutete nach Nordwesten auf eine tiefe Kluft in den Bergen. Dort strahlte das Blau der Zone Zwei wie ein Saphir. Murti• sah zunächst nichts als die Kluft in den Bergen und den Dunst.
Al•Ith blickte dorthin und ließ das Blau in ihre Augen eindringen. Zärtlich dachte sie daran, daß Ben Ata gesagt hatte, es sei Zeitverschwendung, und lächelte. Murti• sah sie an und wußte, daß sie an ihren Mann dachte, denn etwas anderes konnte das Lächeln nicht bedeuten. Sie lachte und wollte sich ihrer Schwester zuwenden, um sie zu necken, wollte sie bitten, ihr etwas von Ben Ata, dem berühmten und großen Soldaten zu erzählen. Aber Al•Ith sagte: »Nein, nein, bleib ruhig stehen und sieh dorthin...« Denn sie, Al•Ith, hatte ihr ganzes Leben lang die Möglichkeit gehabt, auf diesen hohen Platz zu steigen und mit ihren Augen die Zone Zwei zu suchen. Niemand hatte es ihr verboten. Aber niemand hatte die Zone Zwei auch nur erwähnt. Und doch – ja, als Kind war sie hier gewesen. Jetzt fiel es ihr wieder ein. Sie war noch ein Kind gewesen und hatte noch nicht menstruiert. Wie getrieben kletterte sie damals höher und höher. Zuerst erreichte sie die unzähligen Dächer der vielen Paläste, und wenn sie gewollt hätte, hätte sie sich wochenlang damit beschäftigen können, von einem Dach zum anderen zu springen. Aber sie sah den hohen Turm mit der kleinen Tür, und sie stieg die Stufen hinauf und hinauf. Schließlich hörte die endlose Wendeltreppe auf, und sie stand

atemlos und benommen auf der kleinen Plattform im Licht der untergehenden Sonne, auf der sie auch jetzt standen. Vögel flogen zwitschernd vorbei. Hoch über den Bergen schwebten die Adler und zogen ihre Kreise. Sie hatte sich an die Brüstung geklammert und in den Himmel geblickt, und ihr ganzes Wesen schien von dem Bedürfnis erfüllt zu sein, diesen Ort zu verlassen und von dem endlosen Blau – dem Blau, dem Blau, dem Blau aufgesogen zu werden. Den Kopf erfüllt von der blauen Luft, war sie erst Stunden später wieder hinuntergestiegen. Und dann... was dann? Sie konnte sich nicht erinnern. Hatte sie es jemandem erzählt und war davor gewarnt worden? Hatte sie es niemandem erzählt, sondern einfach vergessen? War das wichtig? Tatsache blieb, ihr ganzes Leben lang hatte die Möglichkeit dazu bestanden. Es hätte nur der Anstrengung bedurft, hohe, steile Treppen zu ersteigen. Und doch schien es, als habe sich ihr Geist vor dem verschlossen, wozu er fähig gewesen wäre... was er hätte tun sollen, und was er tun wollte...

Ihre Schwester klammerte sich mit beiden Händen an das Geländer. Sie hatte den Kopf gehoben. Al•Ith sah ihr feines klares Profil und ihre leuchtenden Augen. Alles an ihr schien zu leuchten; das helle Abendlicht ließ ihre weichen goldenen Haare erstrahlen und die Stickereien auf dem gelben Kleid aufglühen. Sie hatte es gesehen!

Als sie sich Al•Ith zuwendete, sagte sie nur: »Warum haben wir es vergessen?«

Al•Ith wußte keine Antwort.

Als nächstes ordnete Al•Ith an, mit den Glocken alle Regionen aufzufordern, so bald wie möglich Boten in die Hauptstadt zu entsenden. Dann aß sie mit ihrer Schwester zu Abend, die etwas über den neuen Ehemann erfahren wollte. Normalerweise hätte sie Murti• alles erzählt, ohne das Gefühl zu haben, untreu zu sein oder etwas zu verraten, aber diesmal fiel ihr das Sprechen schwer. Warum? Es lag nur zum Teil daran, daß Berichte über die Zone Vier Murti• so exotisch erscheinen mußten, daß Al•Ith gezwungen gewesen wäre, sie aus allen möglichen Blickwinkeln zu beschreiben, ehe Murti• auch nur anfangen konnte, etwas zu verstehen. Aber sie spürte auch, daß Ben Ata an sie dachte. Diese Verbindung mit ihm mißfiel ihr. Sie konnte sich nicht daran erinnern, jemals diese merkwürdige Sehnsucht und die bedrückende Unruhe erlebt zu haben, wenn sie mit einem Mann zusammen gewesen war – sei es, um ein Kind zu empfangen oder zum Spiel.

Sie hielt das für ungesund – eine Projektion jener Zone, in der alle Gefühle so schwer und stark waren. Aber genau das empfand sie, und sie konnte nicht so tun, als sei es nicht vorhanden. Murti• spürte den inneren Widerstand und machte Al•Ith keine Vorwürfe, aber sie war ausgeschlossen. Deshalb zog sie sich früh in ihre Zimmer zurück, wo ihre Kinder sie erwarteten.

Eine Beziehung zu einem Menschen, die andere Beziehungen beeinträchtigte, mußte falsch sein. Es konnte doch nicht anders sein?

Aber Al•Ith wußte, jetzt mußte sie sich drängenderen Fragen widmen als diesen beunruhigenden Gefühlen, die mit ihrem Mann zu tun hatten, zu dem sie sicher zu gegebener Zeit zurückkehren mußte, wenn es ihr befohlen wurde – und sie konnte nicht sagen, ob sie diese Vorstellung verabscheute oder sich danach sehnte.

Sie legte sich schlafen, um für den nächsten Tag frisch zu sein, der ihr hoffentlich die dringend notwendigen Erkenntnisse bringen würde.

Das Hauptberatungszimmer unserer Zone ist nicht sehr groß, denn es braucht nicht mehr als zwanzig bis dreißig Personen Raum zu bieten. Eine Zahl, die uns angemessen repräsentiert – natürlich sind es je nach Art der Versammlung immer wieder andere Vertreter. Es ist ein quadratischer, nicht sehr hoher Raum mit Fenstern an drei Seiten, durch die man die Wolken, den Himmel und die Berge sieht.

Auf dem Boden liegen große, flache Kissen, auf denen wir uns nach Belieben verteilen. Auch Al•Ith kann überall sitzen. Bei so wenigen Menschen ist es nicht notwendig, daß sie erhöht oder abgesondert sitzt.

An diesem Tag betrat sie als erste das Ratszimmer. Sie ging von Fenster zu Fenster, blickte hinunter auf die Straßen, hinauf zu den Bergen und dann lange auf einen bestimmten Punkt im Nordwesten. Ich war an diesem Tag dort und fand sie beim Eintreten allein – ich kam als zweiter. Ich bemerkte sofort ihre Ruhelosigkeit und ihre Besorgnis. Dies war nicht mehr die gelassene Frau, die ich von Kind auf kannte. Ich bin einer ihrer geistigen Väter.

Ich stellte mich neben sie ans Fenster. Sie blickte mich todtraurig an und drückte dann den Kopf wie ein kleines Kind an meine Schulter. Aber schon als kleines Mädchen war sie für so etwas zu unabhängig und energisch gewesen. Ich erschrak darüber mehr, als ich sagen kann.

Sie richtete sich bald wieder auf und sagte: »Lusik, ich kenne mich selbst nicht mehr.«

»Das sehe ich.«

Unten auf dem großen Platz wurde es lebendig. Froh, von unseren Ängsten abgelenkt zu werden, beugten wir uns vor, um zu sehen, was es dort gab.

Auf Pferden und Eseln trafen die Abgeordneten unserer Regionen ein. Die Kinder ritten auf Ziegen. Junge Leute nahmen ihnen die Tiere ab und führten sie unter die schattigen Bäume an der Südseite des Platzes. Ich lebe im äußersten Süden unserer schönen südlichen Region und war auf dem Kamel gekommen. Kamele fühlen sich dort sehr wohl und sind unsere wichtigsten Lastenträger. Und deshalb hatte auch mein Kamel selten Gelegenheit, Tiere anderer Arten kennenzulernen. Es stand jetzt Kopf an Kopf mit einer schönen schwarzen Stute aus den Herden des Ostens.

Die fröhliche und vertraute Szene dort unten stimmte uns heiter, aber Al•Ith sagte: »Wir haben schwere Probleme, und ich kann sie nicht beim Namen nennen.«

Der Raum füllte sich mit Männern und Frauen; sogar zwei junge Mädchen kamen, die bereits eine Begabung für die Kunst der Verwaltung zeigten, und denen man die Gelegenheit geben wollte, sie zu lernen.

Wir waren fünfundzwanzig an diesem Tag. Al•Ith setzte sich

sofort vor das westliche Fenster, drapierte ihr gelbes Gewand um sich, denn sie wußte, wir sahen sie gerne schön und attraktiv. Sie begann zu sprechen.
»Wir alle kennen die Situation. Ich übernehme die volle Verantwortung dafür.« Sie wartete und blickte uns der Reihe nach an. Jeder hatte genickt – aber nicht feindselig, sondern um eine Tatsache zu bestätigen. Al•Ith lächelte schwach, und es war ein trauriges Lächeln.
»Wir müssen uns über einen Punkt Klarheit verschaffen. Hat sich unsere Situation in den letzten neununddreißig Tagen verändert?«
Sie wartete wieder, studierte sorgfältig jedes Gesicht und lächelte den beiden Mädchen zu, die natürlich zurücklächelten. Sie waren voll Bewunderung für Al•Ith und von dem Wunsch beseelt, wie sie zu sein, vielleicht sogar besser.
»Es ist in allen Regionen dasselbe. Die Tiere leiden und sind unfruchtbar. Und auch wir sind nicht mehr wie früher. Soviel weiß ich. Soviel wissen wir alle. Und wenn ich auf eure Berichte geachtet hätte, wie es meine Pflicht gewesen wäre, hätte ich es schon früher gewußt.«
Wir nickten wieder alle: Es war die Wahrheit.
»Eins ist deutlich, jeder glaubt, daß meine Ehe mit Ben Ata mit dieser Verschlechterung der Lage irgendwie in Zusammenhang steht. Wir wissen nicht, warum oder wie, aber wir können hoffen, daß eine Besserung eintritt. Wie bereits allen verkündet wurde, bin ich schwanger. Dies ist vermutlich Teil des Rezepts für unsere Gesundung.«
Nach jedem Satz wartete sie und sah uns an, um zu sehen, ob es Widerspruch gab, oder ob jemand dem Gesagten etwas hinzufügen wollte.
»Es sind jetzt neununddreißig Tage vergangen, seit ich zu Ben Ata gebracht wurde.« Dieses »gebracht« hatte einen bitteren Nachdruck; sie bedauerte es sofort und entschuldigte sich mit einem schnellen Lächeln. Inzwischen hatte jeder ihre innere Qual bemerkt. Im Ratszimmer herrschte eine Atmosphäre, wie ich sie noch nie zuvor erlebt hatte. Mehr als alles andere verriet Al•Iths Zustand, wie es um unser Land stand.

Sie wartete geduldig. »Hat es in dieser Zeit eine Veränderung gegeben? Nein? Ich bin seit fünf Tagen schwanger. Hat sich vielleicht in dieser Zeit etwa verändert?«
Eines der kleinen Mädchen sagte: »Mein Schaf hat gestern Zwillinge bekommen.« Wir lachten, und es gab eine Unterbrechung, während Al•Ith ihr die Tragezeit der Schafe erklärte.
Wir überlegten inzwischen, ob es in den letzten fünf Tagen tatsächlich eine Veränderung gegeben hatte. Die Diskussion begann. Al•Ith hörte aufmerksam zu. Plötzlich sprang sie auf und ging schnell von einem Fenster zum anderen. Dann kehrte sie zum Fenster an der Westseite zurück, blieb dort stehen und blickte hinaus und nach oben. Das kannten wir an ihr nicht. Ich war als einziger ihrer Eltern anwesend, und deshalb ging ich nach einer Weile zum Fenster und blickte ebenfalls hinaus. Ich sah nur die mächtigen Gipfel der westlichen Bergkette.
Meine Anwesenheit erinnerte sie an ihre Pflichten, und sie setzte sich wieder.
Das kleine Mädchen, das von seinem Schaf gesprochen hatte, sang leise ein Kinderlied:

Finde den Weg
Und finde den Weg
Und folge ihm bis zum Ende.

Über die Höhen
Müssen wir ziehen
Dann finden wir uns im Blau...

Al•Ith beugte sich vor und hörte zu. Jeder von uns hatte das Lied unzählige Male gehört. Die Kinder legten sich aus Steinen Felder, durch die sie nach einem bestimmten Rhythmus hüpften, der sich mit den Reimen veränderte.
Wir glaubten, Al•Ith widme wie üblich den Kindern besondere Aufmerksamkeit, und warteten.
Aber sie beobachtete noch immer gespannt das kleine Mädchen, das sich selbstvergessen und ohne auf Al•Ith zu achten

hin und her wiegte, sang und sogar leise in die Hände klatschte. Sie war ein typisches Kind aus den östlichen Regionen: ein blasses kleines Mädchen mit strahlend blauen Augen und weißblonden Haaren. Aus diesen mageren Küken wurden merkwürdigerweise nicht selten hinreißend schöne Frauen; auch die Männer dort sahen gut aus. Bei unseren Festen schlugen viele Herzen höher, wenn die Gruppen aus dem Osten einritten – alles lächelnde Zauberer, die sich ihrer Macht über uns wohl bewußt waren. In ihren Liedern besangen sie eine härtere und leidenschaftlichere Vergangenheit...
»Wie heißt du?« fragte Al•Ith.
»Grüna.«
»Komm her, meine kleine Grüne.«
Das Kind lief zu ihr und setzte sich neben Al•Ith. Sie nahm es bei der Hand.
»Wie geht das Lied weiter?«
»Welches Lied, Al•Ith?«
»Das du gesungen hast. Was kommt nach: ›Dann finden wir uns im Blau‹?« Das Kind dachte nach. Hilfesuchend blickte es seine Schwester an.
Inzwischen verstanden wir alle, daß etwas Wichtiges geschah.
Ich hatte bestimmte Höhepunkte in diesem Raum miterlebt. Aber nichts glich diesem Moment. Die Luft knisterte vor Spannung, und Al•Iths Lethargie war verschwunden. Sie war wie immer: wach, lebendig und voll Aufmerksamkeit.
»Geht das Lied nicht weiter?« Wieder blickte das Kind hilfesuchend seine Schwester an, ein anderes mageres Blondköpfchen – aber sie schüttelte den Kopf. Dann sprang sie auf: »Ja, ja, da... ich glaube...«, und sank wieder auf den Boden.
»Hört zu«, sagte Al•Ith, »ich möchte, daß ihr etwas für mich tut. Geht hinunter auf den Platz – dorthin, wo die Tiere stehen. Vergeßt uns für eine Weile. Spielt das Spiel. Spielt, als wärt ihr zu Hause bei den Herden und eurer Familie. Und versucht euch daran zu erinnern, was nach ›Dann finden wir uns im Blau‹ kommt.«
Die beiden kleinen Mädchen sprangen auf und liefen Hand in

Hand aus dem Ratszimmer. Wir lächelten; wir alle wußten, wir lächelten, weil jeder daran dachte, wie sie in Kürze aussehen würden.
»Was hat das zu bedeuten, Al•Ith?« fragte ein junger Mann aus dem Norden. Er war ihr Adoptivsohn und bei ihr aufgewachsen. Er sah ihr sogar sehr ähnlich, wie es bei Adoptivkindern oft der Fall ist.
»Ich bin nahe daran...«, sagte sie und blickte uns alle eindringlich an, »spürt ihr es nicht? Da ist etwas! Was ist es?!« Und in ihrer Erregung war sie aufgesprungen und lief durch den Raum. Sie blieb an den Fenstern stehen, ohne hinauszusehen. »Was ist es?« Wir sagten nichts, sondern warteten. Wir alle wissen, wenn einer von uns kurz davor steht, etwas zu begreifen, können wir ihm durch Mitdenken und Warten helfen. »Ich weiß es einfach nicht, ich weiß es nicht...«, und dann lief sie zum Fenster im Westen und beugte sich hinaus. Wer von uns noch Platz fand, drängte sich um sie und blickte hinunter. Die Kinder hatten mit Kieselsteinen ihre Felder gelegt; sie hüpften und sangen.
Wir hörten ihre Worte nicht.
Die Mädchen spürten, daß wir sie beobachteten, blieben stehen und blickten zu uns herauf. Wir zogen uns vom Fenster zurück.
»Wir müssen warten«, sagte Al•Ith.
Wir setzten uns. Natürlich hofften wir, mehr über ihre Besuche in den anderen Zonen zu erfahren, aber wir wollten nichts sagen, um den Schatten, der über ihr gelegen hatte, nicht wieder heraufzubeschwören.
Sie wußte, was wir dachten, und erfüllte uns seufzend den Wunsch.
»Es ist sehr schwer zu beschreiben«, sagte sie mutig, und wir bemerkten, daß ihre Lebhaftigkeit schwand, »äußerlich gesehen ist es leicht zu beschreiben. Dort dient alles dem Krieg. Dem Kampf. Es ist ein armes Land. In unserem Reich gibt es nichts Vergleichbares. Und die Menschen...« Sie wurde unsicher und sprach nur zögernd weiter. Wir sahen, wie es in ihr arbeitete. »Krieg. Kampf. Männer... in diesem Land ist jeder

Mann in der Armee...« Sie verlor sich in Gedanken und schwieg. Sie hatte praktisch aufgehört zu atmen. »Jeder Mann in Uniform...« Sie unterbrach sich wieder, ihre Augen wurden glanzlos, und sie saß tief in sich versunken da. Wir rührten uns nicht.

»Die Wirtschaft ist nur auf Krieg ausgerichtet... aber es gibt nicht viel Krieg... kaum Kämpfe... und doch ist jeder Mann von Geburt bis zum Tod ein Soldat...«

Wieder das beklemmende Schweigen. Sie saß dort mit ausdruckslosen Augen, aufrecht und angespannt. Sie wiegte sich auf ihrem Kissen langsam hin und her.

»Ein Land für den Krieg... aber es gibt keinen Krieg... auf ihnen lastet ein hartes, unerbittliches Gesetz... ihr Gesetz ist wirklich hart... Krieg. Männer... alle Männer für den Kampf... aber kein Krieg, keine Schlachten zu schlagen... *was ist es, was bedeutet das...*«

Es war erschreckend, ihre Spannung zu sehen. Eine ältere Frau, die sie aufmerksam beobachtet hatte, ging zu ihr, setzte sich neben sie und begann, sie zu beruhigen. Sie streichelte ihre Arme und Schultern und sagte: »Das ist genug, Al•Ith. *Genug.* Hörst du mich?« Ein Zittern durchlief Al•Ith, und sie kam zu sich.

»Was ist es?« fragte sie uns flüsternd.

Die Frau hatte den Arm um sie gelegt und sagte: »Es wird dir einfallen. Beruhige dich.«

Al•Ith lächelte und nickte ihr zu. Die Frau ging wieder zu ihrem Platz und sagte: »Das beste ist, den Gedanken ganz in uns zu tragen und ihn in uns wachsen zu lassen.« Al•Ith nickte wieder.

Damit endete der schwere Teil der Beratung. Murti• brachte auf einem Tablett Krüge mit Obstsäften. Dann ging sie wieder hinaus, holte etwas Leichtes zu essen und setzte sich neben ihre Schwester.

Dann kamen die kleinen Mädchen wieder zurück. Sie wirkten enttäuscht.

Sie gingen zu Al•Ith und Murti•, und Grüna sagte: »Wir haben es gespielt. Immer wieder. Es ist uns nicht eingefallen.

Aber es gibt noch Worte, die danach kommen. Das ist uns eingefallen.«
Al•Ith nickte. »Es macht nichts.«
»Sollen wir es spielen, wenn wir wieder zu Hause sind und sehen, ob es uns dann einfällt?«
»Ja, tut das... ich habe noch eine Idee...« Wir hörten ihr jetzt gespannt zu, denn wir glaubten, sie würde uns sagen können, was ihr vorhin nicht eingefallen war. Aber sie lächelte und sagte: »Nein, ich fürchte, das kann ich nicht. Aber ich habe eine andere Idee. Wir feiern ein Fest. Bald. Und es soll ein Fest der Lieder und Geschichten sein – aber keines der üblichen. Es soll ein Fest der vergessenen Lieder und Geschichten sein... oder der halbvergessenen. Alle Regionen entsenden ihre Geschichtenerzähler, Sänger und Memoranden...« Jetzt lächelte sie mich an, um ihren nächsten Worten die Härte zu nehmen: »Lusik, mir scheint, ihr habt alle versagt. Wie kann es sein, daß Kinder Spiele spielen und *wissen*, daß es vergessene Verse gibt?«
Ich nahm das hin. Natürlich hatte sie recht.
Bald darauf kehrten wir alle nach Hause zurück.
Jetzt nehme ich meine Erzählung wieder auf – nicht aus erster Hand wie meine Erinnerungen an die Ereignisse im Ratszimmer, sondern als Chronist so gut ich kann, aus vielen Informationen zusammengefügt.
Die beiden Schwestern gingen in Al•Iths Gemächer; Al•Ith sagte, sie sei müde. Die Schwangerschaft stellte sich bereits jetzt als anstrengender heraus als alle anderen. Sie hatte die notwendigen Ereignisse in Gang gesetzt; jetzt wollte sie sich für ein paar Tage zurückziehen und ausruhen.
Murti• machte sich Sorgen um sie.
Die beiden schönen Frauen saßen Hand in Hand am Fenster, durch das man die Berge im Westen sah. Al•Ith erklärte, sie wolle wieder auf den Turm steigen, aber Murti• bat sie, es nicht zu tun. Al•Ith gab nach. Normalerweise hätten die beiden Frauen sich jetzt gemeinsam entspannt, sich gegenseitig die Haare gekämmt, Kleider anprobiert, neue entworfen, über Neuerungen und Veränderungen gesprochen, die sie an den

Kleidern der an diesem Tag anwesenden Frauen bemerkt hatten, um sich darüber klar zu werden, ob sie für die allgemeine Mode in Frage kämen. Sie waren wirkliche Schwestern. Sie hatten dieselbe Mutter, denselben Genvater und sogar dieselben geistigen Väter. Geheimnisse hatte es zwischen ihnen nie gegeben. Jetzt sagte Al•Ith: »Du hast ein Recht, verletzt zu sein. Ich kann leider nichts dagegen tun.« Murti• küßte sie und ging.

Al•Ith war noch keinen ganzen Tag zu Hause, als sie bereits wußte, daß sie zu Ben Ata zurückkehren mußte. Sie hörte im Geist die Worte: »Die Trommel schlägt.« Sie hörte die Trommel sogar, zwar schwach, aber deutlich. Sie legte die Hand auf den Bauch, da sie glaubte, das kleine Herz schlagen zu hören, aber es war die Trommel.

Diesmal suchte sie in ihrem Kleiderschrank nach Kleidern, die Ben Ata gefallen und Freude machen würden. Sie packte ein paar zusammen und lief schnell ins erste Stockwerk, um für Murti• eine Botschaft zu hinterlassen.

Auf der Freitreppe kamen ihr fünf Personen entgegen, die sie sprechen wollten: eine junge Frau, die erst vor kurzem erwachsen geworden war, ihr Genvater und drei ihrer geistigen Väter. Al•Ith war ihre Mutter.

Das Mädchen hatte ein Problem. Aber es ist für die Geschichte nicht wichtig. Dieses Ereignis wird geschildert, da Al•Ith in Gedanken bereits auf dem Weg zu Ben Ata war und sich mit den Schwierigkeiten und Umstellungen beschäftigte, die ihr bevorstanden. Und nun mußte sie sich mit dem wahren Vater des Kindes, einem Mann, mit dem sie jahrelang eine enge Freundschaft verbunden hatte und drei Männern, die ihr ebenfalls sehr nahestanden, die sie aber längere Zeit nicht gesehen hatte, da sie in entfernten Teilen des Landes gewesen waren, in ein ruhiges Zimmer zurückziehen.

Es war ein Raum neben dem großen Ratszimmer; es gab dort die üblichen Kissen und niedrigen Tische. Al•Ith umarmte die Frau, drückte sie an sich und ließ sie neben sich Platz nehmen, als sie sich setzten. Aber sie spürte beinahe sofort, daß sich ihre Erregung dem Mädchen mitteilte, und das durfte sie nicht zulassen. Schnell stand sie wieder auf und suchte sich einen anderen Platz. Ihre Tochter fühlte sich ungeliebt, wandte sich von der Mutter ab und machte ein unglückliches Gesicht. Dies verwirrte Al•Ith noch mehr.

Die sechs Menschen, die Frau, die vier Männer und das Mädchen waren oft zusammen gewesen. Die Männer gehörten zu den Menschen, die ihr am nächsten standen – ihre Schwester nicht ausgenommen. Auch zu ihrem eigenen Schutz war es Al•Ith nicht möglich, sie auszuschließen. Sie war offen zu ihnen, während sie gleichzeitig offen für die Forderungen Ben Atas war, die sie stürmisch überfielen. Sie zitterte.

Die Männer umarmten und umringten sie. Sie beglückwünschten sie zur neuen Schwangerschaft. Aber es war zu sehen, daß es ihr immer schlechter ging.

»Du bist krank«, sagte Kunzor, der Genvater des Mädchens. Al•Ith bestätigte es und sagte, sie könne nichts dagegen tun, aber es täte ihr leid. Dann wurde sie ohnmächtig.

Sie riefen Murti•, die erklärte, sie könne ihnen Al•Iths geistige Verfassung vermutlich nicht begreiflich machen. Murti• erklärte sich bereit, Al•Ith zu vertreten und nahm sich vor, freundlich zu dem armen Mädchen zu sein, das sie alle in Erstaunen versetzte. Sie rang die Hände und erklärte: »Es ist meine Schuld, daß Al•Ith krank ist!« Sie hielten das für eine verrückte Idee, denn so etwas hatten sie noch nie gehört.

Als Al•Ith zu sich kam, war nur Kunzor bei ihr, der versuchte, sie zu verstehen. Er hatte sie in unterschiedlichsten Situationen erlebt, aber dies überstieg sein Fassungsvermögen. Eine weinende und fassungslose Al•Ith hatte er nicht für möglich gehalten.

Sie erklärte, sie müsse zu ihrem Pferd und wegreiten. Er begleitete sie die Stufen hinunter zu dem großen Platz, rief Yori und verabschiedete sich von ihr.

Es war nicht sehr angenehm, daß sie die Ebene am frühen Abend erreichten, denn sie mußte den ganzen Weg zur Grenze gegen den Wind reiten, der aus dem Osten blies.

Sie hoffte, Ben Ata würde sie an der Grenze erwarten, und das tat er. Er saß blaß, frierend und schweigend in seinen schwar-

zen Militärmantel gehüllt auf dem Pferd und blickte wie gebannt in die Richtung, aus der sie kommen mußte.
Bei seinem Anblick sank ihr der Mut. Auf dem langen Ritt im bitterkalten Wind durch die Ebene – nur die Wärme des Pferdes war ein Trost gewesen – hatte sie an die lange Freundschaft zu Kunzor und den anderen Männern, die ihr nahestanden, gedacht – sie wunderte sich bereits über diese Worte, die andere benutzten. Sie hatte in der Vergangenheit nie Worte benutzt, nicht einmal in Gedanken. Sie hatte die Nähe zu ihnen als Teil ihres Lebens *empfunden*, ein Gewebe, aus dem ihr Leben bestand. Wenn sie einen von ihnen, gewollt oder zufällig, wiedertraf, fanden sie sofort – in Übereinstimmung mit den Intuitionen des Moments – zur gewohnten Harmonie zurück. Sie hatte nie erklärt, sie seien dies oder das. Für sie waren sie *Freunde.* Jetzt dachte sie darüber nach, ob sie Ehemänner waren. Wenn Ben Ata ein Ehemann war, bestimmt nicht! Aber auf diesem kalten Ritt hatte sie Ben Ata, bei dem sie so bald sein würde, als einen *Freund* gesehen – mit der Schlichtheit und der Verantwortung, die das Wort beinhaltete.
Als sie ihn dort sah, rissen die körperlichen und geistigen Bande zu den Männern, die sie in Zone Drei beschützten; sie wurde verletzlich.
Ben Ata wartete, bis sie die Grenze zu seiner Zone überschritten hatte und reichte ihr dann einen Schild – seine Vermutung war richtig, daß sie ihren Schild vergessen hatte. Dann griff er nach dem Zaum ihres Pferdes – aber da war kein Zaum –, und er trieb sein Pferd vorwärts. Sie standen jetzt Seite an Seite. Sie blickte in die Zone Vier und er in die Zone Drei. Seine Augen durchforschten ihr Gesicht wie nach einem verborgenen Verbrechen.
»Was ist los?« fragte sie irritiert.
»Ich habe etwas verstanden.«
»Und was ist das?« Sie ritt weiter und seufzte in der Absicht, daß er es hören sollte. Er folgte und ritt so dicht neben ihr, daß sie dem armen Yori den Fuß in die Seite pressen mußte, um sich nicht an Ben Atas Steigbügel zu verletzen.
»Du liebst mich nicht«, verkündete er.

Al•Ith reagierte nicht.
Die Worte glitten einfach an ihr ab. Sie wußte, daß Ben Ata wieder einmal verärgert war und daß es keinen Sinn hatte, von ihm Trost oder Unterstützung zu erwarten. Deshalb bemühte sie sich um Kraft und innere Ruhe.
Er ritt dicht neben ihr, warf ihr dramatische Blicke zu und beugte sich vor, um ihr in die Augen zu sehen.
Es war früh am Morgen. Sie ritten den Steilhang hinab und sahen, wie der Nebel von den Feldern aufstieg, was, wie sie zugab, im schwachen Sonnenlicht sehr hübsch aussah.
»Du liebst mich nicht! Nicht wirklich!« rief er.
Dieses Mal hörte Al•Ith das Wort Liebe. Sie merkte sich, daß beide Zonen es unterschiedlich benutzten.
Was Ben Ata widerfahren war, war dieses.
Als sie ihn an der Grenze zurückgelassen hatte, tobten in ihm völlig neue Gefühle. Elys hatte ihm vor Augen geführt, daß es im körperlichen Bereich Dinge gab, über die er eingestandenermaßen nichts wußte. Jetzt erkannte er, daß es eine Welt der Gefühle gab, die ihm bislang verschlossen geblieben war. Er ging mit seinem Problem zu der Madame des Bordells. Sie erklärte ihm nach einem kurzen diagnostischen Gespräch, ihm fehle nicht Elys – sie war inzwischen hochgelobt und sehr mit sich zufrieden wieder in ihre Stadt zurückgekehrt –, sondern eine ernste Affäre.
Er wußte wohl, daß es Leute gab, die Affären hatten, aber Soldaten doch nicht!
Er beobachtete Dabeeb, die hinter den Wohnblocks der verheirateten Offiziere die Uniform ihres Mannes ausbürstete und überlegte, ob mit ihr etwas anzufangen sei. Zu seinem Erstaunen überfluteten ihn sofort entsprechende Gefühle; er konnte sich nicht vorstellen, woher sie kamen.
Natürlich war Dabeeb verwirrt, und sie forderte Vorsicht, Vernunft und Geheimhaltung. Selbstverständlich fürchtete sie sich vor ihrem Mann. Sie hatte Affären gehabt, aber nicht, um Jarnti zu stimulieren. Vor Ben Ata fürchtete sie sich noch mehr. Sie hatte nicht die Absicht, sich ihm hinzugeben, sondern hielt ihn sich mit Küssen und Liebkosungen vom Leib, die alle

bestens dazu geeignet waren, die Situation in der Schwebe zu lassen, damit sie Zeit zum Nachdenken gewann.
Jarnti überraschte den König und seine Frau in einer kompromittierenden Situation.
Leidenschaftliche Szenen. Eifersucht. Vorwürfe. Die Männer kämpften miteinander, einigten sich aber darauf, daß eine Männerfreundschaft mehr zähle als die Liebe zu Frauen, schüttelten sich die Hände, tranken eine ganze Nacht zusammen und fielen im Morgengrauen zusammen in einen Kanal... alles nach dem üblichen Muster.
Ben Ata liebte Al•Ith nun leidenschaftlich.
Zusammen ritten sie durch den goldenen Nebel; er knirschte mit den Zähnen und verzehrte sich nach ihr, als sie murmelte: »Gibt es im Pavillon ein Wörterbuch?«
»*Was?*«
»Es geht um das Wort Liebe. Wir benutzen es anders.«
»Kalt. Kalt und herzlos.«
»Kalt bin ich ganz sicher. Ich bin völlig durchfroren.«
Gewissensbisse stiegen in ihm auf, aber dies war der ungeeignete Moment dafür.
»Also gut, *wie* benutzt ihr das Wort Liebe?«
»Wir benutzen es nicht. Es bedeutet, mit jemandem zusammen zu sein. Die Verantwortung für alles zu übernehmen, was zwischen zwei Menschen geschieht. Zwischen den beiden und den anderen Menschen, die davon betroffen sind oder betroffen sein können.«
Es wurde ihm klar, daß er im Verlauf der aufregenden sechs Tage vergessen hatte, wie Al•Ith eigentlich war.
Sein Hochgefühl schwand. Er ritt nun nicht mehr dicht neben ihr, und die beiden Pferde galoppierten in beträchtlichem Abstand den Hügel hinauf zu dem Pavillon in den Gärten, wo die Trommel seit dem vergangenen Abend schlug.
Sie überließen es den Pferden, den Weg zu den Stallburschen zu finden und liefen im strömenden Regen zum Pavillon. Al•Ith floh in ihre Gemächer und hinterließ überall ihre nassen Spuren. Die Kleider aus der Stadt hingen nicht mehr

in den Schränken. Sie trocknete sich ab und suchte unter den mitgebrachten Kleidern eines aus, das zu ihrer Niedergeschlagenheit paßte. Das leuchtend goldene von gestern glich dem Balzgefieder eines Vogels zur falschen Jahreszeit. Ein braunes war zu niederdrückend; sie milderte diese Note etwas durch ein bräunlich-orangefarbenes Kleid – eine Stimmung, zu der sie sich vielleicht aufraffen konnte, wenn alles gut ging. Nachdem sie sich die Haare in die matronenhaften Zöpfe der Zone Vier geflochten hatte, betrat sie den Hauptraum genau in dem Moment, als Ben Ata von der anderen Seite hereinkam. Nichts an ihm deutete auf Rüstung hin. Die kurze Tunika schien ausgewählt zu sein, um ihr zu gefallen, und die Haare waren dicht an den hübschen Kopf gebürstet. Dies alles zusammen mit seinem hungrigen und feindlichen Blick ließ Al•Iths Herz sinken; sie setzte sich so weit von ihm entfernt wie möglich – an den kleinen Tisch. Er hatte seit mindestens vierundzwanzig Stunden nur das eine im Kopf, ging mit großen Schritten durch den Raum und wollte sie zum Diwan schleppen. Aber ihm fiel rechtzeitig ein, daß genau dies das ganze Durcheinander der letzten Tage ausgelöst hatte; angesichts der kritischen Al•Ith erschien es ihm jetzt, milde gesagt, unpassend.
Energisch fluchend setzte er sich ihr gegenüber, und wie immer schien es, als könne nicht nur der kleine Tisch bei einer seiner unvorsichtigen Bewegungen zusammenbrechen, sondern der ganze Pavillon. Er lehnte sich zurück, seufzte und schien zumindest einen Teil seiner Fassung wiederzugewinnen.
Beide blickten mit Standhaftigkeit der ungewissen Dauer ihres Zusammenseins entgegen, in der sie wieder einmal mit ihrer Unvereinbarkeit leben mußten.
»Ich würde gern wissen«, sagte er, »wie in deinem Land die Vorkehrungen für diese Art Dinge aussehen.«
Al•Ith hatte über das Problem bereits nachgedacht. Sie konnte sich nicht vorstellen, daß er die Sitten der Zone Drei akzeptieren würde – niemals. Und sie schnitt sofort das Thema an, das ihn am meisten beschäftigte.
»Es besteht nicht der geringste Zweifel – es *kann* kein Zweifel daran bestehen –, daß es dein Kind ist.«

»Das meinte ich nicht«, protestierte er, während sein zufriedenes Gesicht verriet, daß sie richtig vermutet hatte.
Er wartete.
Sie stellte fest, daß sie hungrig war, dachte sich etwas zu essen, und vor ihr erschien eine Delikatesse ihres Landes aus Nüssen und Honig. Sie brach sich Stückchen davon ab. Ohne weitere Umstände nahm er etwas davon, probierte es und verdrehte resigniert die Augen.
»Es ist sehr gut für schwangere Frauen«, sagte sie.
»Ich hoffe, du sorgst gut für dich! Schließlich wird dieses Kind einmal über die Zone Vier herrschen.«
Auch dieser Gedanken hatte sie bereits beschäftigt, und sie sagte: »Wenn die Versorger es wollen.«
Seine unterdrückte Geste der Auflehnung verriet seine Gedanken – und sein mögliches Handeln.
»Ich vermute«, sagte er, geradezu strahlend vor Sarkasmus, »daß ich nur einer deiner Liebhaber bin.«
Bei diesen Worten lehnte sie sich zurück, hielt beide Hände hoch und begann an den Fingern abzuzählen. Sie wirkte recht selbstzufrieden, zögerte mit einem kleinen Seufzer beim dritten Finger, kehrte zum zweiten zurück, ging dann mit einem Nicken wieder zum dritten, zum vierten und zum fünften – zählte gedankenverloren an der anderen Hand weiter sechs, sieben, acht – der zählende Zeigefinger verharrte lächelnd und in liebevoller Erinnerung auf dem neunten; sie hörte ihn heftig ein- und ausatmen und überlegte, ob sie es wagen konnte, weiterzuzählen, elf, zwölf, dreizehn. Sie tat es, eher gewissenhaft, vierzehn, fünfzehn, und endete mit einem tüchtigen kleinen Nicken bei neunzehn, wie ein Verwalter, der weiß, daß er nichts vergessen hat.
Sie blickte ihn an, lud ihn ein zu lachen – über sie, über sich selbst –, aber er war gelb vor finsteren Gedanken.
»Weißt du«, begann sie, aber er fiel ihr brutal ins Wort: »Bei uns denkt man darüber anders als bei euch. Vielen Dank. Dekadente, verderbte, unmoralische...«
»Ja. Ich kann mir vorstellen, daß dir unsere Lebensweise nicht sehr liegt.«

»Sehr gut. Also wie viele Liebhaber hast du nun wirklich gehabt?«
Sie zuckte zusammen, und er bemerkte es – nicht ohne Interesse, einem leidenschaftslosen Interesse. Dies ermutigte sie zum Versuch – obwohl sie sich vorher dafür entschieden hatte, es nicht zu tun –, offen mit ihm zu sein und ernsthaft zu versuchen, ihm seine barbarischen Ansichten auszureden.
»Erstens bedeutet dieses Wort nichts für mich. Keine Frau in unserer Zone könnte damit etwas anfangen, auch nicht die schlechteste... denn natürlich haben wir Fehler wie ihr...« Ihr fiel auf, daß er bemerkte, wie sie dem Wort eine andere Betonung gab, als es in der Zone Vier wohl üblich war. »Aber selbst die schlechteste von uns wäre nicht in der Lage, ein Wort zu benutzen, das aus einem Mann eine Art Spielzeug macht.«
Dies quittierte er mit einem anerkennenden Blick. Sie stellte fest, daß sie ihn mochte. Deshalb sprach sie weiter und erklärte ihm die sexuellen Bräuche der Zone Drei. Während sie sprach, ballte er die Fäuste und wurde starr. Das hätte sie beinahe veranlaßt abzubrechen. Dann hörte er ihr gedankenversunken und aufmerksam zu – wie sie bemerkte, entging ihm nichts.
Es gab Momente, in denen sie fürchtete, sein ganzer männlicher Stolz würde mit ihm durchgehen und zu einem neuen gewalttätigen Ausbruch gegen sie führen, aber er beherrschte sich. Als sie aufhörte zu sprechen, war seine Aggression geschwunden, und vor ihr saß nur noch der Philosoph.
Sie dachte sich etwas Wein und, auf eine entsprechende Geste von ihm, auch ein Glas für ihn – aber einen stärkeren Wein. Mit dankbarem Nicken nahm er das Glas aus ihrer Hand.
»Es nützt nichts vorzugeben, ich sei mit all dem einverstanden«, erklärte er schließlich.
»Mir scheint«, sagte sie humorvoll, »daß dir nichts anderes übrigbleibt.« Aber als er wieder zornig zu werden drohte, erklärte sie ihm, daß seit ihrem ersten Zusammensein gewisse Ansprüche da seien (sie sagte bewußt nicht »höhere Rechte«), und daß es so aussehe, als sei unbedingte Treue zu Zone Vier die Losung. »Es scheint«, sagte sie, »meinem Körper ist irgendeine

Art Verbot auferlegt worden. Dieses Verbot sitzt irgendwo in mir, und es bedeutet nicht nur, keinem Mann zu gestatten, mich zu berühren, sondern niemandem.« Er lächelte und sie sagte: »Und das ist nicht gut, großer König, nicht gut. Ich halte es für schädlich und unerfreulich. Aber uns beiden wird eine Lebensweise aufgezwungen, die nicht unsere ist, und wir müssen damit zurechtkommen.«

Ihm lagen Worte auf den Lippen wie: »Dann mußt du mich also doch lieben«, aber das ruhige, verständnisvolle Gespräch schien so etwas zu verbieten. Melancholie überfiel ihn. Auch sie war davon angesteckt – aus einem einfachen Grund: Wenn in einem von beiden eine Quelle der Vitalität sprudelte, wurde sie von der Natur des anderen sofort unterdrückt.

Die gemeinsame Melancholie ließ sie zum Diwan gehen; sie liebten sich unter vielen geflüsterten Trostworten über ihre unglückselige Verbindung, und daraus entstand in beiden Sympathie für den anderen. Ihr sexuelles Spiel – wenn man dieses Wort für ein so trauriges Zusammensein überhaupt verwenden kann – unterschied sich so sehr von den vorausgegangenen Begegnungen, daß keiner den anderen darin wiederfand, und es gipfelte bei beiden in Stöhnen und Schreien, die nichts anderes waren als Klagen über die völlig verfahrene Situation.

Aber Al•Ith hatte mit Entsetzen den brennenden Genuß – wie eine unsichtbare Wunde – registriert, den es ihr verursachte, in die Ekstasen der Unterordnung unter das Schicksal geworfen und gestoßen zu werden. Sie hatte das noch nie erlebt und konnte nicht glauben, daß sie sich das noch einmal wünschen würde.

Unterdessen regnete es. Sie lagen sich in den Armen und hörten das Glucksen und Klatschen des Regens, und beide staunten über die unendlichen Möglichkeiten und Varianten, die keiner in sich vermutet hatte.

Der Regen prasselte mit unverminderter Heftigkeit, während sie aufstanden, badeten, sich umzogen und wieder im Hauptraum zusammentrafen. In dem verzweifelten Versuch,

etwas Sonne in ihre Ehe zu bringen, trug Al•Ith jetzt das leuchtend orangefarbene Kleid.
Sie waren so ehelich und einander nahe, daß kein Befehl hätte mehr fordern können.
Aber in ihren Stimmen lag auch der Anklang von Strenge, der in der ehelichen Atmosphäre unvermeidlich ist.
Sie wollte die Wahrheit über diese seine martialische Zone erfahren.
»Willst du damit sagen« – begannen ihre Fragen, während er, den Ellbogen auf dem Tisch, das Kinn in die Hand gestützt, dasaß und wie jemand wirkte, der alles gesteht, weil er dazu gezwungen ist, sich dabei aber die innere Unabhängigkeit bewahrt.
»Willst du damit sagen, daß eure Hemden, auf die ihr so stolz seid, nichts anderes als eine Täuschung sind? Daß sie nichts bewirken? Von ihnen prallen keine Waffen ab?«
»Sie halten sehr gut den Regen ab.«
»Willst du wirklich sagen, daß diese schrecklichen, runden grauen Gebäude, die überall in der Zone Vier herumstehen, keine Todesstrahlen aussenden? Auch sie sind nur Täuschung?«
»Jeder glaubt daran. Das läuft auf dasselbe hinaus.«
»Ben Ata, manchmal traue ich meinen Ohren nicht!«
»Warum regst du dich so sehr darüber auf? Erstens ist es ein großes Unternehmen, eine solche Todesstrahlenfestung zu bauen. Wir haben so wenig Steine. Manchmal müssen sie durch die ganze Zone Vier transportiert werden. Ich weiß nicht mehr, wie oft die Armee einen Feldzug gefordert hat; ich ließ sie statt dessen ein paar solcher Festungen bauen. Die Todesstrahlen waren die beste Idee, die ich je hatte.«
»Willst du damit sagen, sie waren deine Idee?«
»Nun ja... ich habe einmal von etwas Ähnlichem gehört.«
»Von wem? Wann?«
»Es kam einmal ein Mann hierher, und er sprach davon. Er hatte alle möglichen Ideen dieser Art.«
»Was für ein Mann? Kam er aus der Zone Fünf?«
»Zone Fünf! Sie kannten noch nicht einmal Speere, ehe sie

unsere sahen. Noch jetzt bevorzugen sie Wurfmaschinen. Nein. Ein Mann kam einmal durch unser Land. Es war zur Zeit meines Vaters. Ich war damals noch ein Junge. Ich hörte zu. Er sagte, er sei aus… woher kam er noch? Nicht aus Zone Fünf. War es vielleicht Zone Sechs?«
»Ich weiß ein wenig über Zone Sechs Bescheid. Von dort kann er nicht gekommen sein.«
»Er kam von weit her. Das weiß ich. Er sprach von einem Ort, an dem es Waffen gab, die wir uns noch nicht einmal vorstellen konnten. Dort kann man sogar aus Luft alle möglichen Waffen machen.«
»Wenn sie die Luft benutzen, um Waffen daraus herzustellen, können sie dann auch etwas Nützliches daraus machen?«
»Davon sagte er nichts. Der Ort liegt irgendwo. Auf einem Planeten. Sie sind eine böse Rasse. Sie töten und foltern einander, nur um der Sache selbst willen… nein, Al•Ith, so darfst du mich nicht ansehen. Wir in der Zone Vier sind nicht so… nicht annähernd. Aber ich dachte darüber nach, und dann verbreiteten wir die Gerüchte über unsere undurchdringlichen Westen und die Todesstrahlen.«
»Das scheint die Zone Fünf nicht sehr zu beeindrucken.«
»Darauf kommt es auch nicht an. Ich habe dir bereits gesagt, daß auf diese Weise viele Männer beschäftigt werden.«
»Also«, faßte sie zusammen, »für mich sieht es folgendermaßen aus. Neun Zehntel des Reichtums deines Landes fließen in Kriegsvorbereitungen. Abgesehen von Bauern, Lebensmittelhändlern und Haushaltswarenhändlern steht jeder auf irgendeine Weise im Dienst der Armee. Aber solange ihr denken könnt, gab es bei euch keinen Krieg. Wenn ihr Krieg führt, brauche ich nur die angeblichen Gründe dafür zusammenzustellen, und du gestehst sofort ein, daß sie für einen Krieg nicht ausreichen. Und so war es auch mit den Kriegen früherer Generationen. An der Grenze zur Zone Fünf kommt es nur zu Zusammenstößen, weil es unvermeidlich ist, daß zwei Armeen, die sich so dicht gegenüberstehen, angreifen und jeweils den anderen dafür verantwortlich machen. Der Lebensstandard deines Volkes ist sehr niedrig…« – ein zustimmendes

Stöhnen – »aber, Ben Ata, all dies geschieht im Namen des Gesetzes. Im Namen der Versorger. Alle für jeden, und jeder für alle. Also was ist falsch gelaufen?« Sie spürte, daß sie bei dieser etwas gewaltsamen Analyse nicht die gestrige plötzliche Ahnung empfand, dicht vor einer Erkenntnis zu stehen. Sperre einen Menschen mit einem anderen zusammen, nenne es Liebe und finde dich mit dem kleinsten gemeinsamen Nenner ab, dachte sie.

Er gähnte.

»Es ist viel zu früh, um schlafen zu gehen«, sagte sie. »Es ist höchstens später Nachmittag – wenn wir durch den Regen etwas vom Tag sehen könnten.« Denn es goß noch immer in Strömen.

»Nun gut, Al•Ith, ich möchte, daß du mir eure Situation so darlegst, wie du mir unsere dargelegt hast.«

Sie zögerte und fragte sich, warum sie eine solche Analyse nicht tatsächlich bereits vorgenommen hatte – diese Art Denken führte zwar nicht zu Erkenntnissen höherer Art, eignete sich aber gut dazu, Klarheit zu schaffen.

»Komm schon, Al•Ith. Du warst doch so schnell bereit, mich zu kritisieren.«

»Ja. Ich dachte gerade... nun gut. Die Wirtschaft unseres Landes stützt sich nicht nur auf ein Produkt. Wir produzieren viele Arten Getreide, Gemüse, Obst...«

»Aber das tun wir auch«, sagte er.

»Nicht annähernd im selben Ausmaß.«

»Sprich weiter.«

»Wir haben viele verschiedene Arten von Tieren und nutzen ihre Milch, das Fleisch, die Häute und die Wolle...« Als er sie wieder unterbrechen wollte, sagte sie: »Es ist eine Frage des Anteils, Ben Ata. Die Hälfte unserer Bevölkerung produziert diese Dinge. Ein Viertel sind Handwerker, die Gold, Silber, Eisen, Kupfer, Messing und viele Edelsteine verarbeiten. Ein Viertel sind Kaufleute, Lieferanten, Händler, Geschichtenerzähler, Memoranden, Bilder- und Statuenmacher und fahrende Sänger. Nichts von unserem Reichtum fließt in den Krieg. In unserem Land gibt es keine Waffen. In keinem Haus unseres

Landes findest du etwas anderes als ein Messer oder eine Axt, wie man sie im Haushalt oder auf einem Bauernhof benötigt.«
»Und wenn euch ein wildes Tier angreift? Und wenn der Adler sich ein Lamm holt?«
»Die Tiere sind unsere Freunde«, antwortete sie und sah an seinem Gesicht, daß er ihr nicht glauben konnte. Außerdem hielt er ihren Bericht für zu undramatisch.
»Und wohin hat euch das alles geführt? Dahin, wo wir sind... in Schwierigkeiten... wie du zumindest behauptest.«
»Die Zahl eurer Geburten geht zurück, oder nicht?«
»Ja, das stimmt. Die Sache ist ungesund. Das gebe ich zu. Aber, Al•Ith, ich möchte wissen, was die Männer in eurem Paradies tun.«
»Sie führen keinen Krieg!«
»Womit beschäftigen sie sich den ganzen Tag?«
»Sie tun, was jeder tut... ihre Arbeit.«
»Ich glaube, wenn Frauen regieren, kann ein Mann nichts anderes tun als –«
»Mit einer Frau schlafen, wolltest du sagen.«
»In der Art.«
»Und backen, ackern, hüten, säen, handeln, Erze schürfen und schmelzen, Werkzeuge herstellen, sich um all das kümmern, was mit der emotionalen und geistigen Nahrung für Kinder zu tun hat, Archive führen, Erinnerungen wahren, Lieder machen, Geschichten erzählen und... Ben Ata, du siehst mich an, als hätte ich dich beleidigt.«
»Das ist alles Frauenarbeit.«
»Wie ist es möglich, daß *sie* erwarten, wir würden uns verstehen? Wenn man dich in unser Land bringt, würdest du nichts von dem verstehen, was dort geschieht. Weißt du, daß ich aufhöre, ich selbst zu sein, sobald ich die Grenze zu deinem Land überschreite? Alles, was ich sage, klingt entstellt und anders. Und wenn es mir gelingt zu sein, wie ich bin, ist das so schwer, daß bereits dadurch alles anders wird. Manchmal sitze ich hier mit dir zusammen und denke daran, wie ich zu Hause bin, wenn, sagen wir, Kunzor bei mir ist, und ich kann nicht...«

»Ist Kunzor dein Mann?«
Sie schwieg angesichts der völligen Unmöglichkeit, etwas zu sagen, das auch nur ein Körnchen Wahrheit enthielt.
»Also los, heraus damit! Ist er es, oder ist er es nicht? Glaub nicht, daß du mich zum Narren halten kannst.«
»Aber ich habe dir doch gesagt, Kunzor ist einer der Männer, die mir nahestehen.«
Auf seinem Gesicht stand der Ausdruck eines Mannes, der durch Hartnäckigkeit der Wahrheit auf die Spur gekommen ist. Und durch seine Haltung – verschränkte Arme, breitbeinig, die Füße fest auf den Boden gestellt – verkündete er, er sei nicht im mindesten irritiert oder beeindruckt.
Doch sie erkannte, daß er in Wirklichkeit versuchte, etwas zu verstehen. Sie wußte, es wäre falsch, sich von seinen automatischen Abwehrreaktionen einschüchtern zu lassen. In ihm arbeitete etwas, das sie aus ganzem Herzen billigen konnte.
Und wieder entfuhr es ihm höhnisch: »Und dein Kunzor ist natürlich in jeder Hinsicht besser als ich...«
Sie reagierte nicht darauf, sondern sagte: »Was tun wir überhaupt hier, wenn wir uns nicht verstehen sollen?«
Ben Ata beschäftigte sich mit einem Gedanken, der tief in ihm saß – ein Gedanke, den er allerdings hinter seinem Spott verbarg, hinter einer Haltung, die er immer als »Stärke« angesehen hatte – und er sagte oder flüsterte langsam: »Aber was ist es... ich muß es verstehen... *was?* Wir müssen es verstehen... aber was...« Er verfiel in Schweigen und starrte die Tasse auf dem Tisch an. Sie erkannte mit Freude und Erleichterung, daß er tatsächlich mit dem Teil seines Wesens agierte, der zeigte, daß er sich dem Verstehen geöffnet hatte und dazu bereit war – der Zustand, den sie im Ratszimmer erlebt hatte. Sie saß regungslos, wagte kaum zu atmen, und aus Furcht ihn zu stören, blickte sie ihm nicht zu lange ins Gesicht.
Er atmete langsamer und langsamer; er war zur Ruhe gekommen und hatte den Blick auf die Tasse gerichtet, ohne sie zu sehen – er war tief in sich selbst versunken. *»Was...«*, hauchte er, »da ist etwas... wir müssen... *sie* wollen, daß wir... hier

sind wir Soldaten... Soldaten ohne Krieg... ihr seid... ihr *seid*... was seid ihr? Was sind wir?... *wozu sind wir da?*... das ist es!... das ist es...«
Diese Worte kamen ihm wie einem Schlafenden langsam und tonlos über die Lippen, jedes nur die Summe, ein Stichwort, ein Zeichen langer innerer Gedankengänge.
Der Regen fiel langsam auf die Erde. Sie saßen in einem hellerleuchteten Gehäuse, das vom Wasser umspült wurde; sie befanden sich in der nassen Stille des Regens. Keiner von beiden bewegte sich. Er atmete kaum noch. Sie wartete. Es dauerte lange bis er wieder zu sich kam. Er sah sie dort sitzen, schien überrascht, blickte sich im kühlen Raum um, dem Ort ihres Zusammenseins, erinnerte sich an alles, und sofort nahmen Gesicht, Augen und Körper wieder den Ausdruck wachsamer Ungläubigkeit an.
Er wußte nicht, was sich soeben ereignet hatte. Und doch sah sie auf seinem Gesicht eine Reife, aus der der tiefe Prozeß sprach, der sich in ihm vollzogen hatte.
Jetzt fühlte sie sich nicht hilflos angesichts einer Nichtbeachtung, die sie weder beeinflussen noch lenken konnte: Es stützte und tröstete sie, daß sie trotz allem erreichten, was sie erreichen sollten... und in bester Absicht, aus *ihrem* besten Verständnis dessen, was notwendig war, zerstörte sie diese kostbare Stimmung gegenseitigen Wohlwollens.
Sie sagte: »Ben Ata, glaubst du, ich könnte Dabeeb sprechen – du weißt, Jarntis Frau.«
Er erstarrte und blickte sie durchdringend an. Dies war eine so heftige Reaktion, daß ihr nichts blieb als anzuerkennen, daß sie auf die Ebene zurückgefallen war, auf der sie nicht erwarten konnte, ihn zu verstehen.
»Weißt du, wir... ich meine, in unserer Zone... wollen wir ein Fest der Lieder und Geschichten veranstalten...«
Aus seinem Gesicht sprach nichts als Mißtrauen. Seine Augen waren gerötet und starrten.
»Was ist los?«
»Oh, du bist eine richtige Hexe! Du kannst mir nichts vormachen.«

»Aber, Ben Ata, ich glaube, wir können erfahren, was wir wissen wollen – oder zumindest eine Art Anhaltspunkt finden, wenn wir uns die alten Lieder und Geschichten anhören... nicht die, die wir alle zur Genüge kennen, sondern Lieder und Geschichten, die... nicht mehr... gesungen oder erzählt werden... und –« Aber er war aufgesprungen, stand drohend vor ihr, packte sie an den Schultern und beugte sich über sie.
»Also, du willst Dabeeb ausfragen!«
»Irgendeine Frau... aber Dabeeb kenne ich.«
»Das will ich dir sagen, ich werde nicht an einer eurer Orgien teilnehmen, wo jeder jeden haben kann.«
»Ben Ata, ich weiß nicht, was geschehen ist, aber du bist wieder einmal auf dem falschen Weg...«
»So, bin ich das? Und was geschieht, wenn ein paar von euch und euren Vätern zusammenkommen? Ich kann es mir gut vorstellen!«
»Du stellst dir vor, was du selbst erlebt hast, Ben Ata... etwas, das zum Beispiel geschieht, wenn deine Soldaten ein bedauernswertes Dorf überfallen und...«, aber sie sah, daß es sinnlos war weiterzusprechen. Sie zuckte die Schultern. Tief getroffen von ihrer Verachtung, denn nichts anderes sprach aus ihrer Haltung, richtete er sich auf, ging mit großen Schritten zur Flügeltür, die auf den Hügel hinausführte, an dessen Fuß die Armeeunterkünfte standen. Er rief in den Regen hinaus, immer wieder... ein Antwortruf, das Geräusch von Füßen, die durch Wasser rannten, und Ben Ata brüllte: »Sag Dabeeb, sie soll auf der Stelle hierherkommen.«
Er drehte sich um, lehnte sich mit verschränkten Armen gegen den Torbogen und lächelte sie triumphierend an.
»Ja, ich möchte mit Dabeeb sprechen, und ich freue mich, daß sie kommt. Aber ich verstehe nicht, weshalb du dich so benehmen mußt.«
»Vielleicht möchtest du Dabeeb selbst haben. Wer weiß, was ihr so alles treibt... du und dein sauberes Volk!«
»*Haben! Haben!* Was ist das für ein Wort: Haben! Wie kann man einen anderen Menschen *haben.* Kein Wunder, daß du nicht...« Sie wollte sagen: »Kein Wunder, daß du nicht lieben

kannst, wenn du in Begriffen von haben denkst...«, aber natürlich tat sie es nicht.
»Du holst besser den Schild oder etwas Ähnliches, um sie zu schützen«, sagte sie, »Dabeeb wird die Luft hier nicht vertragen.«
»Vielen Dank, ich habe es nicht vergessen. Wie, glaubst du, ist das alles hier entstanden?«
Und er sprach von den Methoden, die Leute zu schützen, die hier gearbeitet hatten oder von Zeit zu Zeit noch hier arbeiteten. Man gab ihnen große Anstecknadeln oder Broschen, die sie am Hals trugen.
Bald hörte man, wie jemand durch das Wasser ging, und Dabeeb erschien. Sie trug einen weiten, dunklen Mantel – offensichtlich ein alter Militärmantel ihres Mannes. Sie blieb in der Tür stehen. Sie sah nicht Ben Ata, sondern Al•Ith mit einem prüfenden, schlauen Blick an. Die lächelte ihr zu. Sie nahm von Ben Ata die Brosche entgegen – ein schweres Gebilde aus einer stumpfen, gelben Masse – und befestigte sie an den Ausschnitt ihres Kleides. Den nassen Mantel ließ sie draußen im Säulengang auf den Boden fallen und betrat mit leichten Schritten den Raum.
Sie sah Ben Ata immer noch nicht an, sondern wartete darauf, daß Al•Ith etwas sagte. Al•Ith verstand plötzlich, worin vermutlich der Grund für das ganze Drama lag. Dabeeb hatte Ben Ata nicht angesehen. In diesem schrecklichen Land, in dem das Zusammensein – Sex, wie sie es nannten – untrennbar mit Streit und Widerwillen verbunden war – bedeutete das vermutlich, daß sie sich *gehabt* hatten. Sie hatte ihn *gehabt*, oder er hatte sie *gehabt* – je nachdem wie diese Barbaren es sahen –, aber zu diesem Zeitpunkt war sie nicht bereit, darüber auch nur nachzudenken.
Als sie Dabeeb so dort stehen sah – diese ordentliche, hübsche, tüchtige Matrone mit ihrem gerissenen Humor –, die darauf wartete, daß man ihr sagte, was sie tun sollte, beschloß Al•Ith, aus dieser Situation soviel wie möglich herauszuholen.
»Setz dich bitte, Dabeeb«, sagte sie und wies mit einem Nicken

auf den Stuhl, den Ben Ata verlassen hatte. Nun blickte Dabeeb Ben Ata an. Die Gefährlichkeit der Situation – die sie einen Moment lang plötzlich gesehen hatte – hatte nicht ausgereicht, sie die Augen zu ihm erheben zu lassen. Aber jetzt, da sie einen Befehl, eine Weisung brauchte, blickte sie ihren Herrn an.
Er überließ alles Al•Ith. Wie ein Wachposten beobachtete er die Szene.
Dabeeb setzte sich.
»Wir werden in unserem Land ein großes Fest der Lieder und Geschichten veranstalten. Wir feiern solche Feste öfter, aber dieses Fest soll sich von den anderen unterscheiden.«
Dabeeb war auf der Hut: Die Augen der beiden Frauen begegneten sich, und in Dabeebs Blick lag eine Warnung. Al•Ith gab ihr mit einem kaum merklichen Nicken zu verstehen: »Hab keine Angst, ich weiß...« Ben Ata entging diese Andeutung eines Nickens, aber er begriff, daß er sich getäuscht hatte. Der Anblick der beiden Frauen, die sich aufmerksam gegenübersaßen und versuchten, sich so gut wie möglich zu verständigen, verfehlte seine Wirkung auf ihn nicht: Es beruhigte ihn, aber gleichzeitig beunruhigte es ihn auch. Durch ihr spontanes Verständnis fühlte er sich ausgelassen, ausgeschlossen.
Er übertrieb seinen sarkastischen Blick und die militärische Haltung.
»Wir wollen uns um Lieder bemühen, die in Vergessenheit oder fast in Vergessenheit geraten sind. Wir wollen herausfinden, ob sie uns etwas zu sagen haben.«
»Ich verstehe, Herrin.«
Ihre Augen trafen sich wieder.
»Aber du mußt keine Angst haben...«, hier unterbrach sich Al•Ith für einen Moment und sprach dann weiter, »wenn dir kein Lied einfällt. Ich wollte mit dir darüber reden, und deshalb habe ich Ben Ata gebeten, dich zu rufen. Du brauchst dir wirklich keine Sorgen zu machen...«, Al•Ith machte wieder eine Pause und wartete, bis Dabeeb mit einem kaum merklichen Nicken geantwortet hatte, »es war nur so ein Einfall von mir... eine Laune!« Und sie gab sich den Anschein

einer Frau, die Launen hatte und der sie erfüllt wurden – sie wirkte etwas einfältig und selbstzufrieden.

»Ich verstehe, Herrin.«

»Ich wünschte, du würdest mich beim Namen nennen.«

»Ich vergesse es immer wieder«, sagte sie entschuldigend, beinahe flehend.

»Wir haben viele Arten von Lieder. Wir haben erst kürzlich ein paar singenden Kindern zugehört, und einige von uns erkannten, daß vermutlich Teile der Lieder in Vergessenheit geraten oder verändert worden sind... vielleicht ist das bei euch ebenso.«

»Vielleicht.«

»Ich glaube, als ich vor kurzem hier war, habe ich ein Lied gehört. Ich erinnere mich an den Rhythmus...« Und Al•Ith legte die Hand auf den Tischrand und klopfte mit den Fingern: – ·· – ·· –.

Dabeeb hatte verstanden und nickte.

»Singen vielleicht Frauen dieses Lied?«

»Ja, alle singen es, Herrin.«

»Vielleicht ist es eine Melodie, der man manchmal einen anderen Text unterlegt«, sagte Al•Ith leichthin.

»Ich glaube, manchmal tun wir das«, erwiderte Dabeeb.

Inzwischen war Ben Ata so wach wie noch nie in seinem Leben.

Er wußte sehr wohl, daß die beiden Frauen bei diesem Gespräch sich auch auf Ebenen verständigten, die sich ihm – zumindest zu diesem Zeitpunkt – entzogen. Er bemühte sich mit allen Mitteln, etwas zu verstehen. Aber neben Gedanken und Intuitionen ganz anderer Art tobte in ihm heftiger Argwohn. Und er kam sich so verloren und ausgeschlossen vor wie ein kleines Kind, dem man die Tür vor der Nase zugeschlagen hat.

»Hat es etwas mit Licht zu tun?« fragte Al•Ith vorsichtig.

»Licht? Ich glaube nicht. Das habe ich noch nie gehört.«

Aber ihre Augen hatten Ja gesagt, und baten Al•Ith flehend darum, sie nicht zu verraten. Al•Ith begriff, daß ihre Vermutung über die Frauen zwar richtig war – aber daß die Wahrheit

noch weit darüber hinausging. Ihr wurde klar, daß es so etwas wie eine Untergrundbewegung gab.
»Soll ich eine Version vorsingen? Sie ist bei uns sehr beliebt.«
»Das wäre schön.«
»Es ist ein sehr altes Lied, Herrin.« Dabeeb räusperte sich, stellte sich hinter den Stuhl und legte eine Hand auf die Lehne. Sie hatte eine klare, volle Stimme, und offensichtlich sang sie viel.

»Sieh her, Soldat! Sieh mich an!
Mich sieht er an, mich sieht er an!
Bald werde ich lächeln,
aber ich lächle ihn nicht an,
ich weiß, daß er dann
nicht widerstehen kann!«

Jetzt hörten beide Frauen Ben Atas Atmen, schwer, wütend. Sie sahen ihn nicht an. Sie wußten, er kochte vor Eifersucht. Für Al•Ith war jetzt alles vollkommen klar. Sie wunderte sich über ihre Begriffsstutzigkeit und darüber, daß die Ereignisse sich so gut aneinandergereiht hatten, sie freute sich, wenn sich eins zum anderen fügte – so zwangsläufig und zufriedenstellend –, wenn die Facetten der Wahrheit, die Möglichkeiten der Entwicklung, eine nach der anderen ans Licht kamen.
Sie wußte, daß Ben Ata diese Frau hatte *haben* wollen, und daß sie es abgelehnt hatte, *gehabt* zu werden. Sie wußte, in Ben Ata tobten Eifersucht und Argwohn. Ihr blieb nur, sich mit dem abzufinden, was geschehen mochte. Sie mußte das geduldig abwarten.
Dabeeb sang währenddessen:

»Seine Augen leuchten,
Meine Augen strahlen…

Ich weiß ihm zu gefallen,
Doch will ich ihn necken vor allem.

Ich lasse ihn hungern
Und schmachten und lungern.

Ich bin ihm nur hold
Für seinen Korporalssold!«

Ihre hohe Stimme hinterließ ein tiefes Schweigen, das der sanfte Regen noch verstärkte.
»Wir singen das auf Frauenfesten – ich meine, wenn die Frauen zusammenkommen.«
Sie sah, daß Al•Ith vergnügt lächelte – offensichtlich mutiger und mit sich selbst zufrieden, fügte sie hinzu: »Es gibt noch eine Version, Herrin, aber sie ist natürlich nicht für Eure Ohren geeignet.« Sie gönnte sogar Ben Ata einen Blick, und die kalte Wut in seinem Gesicht ließ ihr einen beinahe wohligen Schauer über den Rücken laufen.
»Oh, keine Sorge«, sagte Ben Ata, »diese Befürchtung ist unnötig. Wenn du wüßtest, was sie in ihrer Zone da oben alles treiben...«
Dabeeb zwinkerte Al•Ith zu, errötete dann über ihre Kühnheit und begann zu singen.

»Komm, lieber Mann! Streichel mir das – Kissen...«

»Du wirst das nicht singen!« sagte Ben Ata. Er zog jetzt Kraft aus einer ruhigen moralischen Überlegenheit.
»Vielleicht möchte die Herrin Al•Ith nicht nur das beste, sondern auch das schlechteste von uns wissen, Herr«, sagte Dabeeb mit schmeichelnder, ruhiger Stimme, mütterlich. Als Ben Ata nicht auf seinem Verbot beharrte, sondern nur wutschnaubend auf und ab ging, begann sie noch einmal:

»Komm, lieber Mann! Streichel mir das – Kissen.
Schnell greif zu...«

Dabeeb unterbrach sich und trommelte auf die Tischkante.

»Ich bin hungrig wie – der Winter.
Es ist keine Sünde zu…«

Sie trommelte wieder.

»Du wärmst mich im Nu,
Deck mich nur zu…«

Sie trommelte.

»Fang schon an,
Schnell, langsam.«

Sie trommelte. Sie zwinkerte wieder Al•Ith zu und angeregt durch das Lied auch Ben Ata, der ein kurzes anerkennendes Lächeln nicht unterdrücken konnte.

»Hart und steif wie ein Brett
Ist das gute alte Bett…«

Sie trommelte.

»Eins zwei drei vier
Eins zwei drei vier…«

Sie trommelte lächelnd, voller Leben, herausfordernd und einladend.

»Ja, so wird's gemacht.
Ja, so wird's gemacht.

So ist das bei uns.
So ist das bei uns.«

Es folgte ein lang anhaltendes Trommeln, während sie ihre weißen Zähne zeigte.
»Eine schöne Vorstellung werdet Ihr jetzt von uns haben, Herrin.«

Ben Ata stand mit verschränkten Armen breitbeinig da und lächelte. Das Lied hatte eine starke Strömung zwischen ihm und Dabeeb geschaffen, und sie blickte ihn selbstsicher und einladend an.
Al•Ith beobachtete das mit Interesse – wie sie einem Hengst und einer Stute beim Spiel vor der Paarung zugesehen hätte.
»Wir haben ein Lied...«, warf sie leichthin ein, und Dabeeb ließ die Spannung zwischen ihr und Ben Ata sich lösen und wandte sich wieder Al•Ith zu.
Die dachte, daß die Lüge, die sie jetzt vorbringen würde, in Zone Drei unmöglich wäre. Es gab keine Gelegenheit zu lügen.
Jetzt sagte sie: »Wir haben ein Lied...«, obwohl das nicht die Wahrheit war.

»Wie sollen wir den Ort erreichen,
wo das Licht ist,
dorthin gelangen, wo die Freude ist...«

»O nein«, unterbrach Dabeeb, »das kennen wir nicht. An solchen Liedern liegt uns nichts.« Sie hatte offensichtlich Angst.
»Wäre es nicht eine gute Idee, wenn ihr ein Fest der Lieder veranstalten würdet?« fragte Al•Ith.
»Oh, eine sehr gute Idee! Wirklich, eine gute Idee!« antwortete Dabeeb begeistert. Und sie richtete einen bittenden Blick auf Al•Ith.
»Vielleicht sollten wir darüber sprechen, Ben Ata«, sagte Al•Ith und direkt an ihn gewendet sprach sie weiter: »Dabeeb hat sich freundlicherweise bereit erklärt, mir eines ihrer Kleider zu geben. Ich würde ihr dafür gerne eines meiner Kleider schenken.«
»Aber sie hat doch Dutzende von Kleidern. Sie hat alle Kleider bekommen, die für dich nicht gut genug waren. Was hast du mit ihnen gemacht, Dabeeb? Hast du sie verkauft?«
»Ein paar habe ich verkauft, Herr. Sie paßten mir nicht alle.«

Und zu Al•Ith: »Ich wäre Euch sehr dankbar, wenn wir... ich meine, wenn ich eines Eurer Kleider haben könnte...«
»Komm mit«, sagte Al•Ith, bereits auf dem Weg in ihre Gemächer.
»Herrin, wenn ich das haben könnte, das Ihr gerade tragt... so etwas habe ich noch nie gesehen...«
Die beiden Frauen verschwanden in Al•Iths Räume, und Ben Ata eilte zur Tür, um zu lauschen. Er hörte, wie die beiden Frauen sich über Kleider, Weben und Nähen unterhielten. Al•Ith zog ihr Kleid aus, und Dabeeb bewunderte es überschwenglich.
»Oh, das ist zu gut für mich. Oh, es ist so schön! Oh, oh, wie schön...«
»Wenn ihr euch ein Alltagskleid schneidert, macht ihr euch dann noch ein zweites für besondere Anlässe?«
Eine kurze Pause.
»Beinahe immer, Al•Ith.«
»Es ist sicher ein schönes Gefühl, ein einfaches Kleid anzuziehen und dabei an das andere zu denken, das man zu einem besonderen Anlaß tragen wird.«
»O ja, so ist es. Aber natürlich gibt es bei uns nicht viele besondere Anlässe. Wir sind ein armes Volk.«
»Sind wir das?« dachte Ben Ata und beeilte sich, zum Tisch zurückzukommen. Er setzte sich auf seinen Stuhl und trommelte Rhythmen auf den Tisch. Er hatte sich nicht täuschen lassen. Er wußte nicht, was vorging, aber daß etwas vorging, wußte er. Er würde es aus Dabeeb schon herausbekommen – wenn er es nicht zuvor Al•Ith entlocken konnte.
Als die beiden Frauen zurückkamen, saß er freundlich lächelnd am Tisch.
Er konnte seine Bewunderung für beide Frauen nicht verhehlen. Dabeebs dunkelhäutige und vitale Schönheit kam in dem bräunlich-orangefarbenem Seidenkleid, das Al•Ith ausgezogen hatte, sehr gut zur Geltung. Al•Ith trug ihr leuchtend gelbes Kleid. In dem sanft erleuchteten Raum schien es alles Licht in sich aufzunehmen und wieder auszustrahlen. Ihre losen schwarzen Haare glänzten, ihre Augen glänzten. Sie

wirkte mutwillig und fröhlich. Ben Ata überließ sich den Gedanken, welchen Genuß es ihm verschaffen würde, beide gleichzeitig zu haben – eine Möglichkeit, die ihm vor dem Unterricht bei Elys nicht in den Sinn gekommen wäre. Er erinnerte sich daran, wie Al•Ith das Wort *Haben* verachtete. Mit leicht gesenktem Kopf blickte er sie unter den buschigen Augenbrauen an – und in seinem Geist tobte plötzlich ein schmerzhafter Kampf, als versuche er, seine Grenzen zu sprengen. Blitzartig verstand er etwas – er ahnte, warum Al•Ith ihn wegen seiner Sprache verachtete. Aber es hielt nicht lange an; sein finsterer Argwohn stellte sich wieder ein, während er beobachtete, wie Al•Ith Dabeeb zur Tür begleitete. Dabeeb hüllte sich in den alten dunklen Mantel, lächelte ihm zu, verabschiedete sich schnell und vertraulich von Al•Ith und verschwand im strömenden, grauen Regen.

Al•Ith sah ihr lächelnd nach. Sie drehte sich um und lächelte Ben Ata an. In ihrem sonnigen gelben Kleid war sie schöner, als er zu verdienen glaubte – zumindest dachte er das in diesem Moment. Er sah, daß sie ein schnelles, fröhliches Flammenwesen war, und er begriff, wie sehr er sie unterdrückte und überschattete. Aber er konnte seine Eifersucht nicht zügeln.

Sie forderte ihn heraus. Alles an ihr, wie sie lächelnd dort stand, lockte ihn. Ungeschickt und schwerfällig stand er auf und ging zu ihr. Sie entzog sich ihm, aber nicht aus Koketterie, sondern aus echter Bestürzung. »Nein, nein, Ben Ata, verdirb es nicht...« Sie versuchte, ihm so heiter und unbeschwert entgegenzukommen, wie damals vor noch nicht zu langer Zeit. Diese Stunden schienen alles, was er seither gedacht und erlebt hatte, soweit zu überragen, daß er nicht mehr an sie glauben konnte... ebensowenig glaubte er daran, daß es ihm mühelos gelingen könnte, den Blick auf das gewaltige Gebirge zu richten, das den Himmel im Westen erfüllte. Er packte sie; Al•Ith wehrte ab: »Warte, warte, Ben Ata. Du willst doch, daß es wieder so ist wie damals?« O ja, das wollte er. Das wollte er so sehr. Verzweifelt wollte er es. Alles in ihm sehnte sich danach und wollte nichts anderes – aber er konnte sich nicht dagegen wehren; er konnte nicht anders; er konnte sie nicht schonen – in diesem Moment mußte er sie einfach wie besessen an sich reißen, und damit zerstörte er alle Möglichkeiten zur Zärtlichkeit, der Verspieltheit und des langsamen Ansteigens ihrer Gefühle. Er hatte sie. Und dann, als alles Licht in ihr erloschen war, hatte sie ihn. Seit Elys war ihm das nicht mehr neu, aber die ganze Zeit über dachte er an das letzte Mal, und so wurde alles verkrampft und schwerfällig – einfach, weil das letzte Mal unwiderruflich vorbei war. Diesmal weinte Al•Ith nicht. Sie ließ sich nicht unterwerfen. Sie zahlte mit gleicher Münze zurück – sie wählte ihre Worte sorgfältig und sprach mit einem Lächeln, mit Gleichgültigkeit oder auch im Zorn zu ihm.

Unfreundlich und innerlich niedergeschlagen beendeten sie nach ein paar Stunden diese verfahrene Situation.

Als sie aufstanden, um zu baden, sich anzuziehen und zurechtzumachen, schien der heitere, freundliche Raum seinen Glanz verloren zu haben, und die Trommel hatte aufgehört zu schlagen.

Diesmal verlief alles glatt und wohlüberlegt. Sie warf sich einen Mantel über, dachte an den Schild und trat hinaus in den Garten. Die Springbrunnen spielten kalt unter einem kalten und niedrigen blauen Himmel.

Ben Ata folgte ihr, ebenfalls in einen Mantel gewickelt, um sie zu begleiten. Sie rief, der Schimmel und der Rappe kamen den Hügel heraufgaloppiert. Sie sprangen auf die Pferde und ritten langsam den Hügel hinunter. Auf dem Weg nach Westen sprachen sie über das, was sie entlang der Straße sahen – Getreide, Kanäle, Felder.

Man hätte sich nichts Vernünftigeres und Ehelicheres vorstellen können. Aber Al•Ith war innerlich so weit von Ben Ata entfernt, daß er keinen Moment lang echtes Verständnis bei ihr fand. Ihm war klar, daß sie nichts von ihm wollte – außer ihn loszusein. Er wußte sehr gut, daß er sich das selbst zuzuschreiben hatte.

An der Grenze brachten sie die Pferde zum Stehen; Al•Ith wollte gerade in die sonnige Weite der Ebene am Fuß der Berge galoppieren, als er mit rauher Stimme rief: »Warte, Al•Ith!«

Sie drehte sich um und lächelte ihn kühl und spöttisch an.
»Ich nehme an, du gehst jetzt zu Kunzor!« brach es wütend aus ihm hervor.
»Und zu den anderen«, rief sie zurück und ritt davon.
Er murmelte, er würde Dabeeb kommen lassen. Aber er wußte, das würde er nicht tun. Er dachte nach. Er hatte erkannt, daß, obwohl ihn Eifersucht, Argwohn und Ablehnung beherrschten und alles vergifteten, es andere Dinge gab, die er verstehen konnte. Und er war entschlossen, sie zu verstehen.
Die Menschen am Straßenrand, denen er auf dem Rückweg ins Lager begegnete, redeten darüber, daß der König niedergeschlagen wirkte. Diese Fremde heiterte ihn nicht auf – soviel stand fest, was immer sie sonst auch tun mochte.
Sobald Al•Ith und Ben Ata sich wieder getrennt hatten – sie ritt in die Zone Drei, und er in die Zone Vier zurück –, spürten beide, daß das drückende Gewicht ihrer Gefühle füreinander nicht leichter, sondern schwerer geworden war. Wenn sie beisammen waren, reizten sie sich gegenseitig zu unerwünschten Emotionen; waren sie getrennt, quälten und peinigten sie Gedanken an den anderen. Ben Ata glaubte, auf ihm laste ein Fluch, oder ein Dämon verhindere, daß sein Zusammensein mit Al•Ith zu höchster Glückseligkeit führte. Al•Ith empfand eine höchst schmerzhafte Bindung an ihren Ehemann – ein Wort, das sie untersuchte, drehte und wendete, als sei es ein Ring komplizierter Machart oder von unbekanntem Metall aus den Werkstätten der nördlichen Regionen, wo sich die Minen befanden. Ben Ata war eine Last auf ihrem Rücken, nein in ihrem Leib, wo das Kind wuchs. Aber es war noch nicht mehr als ein Punkt, ein Kügelchen neuen Fleisches und konnte sie nicht so belasten. Während sie dahinritt, war sie in Gedanken bei Ben Ata, dessen Gesicht nun dem feuchten Flachland zugewandt war... Sie hätte ihn dies fragen und jenes herausfinden können... was wäre geschehen, wenn sie das und nicht jenes getan hätte... Jetzt war sie nicht mehr bei ihm, und sie konnte nicht glauben, daß sie sich so verhalten hatte, wie die Erinnerung es ihr sagte. Als sie in den hohen, freundlichen Hauptraum zurückgekommen war, hatte sie sich durch die

Begegnung mit Dabeeb stark und beschwingt gefühlt. Das Gespräch hatte sie belebt und zuversichtlich gemacht, so daß sie sich weit von Ben Atas düsterer Stimmung entfernt gefühlt hatte. Das gelbe Kleid hatte mit ihrem Glücksgefühl harmonisiert. Und doch hatte sich nichts daraus entwickelt als die Bestrafung, die Ben Ata Liebe nannte.

Sie ritt über die Ebene. Das Gras unter ihr schimmerte im Licht; der Himmel über ihr strahlte in sanftem Blau; und plötzlich hatte sie das Gefühl, daß dieses Land ihr fremd war oder sie dem Land. Das kam so unerwartet, daß sie vom Pferd stieg, die Wange an seinen Kopf preßte und murmelte: »Yori, Yori, was sollen wir tun?« Aber es schien, als ob selbst das freundliche Pferd, ihr guter Freund, keine Geduld mit ihr hatte.

Sie ging zu Fuß im weichen Staub der Straße weiter; und Yori folgte ihr. Dies war ihre Heimat; sie war dieses Land; sie war sein Herz und seine Seele – und doch fühlte sie sich hier wie ein körperloser Geist.

An der Kreuzung der Straße, die vom Norden in den Süden führte, wandte sie sich nach Norden. Sie ging noch immer zu Fuß; und sie ging langsam, wie jemand, der sein Ziel nicht erreichen möchte. Sie wanderte den ganzen Tag. Das Pferd folgte ihr und berührte sie manchmal wie fragend mit den Nüstern an der Wange. Aber sie wollte sich nicht von ihm tragen lassen. Sie dachte: »Wenn ich gehe, wenn ich einen Fuß nach dem anderen auf meine Erde setze, erreiche ich vielleicht, daß sie mich zurücknimmt, mich wieder in sich aufnimmt...«

Gegen Abend kam ihr ein Reiter entgegen, und bald erkannte sie, daß es Kunzor war. Er sprang vom Pferd, ergriff ihre Hände und sah sie an.

Die Pferde standen Kopf an Kopf und tauschten Neuigkeiten aus.

»Ich spürte, du bist in Schwierigkeiten, Al•Ith.«

»Ja, das bin ich. Aber ich weiß nicht, was es ist.«

Sie verließen die Straße und fanden nach einigem Suchen einen kleinen Bach, an dessen Ufer niedrige Büsche standen, und setzten sich Hand in Hand ans Wasser.

Al•Ith versuchte mit ihrem ganzen Wesen, Kunzor zu erreichen; sie sehnte sich danach zu fühlen, was er war und wie er war – und sie beobachtete sich selbst mit Sorge. Denn so mußte sie sich normalerweise nicht verhalten. Die Menschen, denen sie begegnete – besonders jene, die ihr am nächsten standen –, vermittelten sich ihr von selbst, offenbarten ihr wirkliches Ich, prägten sich ihr ein: scharf, deutlich, unmißverständlich, unverkennbar er oder sie... Diesen Moment des Erkennens hatte sie immer für selbstverständlich gehalten. Kunzors Wesen, sein individuelles und einmaliges Ich, besaß einen Geschmack, den sie nie mit dem eines anderen verwechseln konnte. Es war eine starke, schnelle und trockene männliche Kraft. Scharf und frisch, wie die Winde, die in einer bestimmten Jahreszeit von den schneeigen Bergen wehten, kurz bevor man neue Schneefälle erwartete.

Aber sie hatte noch nie darüber nachdenken müssen, war nie gezwungen gewesen, sich anzustrengen, um ihn zu erreichen – und erleben müssen, daß sie versagte. Es gelang ihr nicht, sich innerlich auf ihn einzustellen, und deshalb betrachtete sie ihn sorgfältig, als könne diese äußerliche Prüfung ein Ersatz sein.

Von allen Männern, mit denen sie zusammen war, stand Kunzor ihr am nächsten. Auch in der äußeren Erscheinung: Er war feingliedrig und schlank; er bewegte sich leicht und schnell, und seine Augen waren wie ihre dunkel, tief und nachdenklich. Wenn sie zusammen waren, hatten sie immer gewußt, was der andere dachte. Ihre Gefühle übertrugen sich durch ihre Hände wie ein gemeinsamer Blutstrom. Sie konnten Tage oder Wochen zusammensein, ohne viel sprechen zu müssen. Jetzt erschien sogar das Geräusch des fließenden Wassers wie eine Barriere vor ihrem Zusammensein. Als sie zu weinen begann, nickte er nur.

»Du hast dich verändert«, sagte er. »Du hörst nicht, was ich bin. Und ich kann nur hören, daß du besorgt und bekümmert bist.«

»Das Schlimmste ist, ich möchte nicht nach Hause gehen, in mein Reich. Es scheint, als gehöre es mir nicht. Wirke ich wie eine Fremde auf dich, Kunzor?«

»Ja. Es ist, als habe deine Hülle eine neue Substanz in sich. Und doch kann ich mit dir sprechen, und du kannst mich verstehen.«
»Es gibt Momente, in denen ich es nicht kann. Deine Stimme scheint zu kommen und zu gehen. Manchmal weiß ich alles nur durch mich selbst, so wie ich deine Gedanken in mir spüre, wenn ich ich selbst bin. Aber dann sehe ich dich an, und du bist außerhalb meines Wesens, nicht in mir.«
Er sagte leise und bekümmert: »Aber du trägst in dir ein Kind von *dort*.«
»Ja. Und wenn es geboren ist, werde ich auch neu geboren sein. Denkst du das?«
»Du kannst nicht eine Seele aus einem so weit entfernten Land wie diesem gebären, ohne dich dabei zu verlieren, Al•Ith.«
»Was soll ich tun?«
»Al•Ith, du weißt, daß du nichts tun kannst.«
Es dauerte nicht lange, und das Licht schwand. Der Himmel färbte sich sanft violett, und der Wind aus dem Osten ließ das Gras wogen und rauschen. Die beiden Pferde kamen langsam die Böschung herunter und standen im Schutz des Gebüschs am Wasser. Die Frau und der Mann saßen eng beisammen. Bekümmert hielten sie sich an den Händen und trösteten einander.
Auf Darstellungen dieser Szene sitzen die beiden stets in einigem Abstand voneinander, ohne sich zu berühren. Al•Ith hält traurig den Kopf gesenkt, und Kunzor beobachtet sie voll brüderlicher Sorge. Ich glaube, so war es tatsächlich. Sie fühlte sich von ihm entfernt, von dem Mann, der zu ihr gehörte, solange sie denken konnte – denn sie kannten sich schon als Kinder. Er dachte, er könne nicht mehr tun, als ihr seine Gegenwart zu schenken, solange sie den dunklen Schatten der Zone Vier nicht hinter sich gelassen hatte, den er in ihrer Nähe spürte. Er hielt ihre Hand in dieser langen Nacht und versuchte, ihr Mut zu machen, wenn sie weinte.
Als der Himmel wieder hell wurde und der schneidende Wind sich plötzlich legte, stand sie auf. Sie streifte die Grashalme ab, schüttelte den Staub aus ihrem sonnengelben Kleid, das in

deutlichem Kontrast zu ihrem blassen Gesicht stand, und dankte Kunzor, daß er ihr entgegengeritten war.
Aber sie mußte weiter, hinauf auf das Plateau, ob sie wollte oder nicht.
Sie trennten sich. Al•Ith ritt zurück zur Straße, die nach Westen führte. Ihr Pferd freute sich darüber, daß sie aufbrachen und trabte wach und voller Energie dahin. Sie wußte, der Druck der Knie in seine Seiten verriet Yori ihre Stimmung, und um ihm nicht die Freude zu nehmen, versuchte sie, so willig zu sein wie er.
Während sie die lange Paßstraße zum Plateau hinaufritten, dachte sie, wenn sie erst einmal dort sei, würde ihr Land sie wieder in sich aufnehmen. Und als es nicht geschah, hoffte sie, das Gefühl würde sich einstellen, sobald sie Menschen begegnete, die sie erkannten und begrüßten – bald sah sie eine Gruppe junger Männer am Straßenrand, die zu einer Stadt auf einem Hügel hinaufstiegen. Sie verlangsamte Yori, damit die Männer sie sehen und ihr zurufen würden, wie es immer geschah, aber scheinbar bemerkten sie Al•Ith nicht. Sie näherten sich ihr, Al•Ith wartete, aber sie sahen sich in der Landschaft um, lachten und unterhielten sich weiter. Sie rief ihnen zu: »Seid gegrüßt! Geht es euch gut?« Sie riefen zurück: »Sei gegrüßt. Ja danke, wir hoffen, dir auch...« Und sie begriff, daß die Männer sie nicht erkannten. Das war noch nie geschehen. Sie versank so tief in Gedanken, daß sie nicht bemerkte, wie Yori mit ihr den Weg nach Andaroun zurücklegte. Nur vage bemerkte sie, daß sie Menschen begegneten, die sie nicht erkannten, und daß das Pferd ihretwegen langsamer wurde und niedergeschlagen war. Sie ritt langsam in unsere Hauptstadt ein, als erwarte sie, dort schlecht aufgenommen oder sogar bestraft zu werden. Sie hatte immer noch das Gefühl, nicht Teil ihres geliebten Reichs zu sein. Sie kam sich wie ein Stein auf dem Rücken ihres Pferdes vor, wie ein Sack mit einer unglückseligen drückenden Last, und sie konnte nicht auf den freundlichen Zauber unserer Straßen, Alleen und Gärten reagieren. Ihr Land erkannte sie nicht. Sie war von einer Substanz erfüllt, die ihm fremd, sogar feindselig war. Wie

konnte das sein? Sie wußte es nicht. Sie dachte daran, daß sie ihren Gefährten, den armen Yori, der ihr einziger Freund zu sein schien, in den Stall bringen mußte. Danach würde sie die breite Treppe nach oben steigen, ihre Schwester und die Kinder begrüßen, mit denen sie normalerweise jeden Tag viele Stunden verbrachte, wenn sie nicht durch das Land ritt – sie glaubte nicht, daß sie das alles durchstehen würde. Sie war eine Betrügerin. Ja, so fühlte sie sich. Das Band zwischen ihr und Ben Ata lastete schwer und hart auf ihr, und sie glaubte, das Trommeln und Vibrieren seiner Gedanken zu spüren. Er wartete auf ihre Rückkehr und empfand gleichzeitig eine hilflose verzweifelte Angst bei dem Wissen, daß sie zurückkehren würde. Er war im Pavillon, nicht bei den Soldaten. Er saß dort allein, dachte nach oder ging auf und ab. Er versuchte zu verstehen, versuchte sich an das heranzutasten, was sie beide verstehen sollten. Könnte sie doch bei ihm sein. Aber die Trommel schlug nicht. Das wußte sie. Sie hörte das sanfte Plätschern der Springbrunnen. Sie hörte das Schreien und Lärmen der Soldaten beim Exerzieren in der Ebene. Aber die Trommel schwieg, obwohl Ben Ata darauf wartete und sich danach sehnte, so wie sie darauf wartete und sich danach sehnte... und sich davor fürchtete.

Das Wesen der Zone Vier war Konflikt, Kampf und Krieg. In jeder Hinsicht. Spannung und Kampf gehörten zu seiner Substanz, und deshalb enthielt dort jedes Gefühl, jeder Gedanke seinen Gegensatz.

Als sie den Palast erreichte, der sich an zwei Seiten eines Platzes in der Stadtmitte hinzog, stieg sie vom Pferd. Sie blickte sich um, um zu sehen, wer sie wie üblich auf den breiten weißen Stufen erwarten würde. Aber sie sah niemanden. Sie ging zu den Bäumen hinüber, wo immer Stallburschen bereitstanden, die Pferde der ankommenden Reisenden in Empfang zu nehmen. Ein Mann kümmerte sich um Yori, begrüßte sie aber nicht als Al•Ith. Er war höflich, aber beinahe mechanisch. Sie ging zur Freitreppe und stieg langsam die Stufen nach oben. Dabei spürte sie den gelben schwingenden Rock an den

Knöcheln. Niemals, niemals hatte sie sich diesem Eingang des Palastes genähert, ohne daß von überall Menschen herbeigelaufen kamen, nicht nur aus dem Gebäude, sondern aus den dahinterliegenden Gärten und von allen Seiten des Platzes. »Al•Ith«, riefen sie, »Al•Ith ist da.« In tiefer Stille, die durch das zufriedene Gurren der Tauben in den Bäumen noch verstärkt wurde, ging sie hinauf in die Säle und Zimmer im Erdgeschoß. Sie durchschritt sie schnell, um zu sehen, was dort vorging und wer dort arbeitete. In einem Raum fand gerade eine Beratung statt; dort saß ihre Schwester mit etwa zwanzig Leuten. Niemand blickte auf, als sie in der Tür stand. Sie sprachen über ein geheimnisvolles Leiden, das die Rinder in den westlichen Gebieten heimsuchte – also hatte sich die Lage nicht gebessert und war auch noch nicht auf dem Weg der Besserung. Aber natürlich würde die Zukunft eine Besserung bringen. Ihre Schwester saß mit dem Rücken zu Al•Ith; aber normalerweise hätte sie das nicht gehindert, ihre Anwesenheit zu spüren, sich umzudrehen und sie zu begrüßen. Ein junges Mädchen, eine der Waisen, die Al•Ith adoptiert hatte, blickte schließlich auf und sah sie. Aber ihre Augen wanderten weiter, als sei Al•Ith nicht vorhanden.

Al•Ith ging nach oben in ihre Gemächer. Sie waren durchflutet vom tiefgelben Licht der Nachmittagssonne. Al•Ith setzte sich ans Fenster und wärmte sich in dem starken und tröstlichen Gelb; aber trotzdem fühlte sie sich wie ein Schatten, wie ein Geist. Diese Räume betrat sie immer mit dem Gefühl, als finde sie hier ihr eigenes Ich. Sie waren freundlich, hell und schlicht. Sie hatte jeden Gegenstand ausgewählt, weil er ihr in Farbe und Form entsprach. Hier öffnete und erweiterte sich ihr lächelndes Ich... aber heute verwehrten ihr die ausgewogenen Farben und Texturen, die subtile Atmosphäre den Zutritt. Sie war zu schwer geworden und paßte nicht mehr hierher. Vermutlich hätte sie nicht hierher kommen sollen.

Sie stieg nach oben auf die terrassenartigen Dächer und ging dort spazieren. Sie beobachtete den Sonnenuntergang und das Aufleuchten der Berge. Unsere Hauptstadt breitete sich unter ihr aus. Sie sah alle vertrauten Straßen und Gärten. Es gab kein Haus, keinen Platz, kein öffentliches Gebäude, das sie nicht kannte – oft auch von innen und durch die Freundschaft mit den Bewohnern sehr genau; aber sie kannte alle Gebäude zumindest von außen: die Fassade, das Dach, die Anordnung der Fenster – alle hatten sie einen Platz in ihrem Geist. Aber heute war sie hier nicht willkommen.

Sie glaubte, daß sie vielleicht auf dem hohen Glockenturm die Höhen ihres Wesens erreichen konnte, von denen sie sich so weit entfernt hatte. Sie stieg die gewundene Treppe hinauf, hinauf, hinauf und stand in schwindelnder Höhe, umgeben von Bergen, Wolken und Schneefeldern. Vögel flogen in Augenhöhe an ihr vorüber, und sie blickte hinauf und zu dem Einschnitt in den Bergen, wo die blaue Weite wartete. Aber sie sagte leise: »So weit. Viel zu weit...« Sie konnte nicht glauben, daß sie erst vor kurzem mit dem Gedanken hier gestanden hatte, sie müsse sich nur in das tiefe Blau hineinziehen lassen, um in ein Wesen verwandelt zu werden, das sie nicht kannte und sich auch nicht vorstellen konnte. Damals hatte sie das Gefühl, sie brauche nur einen Schritt weiterzugehen, den Turm hinter sich lassen und leichter als Luft über den funkelnden Himmel laufen, um im Blau zu verschwinden... wie eine Wolke, die sich in der Hitze der Sonne verflüchtigt. Heute fühlte sie sich schwerfällig und gefesselt. Sie spürte, es war falsch, hier zu stehen. Sie war nicht willkommen.

Sie eilte hinunter in ihre Gemächer und fand dort ihre Schwester.

Murti• war überrascht. Sie hatte Al•Ith nicht erwartet. Dies erstaunte und erschreckte beide. Nie zuvor hatte eine von ihnen nicht gewußt, was die andere tat, oder wo sie sich aufhielt, selbst wenn sie sich an den entgegengesetzten Enden der Zone befanden.

Al•Ith setzte sich ans Fenster. Murti• kam zu ihr, setzte sich aber etwas weiter weg. Sie litten, während sie sich prüfend wie Fremde musterten. Al•Ith sah Murti• als ein ätherisches Wesen, eine strahlende Flamme. Sie glich einem Brunnen, der sich jeden Moment aus Quellen erneuert, die Al•Ith sich in

ihrer jetzigen Dumpfheit nicht vorstellen konnte. Murti• sah in Al•Ith ein Wesen, dessen Flamme erloschen war.
»Haben die Kinder nach mir gefragt?« erkundigte Al•Ith sich bescheiden und bittend.
Murti• erschrak über diesen neuen unterwürfigen Ton und antwortete gequält: »Nein.«
»Sie haben mich nicht vermißt?«
»Sie sprechen von dir, als seist du gestorben, Al•Ith.« Sie beugte sich vor und ergriff aus alter Gewohnheit Al•Iths Hand, um den Strom zu erneuern, der immer zwischen ihnen geflossen war. Mit einem Seufzer zog sie langsam die Hand wieder zurück.
»Sagst du ihnen, daß ich nicht tot bin, sondern zurückkommen werde?«
Nach einer Weile senkte Murti• die strahlenden freundlichen Augen unter Al•Iths fragendem Blick und antwortete: »Es ist anders. Ich weiß nicht warum. Al•Ith, *es ist schwer, sich an dich zu erinnern.* Kannst du das verstehen?«
Al•Iths Angst hemmte ihren Schmerz, und so weinte sie nicht. Sie zügelte ihre Angst, diese Empfindung, die in ihrem schönen Reich nicht zu Hause war. Hier galten Schmerz und Leid als Zeichen von Krankheit, der man mit Geduld, Mitgefühl und Entschlossenheit begegnete, das Fremde nicht auf die anderen zu übertragen.
Al•Ith erhob sich. Das flammende Licht der Sonne erlosch allmählich. Straßen und Gassen lagen bereits im Schatten, während das Licht noch die Dächer wärmte. Der Lärm und die Stimmen der Stadt drangen zu ihnen empor. Aus ihnen sprachen Wärme, Leben und Vitalität.
Al•Ith preßte die Arme dicht an den Körper, wie um sie in sicherer Entfernung von allen anderen zu halten, damit sich niemand durch ihre Berührung ansteckte.
»Haben sich die Dinge bei uns gebessert? Trauern die Tiere noch immer? Sind sie noch immer einsam?«
»Sind sie einsam, Al•Ith?« Die beiden Schwestern standen dicht beisammen, aber nicht wie früher. Sie hielten sich nicht an den Händen, hatten auch nicht die Arme umeinander gelegt,

und ihre Wangen berührten sich nicht. Sie spürten nicht die Rhythmen und das Leben der anderen wie ihr eigenes. Sie standen sich gegenüber, berührten sich aber nicht. Ihre Augen sprachen, aber in ihnen lag Zurückhaltung.

»Ja, sie sind traurig, und sie sind einsam«, flüsterte Al•Ith. Beide flüsterten, obwohl sie allein waren und niemand sie hätte hören können. »Eine Stute in der Herde wird von Einsamkeit überwältigt, aber sie weiß nicht, was es ist. Zitternd steht sie da und glaubt, sie müsse ein Wort oder eine Stimme hören, aber nichts als Schweigen umgibt sie. Ein Hengst galoppiert, getrieben vom Gefühl der Leere, von einem Ende der Prärie zum anderen. Eine ganze Rinderherde hebt gleichzeitig den Kopf und brüllt ihr Leid über das Land...«

»Ich habe sie gehört, Al•Ith, ich habe sie gehört«, flüsterte Murti•.

»Auf einem Hügel stürzen plötzlich tausend Schafe davon. Die Hirten versuchen sie zu beruhigen und laufen verzweifelt rufend hinter ihnen her. Die Tiere spüren einen schrecklichen Verlust, Murti•... aber bessert sich das, wird diese Qual von unseren Tieren genommen?«

Murti• schüttelte den Kopf und seufzte: »Ich glaube nicht.«

»Fehlt uns noch immer die Hoffnung? Werden immer noch keine Kinder geboren?«

»Alles ist so, wie es war. Es ist noch nicht lange her, Al•Ith, daß du zum ersten Mal in die andere Zone gebracht wurdest. Kommt es dir lange vor?«

»Sehr lange. Oh, so lange, so lange.« Und die Tränen strömten über Al•Iths Gesicht.

»Werden wir Tränen und Trauer als Teil des normalen Lebens unserer Zone hinnehmen müssen?« fragte Murti• erregt.

»Nein, nein, du hast recht.«

»Wenn es in dieser Kette von Ereignissen deine Aufgabe ist, in die andere Zone hinunterzugehen und Tränen kennenzulernen, Trauer und...«

»*Du* weißt nicht, Murti•, wie es ist. Du kannst es dir nicht vorstellen!«

»Nein. Aber nicht mir wurde befohlen, diese Ehe einzugehen,

Al•Ith! Ich bin sicher, daß dies eine hohe, sehr viel edlere Aufgabe ist, als wir uns das vorstellen können – aber du darfst uns nicht mit deinem Leid vergiften.«
Sie war hart, leidenschaftlich und zornig. Al•Ith sah, daß ihre schöne Schwester, ihr anderes Ich, das Reich ebenso entschlossen schützte, wie sie es früher getan hatte. Jetzt war Murti• dieses Land, dieses Reich. Sie verkörperte es.
Al•Ith flüsterte: »Unsere Tiere waren traurig, niedergeschlagen und ruhelos, bevor ich in die Zone Vier ging.«
»Das stimmt. Aber wenn du jetzt von dort zurückkommst, kommst du in einer schwarzen Wolke. Wenn du sie nur sehen könntest, Schwester! Nein. Du darfst so lange nicht mehr zurückkommen, bis –«
»Bis was? Ich folge nicht *meinem* Willen, sondern ihrem Willen.«
Murti• nickte: »Damit habe ich nichts zu tun. Aber ich sage dir, du bringst eine ansteckende Krankheit mit. Es ist nicht deine Schuld. Nichts ist unsere Schuld, Al•Ith. Wie könnte das sein? Aber dir hat man eine Rolle zugeteilt, die du übernehmen mußt. Um unser aller willen.«
Al•Ith nickte. Ohne einen weiteren Blick auf ihre Schwester zu werfen, ging sie an ihre Schränke und packte alle möglichen Dinge und Kleider in Satteltaschen.
»Wird das Fest der Lieder und Geschichten vorbereitet?«
»Ist es wichtig?«
Al•Ith drehte sich rasch um und sagte mit Nachdruck: »Ja, es ist wichtig. Sehr wichtig!«
»Dann werde ich mich darum kümmern. Weißt du, warum es wichtig ist?«
»Das mußt du selbst herausfinden«, antwortete Al•Ith in dem demütig bittenden Ton, der Murti• schon zuvor traurig gemacht hatte. »Es gibt etwas, das wir verstehen können, Murti•. Ich weiß es, ich weiß es genau...« Sie trat dicht an ihre Schwester heran und vergaß dabei die neue Distanz zwischen ihnen. Im Zimmer war es jetzt nahezu dunkel. Durch das hohe Oval des Fensters drang fahles blaues Licht, und am Himmel standen Sterne.

Murti•wich einen Schritt vor dieser Gestalt zurück, die sie für ansteckend hielt. Aber dann blieb sie stehen und fragte:
»Was ist es?«
»Wir hätten etwas tun müssen. Aber wir haben es nicht getan.«
Die beiden konnten sich kaum noch sehen. Sie beugten sich vor, um sich ins Gesicht zu blicken.
»Was es ist, weißt du nicht?«
»Doch. Es hängt mit dem blauen Reich hinter den Bergen im Nordwesten zusammen. Aber *was* ist es, Murti•? Was? Das ist das Problem. Und wir müssen es lösen. *Wir müssen herausfinden, wozu wir da sind.*«
Und Al•Ith drehte sich um und lief aus dem Zimmer. Sie lief die Treppe zu den unteren Stockwerken und dem Ratszimmer hinunter, immer weiter hinunter, bis sie die breite weiße Treppe erreichte. Sie eilte auch diese Stufen hinunter, über den Platz und um den Palast in die Gasse, die zu den Stallungen führte. Dort fand sie ihr Pferd. Sie schwang sich auf Yoris Rücken, verließ die Stadt und ritt die ganze Nacht hindurch. Im Morgengrauen erreichte sie den Paß. Sie überquerte im Morgenlicht die Ebene und erreichte die Grenze am frühen Abend. Aber die Trommel schlug nicht. Sie wußte es. Sie stieg vom Pferd, suchte einen Fluß und eine Weide für Yori. Sie saß dort allein in den dunklen Stunden und beobachtete den Lauf der Sterne. Sie konnte nicht in die Zone Vier reiten; die Zeit war noch nicht gekommen. Und in ihrem eigenen Land war sie unerwünscht.
So wanderte unsere Königin Al•Ith durch das Niemandsland zwischen den Zonen; unerkannt, ohne zu wissen, was von ihr erwartet wurde, oder was die Zukunft bringen würde; sie hatte Hunger; sie fror; sie war allein. Nur ihr treues Pferd begleitete sie. In den frühen Morgenstunden legte Yori sich ins Gras. Al•Ith drückte sich an seine warmen Flanken und wartete, bis die Sonne aufging.
Sie sang:

»Kummer, wie ist dein Name!
Wüßt' ich's, könnt' ich dich nähren...
dich füllen, dich stillen und von dir lassen!

Leid, zeig mir dein Wesen!
Ich muß dich nähren, um zu genesen.

Wo ist der Weg, den ich euch führen soll?
Wo ist die Nahrung, die ich euch geben soll?«

Als Al•Ith in der Morgensonne erwachte, lag sie zusammengekauert im Ufergras wie ein Häschen, das von seiner Mutter verlassen worden ist. Ihr Pferd weidete in der Nähe. Sie streifte die Grassamen von den Rispen und aß sie. Sie trank Wasser aus dem Fluß und sah hinauf zu den Bergen ihres Reichs. Sie träumte von den Reisen durch ihr Land; in den Norden, in den Westen, in den Süden, wo Wein und Oliven wuchsen, und in den Osten, wo sie jetzt umherirrte. Wie vielfältig, reich und wunderbar erschien ihr das Land, aus dem sie jetzt verbannt und in dem sie unerwünscht war. So lange hatte sie es durchstreift, alle seine Kräfte in sich aufgenommen und vervollkommnet. Sie, die schöne Al•Ith, saß nun als Flüchtling und überall unerwünscht am Fluß und versuchte, sich daran zu erinnern, wie lange sie sich an diesem Reichtum erfreut hatte. Aber es gelang ihr nicht.
Sie wartete den ganzen Tag, den Blick auf die Gipfel der hohen Berge gerichtet. In der Nacht legte sich ihr Pferd wieder ins Gras, und sie legte sich dicht daneben. Sie suchte Schutz vor dem schneidenden Wind, der sich abends in den Niederungen des Ostens erhob. Sie legte ihren Kopf an Yoris Seite, hörte sein starkes Herz schlagen und stellte sich vor, sie höre die Trommel im Garten von Ben Atas Pavillon. Aber die Trommel schlug nicht. Ben Ata war allein. Er wanderte ziellos durch die leeren Räume, ging zu den Springbrunnen hinaus und wartete wie sie darauf, daß die Trommel zu schlagen begann.
Aber sie schlug nicht.
Tage vergingen.

Solange es hell war, wanderte Al•Ith am Fluß entlang, beobachtete die Vögel, die badeten und dicht über der Wasseroberfläche dahinglitten, oder sie betrachtete ihre Berge. Manchmal erschienen sie im Licht mächtig und nah, dann zeichnete sich jede Schlucht und jeder Felsvorsprung deutlich ab. Zu anderen Zeiten schienen sie leuchtend oder schattenhaft zu schweben, und ihre Spitzen und Konturen verschmolzen mit dem blauen Himmel. Nachts suchte sie Schutz bei ihrem Pferd, aber sie schlief nicht. Sie sang die Klagelieder einer Vertriebenen und lauschte auf den Schlag der Trommel.
Und sie hörte immer noch nichts aus Ben Atas Pavillon.
Sie verlor das Gefühl dafür, wieviel Zeit vergangen war und wieviel Zeit verging. Sie überlegte, ob sie sich vielleicht in ihrem Weg und Ziel täuschte. Vielleicht war ihre Aufgabe im Reich Ben Atas beendet, und sie hatte versagt. Man hatte sie verbannt, und sie mußte hier bleiben, bis sie starb. Aber dann erinnerte sie sich, daß ein Kind geboren werden sollte. Allerdings war das bisher nur eine Annahme, da sich das neue Leben noch nicht geregt hatte. Es konnte sein, daß sie für die Versorger oder die Notwendigkeit nicht wichtig oder notwendig war – das Kind war es bestimmt.
Oder vielleicht wurde sie auch bestraft... Als dieser Gedanke sie quälte, schob sie ihn beiseite, denn sie konnte sich daran erinnern, daß es in ihrem Land als Zeichen einer Geisteskrankheit, einer monströsen, schockierenden Selbstsucht galt, wenn sich ein unbedeutender Mensch solchen Vorstellungen hingab.
Aber der zwanghafte Gedanke, daß sie einen höchst tödlichen Fehler begangen hatte, lastete nach wie vor auf ihr. Schließlich waren solche Vorstellungen in der Zone Drei falsch, aber nicht in der Zone Vier – und wie es aussah, gehörte sie dorthin! Wenn sie jetzt überhaupt irgendwo hingehörte – aber wie konnte sie das wissen? Worin bestand ihre Schuld, wenn sie sich schuldig gemacht hatte? Warum war dies die angemessene Strafe für sie? Diese Gedanken – oder waren es Gefühle? – zermarterten ihr den Kopf – oder brannten sie in ihrem Herzen?
Manchmal rief sie Yori zu sich. Dann stand sie vor ihm und

blickte in seine sanften, intelligenten Augen. »Yori, Yori, habe ich gesündigt? Weißt du, was ich getan habe?«
Aber er sah sie nur liebevoll und freundlich an und senkte bald wieder den Kopf, um zu grasen.
Er fühlte sich einsam bei ihr. Eines Tages jagte eine Herde wilder Pferde mit fliegenden Mähnen über die Steppe. Yori begrüßte sie froh und galoppierte mit donnernden Hufen hinter ihnen her. Einen ganzen glücklichen Tag lief Yori mit ihnen um die Wette, rollte sich auf der Erde im warm duftenden Gras; einmal entschwand er sogar mit ihnen Al•Iths Blicken, und sie glaubte, er würde nicht zurückkommen. Aber am Abend kam er allein wieder, und sie sah, daß er traurig war und gerne bei seinen Gefährten geblieben wäre. Zur Begrüßung streifte er mit seinen Nüstern sanft ihren Nacken und legte sich geduldig wieder hin, denn die Stürme aus dem Osten hatten sich bereits erhoben, und es war Zeit, ihr Schutz zu bieten. Tage vergingen.
Eines Abends sah sie im schwindenden Licht auf der anderen Seite des Flusses – weit entfernt – einen Mann, der Ben Ata glich. Sie durchquerte das Wasser auf den Steinen in seinem Bett, kletterte das Ufer hoch und lief auf den Mann zu, der auf der anderen Seite der Grenze stand. Sie mußte stehenbleiben, denn der Luftdruck änderte sich, aber sie sah, daß es nicht Ben Ata sein konnte, denn dort stand ein magerer, verzweifelter Mann, der nichts von der robusten, bulligen Art des Königs der niederen Zone an sich hatte. Und doch drängte es sie, zu ihm zu eilen, und daran erkannte sie, daß es Ben Ata war. Sie konnten nicht zusammenkommen. Durch Unmöglichkeit getrennt standen sie und blickten, und dann rief sie aus: »Ben Ata!«
Nach einer Weile antwortete er heiser: »Al•Ith!«
Die Stimmen erschienen ihnen fremd, erinnerten sie an ihre Verschiedenheit und an ihr aufreibendes Zusammensein. Aber sie blieben dort stehen, während die Dunkelheit hereinbrach und sie nur noch Schatten sahen.
Sie rief nicht noch einmal, und er auch nicht. Aber später, als sie darüber sprachen, stellte sich heraus, daß sie beide stundenlang angestrengt in die Dunkelheit gestarrt hatten. Erst als der

schneidende Wind unerträglich wurde, kehrte sie ans andere Ufer in den Schutz des Pferdes zurück. In dieser Nacht spürte sie in ihrem Leib ein leichtes Stoßen, das ihr verkündete: Das Kind war mehr als eine Ansammlung von Zellen. Sie legte ihre Hand zur Begrüßung des Kindes dorthin. Aber sie fühlte sich zerrissen und voll widerstreitender Gefühle.

Ben Ata hatte alle Qualen des Wollens und Nichtwollens durchlitten, seit er sie an der Grenze zurückgelassen hatte. Als er sie dort im Halbdunkel sah, ein ausgebrannter Schatten ihrer selbst in der Flamme ihres gelben Kleides, war es, es wälzte sich etwas in ihm um. Er ritt ins Lager zurück, am Pavillon vorbei, wo er seit ihrer Trennung allein gewesen war. Und wie Al•Ith hatte er nicht bemerkt, wie die Zeit verging. Immer wieder überkam ihn das Gefühl, daß sie ihm den Verstand geraubt hatte. Im Lager, in seinem Zelt, wo ihn Jarnti und die anderen Offiziere höflich begrüßten, war er nicht weniger besessen als im Pavillon... *aber wovon*? Er konnte nicht schlafen. Er aß nicht. Er fand keine Ruhe. Dabeeb, die an der Rückseite ihres Hauses in einem großen Bottich Kleider wusch, sah, wie Ben Ata über den kleinen Zaun sprang und stürmisch auf sie zu kam, als wolle er sie, den Bottich und die ausgewrungenen Kleider in der Wanne überrennen. Er blieb vor ihr stehen, hob ihr das Kinn, blickte ihr in die Augen und durchforschte ihr Gesicht, Stück für Stück. Er sah die gewaltigen Unterschiede und runzelte die Stirn. Dabeeb entging das nicht, aber sie nahm es ihm keineswegs übel. Armer König, wie schwer es ihn getroffen hat, dachte sie, während sie ihm ein lächelndes, aber sittsames Gesicht mit glatten dunklen Wangen zuwandte und hinter niedergeschlagenen Augen ihre wahren Gedanken verbarg. Hmmm. Es schadet ihm nicht, dachte sie, als sich Ben Ata ohne Entschuldigung umdrehte und davonstapfte. Sie lächelte in sich hinein und beglückwünschte Al•Ith, da sie sich vorstellte, wie Al•Ith die Verzweiflung und Erregung des Mannes für sich nutzen konnte.

Aber Ben Ata konnte den inneren Aufruhr keinen Moment länger ertragen. Es war Zeit für einen Feldzug. In fieberhafter Erregung verlangte er, die letzten Berichte von allen Grenzen zu sehen, und stellte natürlich ohne große Überraschung fest, daß es an der Grenze zu Zone Fünf Zusammenstöße gegeben hatte. »Es ist Zeit, daß wir ihnen eine Lektion erteilen«, murmelte er neben anderen rituellen Routineverwünschungen. Er ging hinaus in die Offiziersmesse, um sie auch dort zu verbreiten und das Blut seiner Leute in Wallung zu versetzen. Wie üblich freuten sich alle über die Aussicht auf einen neuen Feldzug. Inzwischen saß er wieder in seinem Zelt. Er dachte an Al•Ith und ihre Verachtung für ihn, seine Kriege und Feldzüge. Er dachte an den letzten Feldzug und zum ersten Mal in seinem Leben an die Verwundeten und Toten, denn bislang waren ihm solche Gedanken fremd gewesen.

Er konnte diesen Feldzug nicht mehr absagen, denn das hätte ihn weich und wankelmütig erscheinen lassen. Aber er konnte auch nicht die Vorstellung ertragen, sich vor die Armee zu stellen »und das ganze Geschwätz vom Stapel zu lassen«, murmelte er angewidert und dann »das ganze Theater Tage und Wochen zu ertragen«. Diese Gedanken erschienen ihm verräterisch, und er stieß eine Art gedämpften Wutschrei aus, den seine Ordonnanzen hörten. Sie sahen sich bedeutungsvoll an, denn ihre schweigenden Kommentare waren zu gewagt, um sie auch nur zu flüstern.

Ben Ata stürmte aus dem Zelt, sprang auf das erstbeste Pferd, das er in dem Korral sah, und ritt nach Osten in Richtung der Grenze zu Zone Fünf. Er ließ nichts von seinem Kummer hinter sich.

»Was soll ich nur tun?« murmelte er immer wieder, während er das Pferd peitschte, um es anzutreiben, dann wieder zügelte und flüchtig lobend tätschelte... das Pferd hatte Schaum vorm Maul, das Gebiß schmerzte... Ben Ata dachte daran, daß Al•Ith und jeder in ihrem Land ohne Zügel, ohne Sattel und ohne Peitsche ritt... ohne all das, was hier bei ihnen als notwendig galt. Er lockerte den Zügel, um dem Pferd größere Maulfreiheit zu geben und murmelte sogar ein paar entschuldigende Worte – aber sofort empfand er sich wieder als Verräter. Wieso ritt er überhaupt in Richtung Zone Fünf? Er verabscheute sie seit eh und je. Lange vor der eigentlichen Grenze endeten die guten, reichen Felder mit der schweren, fruchtbaren Erde, die Kanäle und Bewässerungsgräben, die Teiche und das weite Flachland der Zone Vier – alles, was seinen Vorstellungen von einem ordentlichen Land entsprach – zumindest bis vor kurzem. Jetzt hatte er Gestrüpp, Sand und dünne Luft vor sich, die immer nach Staub schmeckte. Er war nie weit in diese verhaßte Gegend vorgedrungen. Die Gefangenen und Mädchen, die seine Soldaten ihm vorführten oder in sein Zelt warfen, waren magere Wilde mit schmutzigblonden Haaren, staubbedeckten Körpern und Gesichtern. Er vermutete, daß Staub und Trockenheit für sie typisch waren, aber er wußte es nicht. Er hatte nie danach gefragt. Jetzt fiel ihm auf, daß er den Gefangenen und den Mädchen höchstens Befehle gegeben, aber ihnen nie eine Frage gestellt, sie nur bestraft oder benutzt hatte.

Ben Ata ritt nicht bis zur Grenze, sondern hielt an einer Stelle, von der aus er die Sanddünen, Felsenformationen und niedriges, dorniges Gebüsch sehen konnte. Er saß auf dem Pferd, streichelte es geistesabwesend am Hals, dachte an das verwundete Maul des armen Tieres und erinnerte sich an die gefangenen Mädchen, an den scharfen Geruch und die sandigen Körper, an ihre Tränen und ihren Zorn, wenn er sie festhielt.

Ben Ata weinte. Er wußte sehr gut, er würde dieses unglückselige Land nicht mit einem Krieg überziehen. Sobald er wieder im Lager war, würde er seine Befehle widerrufen. Er wußte, seine Soldaten würden sagen, er sei das Opfer einer Frau und kein richtiger Soldat. Er wußte, sie hatten recht. Er wollte nicht zurück in sein Land, denn dort schien jeder Gedanke, der ihm in den Kopf kam, dazu verdammt, widersprüchlich oder aufrührerisch zu sein.

Er beschloß zu bleiben, wo er war. Er stieg vom Pferd, nahm dem Tier Sattel und Zaumzeug ab und setzte sich mit dem Rücken zur Zone Fünf und mit dem Blick auf sein Land. Er hüllte sich in seinen Mantel und verbrachte eine schlaflose Nacht. Und so geschah es, daß Ben Ata, der König der furchteinflößenden Zone Vier, weit von der Armee und seinem

Lager entfernt ganz allein in der Wüste saß, als die Trommel wieder zu schlagen begann. Er hörte sie nicht.
Nach einer Nacht der Einsamkeit und Schlaflosigkeit ritt er wieder zurück. Bei seiner Ankunft im Lager hörte er die Trommel, und er wollte geradewegs weiterreiten, um Al•Ith zu treffen, als ihm der Gedanke kam, es könne bereits zu spät sein. Er eilte den Hügel zum Pavillon hinauf, gerade als sie auf der anderen Seite des Hügels nach oben ritt.
Von entgegengesetzten Seiten betraten sie den Raum, blieben stehen und sahen einander prüfend an. Wie üblich fielen ihnen die Unterschiede zuerst ins Auge: Beide maßen die langen Tage des Fragens, Wollens und Sehnens an der Wirklichkeit des eigensinnig verschlossenen Individuums und empfanden nur eine Art von Erschöpfung.
Auf den ersten Blick war deutlich: Sie waren beide völlig erschöpft, ausgebrannt, braun und mager. In beiden tobten Verlangen und Unrast. Ihre Augen brannten in neuen, tiefen Höhlen. Während sie dort standen, wurden sie von einem Hunger verzehrt, den keiner von beiden verstand.
Nur waren sie endlich wieder zusammen. Sie sanken Seite an Seite auf den Diwan, sahen sich tief in die Augen, betrachteten prüfend das Gesicht des anderen, und ihre Hände glitten über Arme, Beine und Körper. Als sie sich davon überzeugt hatten, daß er, daß sie da waren, wirklich und leibhaftig da, löste sich die lang aufgestaute Spannung. Sie seufzten, gähnten, fielen sich in die Arme und schliefen ein. Sie schliefen einen Tag und eine Nacht und bewegten sich kaum.
Es folgten lange Tage; jeder Gedanke und jede Bewegung langsam schwer geworden durch Selbstbewußtheit und Zweifel. Denn dieser Ort und diese Phase wurden zum ersten Mal von beiden gemeinsam erfahren, so daß alles, was gesagt und getan wurde, sie überraschen mußte.
Zum einen waren sie allein und glaubten, dies würde sich so schnell nicht ändern, denn ihr normales – früheres und jetzt verlorenes? – Leben schien ihnen verwehrt zu sein. Man hatte sie vertrieben, und die Gesellschaften, aus denen sie ausgestoßen waren, lebten von Gemeinsamkeiten, Bindungen und dem

Bedürfnis nach anderen und wurzelten darin. Keiner von beiden war je mit einem anderen Menschen Tage... und Tage... und Tage... und Nächte zusammen gewesen.
Noch nie hatten sie so geliebt: ernst und lange, als sei ans Ende zu kommen gleichbedeutend mit dem Ende einer Möglichkeit des Verstehens, als sei dies eine Aufgabe, die man ihnen gestellt hatte, um sich selbst zu erforschen; ihre Vereinigung schien eine Kraft hervorzubringen, einen unbesiegbaren Platz zu schaffen, der allen Zweifeln widerstand und Schlimmerem: Feindseligkeiten irgendeiner Art und aus irgendeiner Quelle, Unheil, ja sogar Chaos. Während sie miteinander rangen, sich aneinanderklammerten oder schützend umarmten, betrachtete jeder diese Szene – öfter als er vor dem anderen wahrhaben wollte – mit kühlem, leidenschaftslosem Blick, der mit dem Urteil übereingestimmt hätte, das ein anderer – wer? der feindselige Unbekannte? – über sie gefällt hätte. Und doch lehnten sie sich gegen solche Urteile auf und schützten sich gegenseitig in Gedanken und Handeln; denn was bedeutete dieses Bedürfnis – ein Bedürfnis, das sich immer öfter meldete –, Al•Ith zu umarmen, Ben Ata zu umarmen, in starken Armen zu halten, die vielleicht wie die Barrikaden vor einer Höhle waren, in der ein kleines, unsagbar verletzliches und tapferes Wesen Schutz gesucht hatte?
Aber von draußen erreichte sie kein Wort, kein Zeichen. Die Trommel schlug unentwegt, schlug und schlug. Al•Ith und Ben Ata wußten, daß sie weiterschlagen mußte. Zumindest eine Zeitlang.
At•Ith lag oft nackt in den Kissen auf dem Diwan. Sie legte die Hand sanft auf die Stelle, wo diese Hybride von einem Kind sich aus dem Reich der Möglichkeiten seinen Weg suchte; sie spürte den Pulsschlag des Kindes als Antwort auf die Trommel. Und der ebenfalls nackte Ben Ata kam zu ihr. Der grübelnde konzentrierte Ausdruck auf dem inzwischen so geliebten und vertrauten Gesicht – es hätte ihn nicht überrascht, wenn es ihn aus einem Spiegel entgegengeblickt hätte – sagte ihm, daß sie mit dem künftigen Herrscher dieser Zone in Verbindung stand. Sanft schob er ihre Hand beiseite, legte seine

auf die Stelle und lauschte mit der Handfläche und den Fingern. Oder er preßte sein Ohr dorthin und schloß alle anderen Geräusche aus diesem vertrauten und geliebten Körper, diesem Haus aus Fleisch und Blut, aus, damit er nur die Trommel hörte, ihr Schlagen, das in seinen Ohren dröhnte und den Rhythmus seines Blutes bestimmte.

Sie waren die meiste Zeit nackt; ihre Körper waren so beredt und veränderbar geworden, daß sich das Zusammensein ohne Kleider nicht vom Bekleidetsein unterschied. Er betrachtete ihre Schultern, die das dunstige Licht aus dem Garten hervorhob, und dachte, wie schön sie aussah, wenn sie dort stand: seine zarte Al•Ith, so schlank und kraftvoll wie die Säule, an der sie lehnte. Sie betrachtete die sanfte Wölbung seines Rückens und seiner Lenden und hatte das Gefühl, sich nie an dem Spiel dieser Muskeln sattsehen zu können. Er griff mit den Händen in ihre wogenden schwarzen Haare und wunderte sich, daß er in seinem vergangenen und ausgelöschten Leben noch nicht einmal die unendlichen Nuancen des Kopfs einer kleinen Frau bemerkt hatte – zumindest schien es ihm jetzt so –, Strähne für Strähne erforschten seine Finger diese mannigfaltige Welt. Sie legte den Arm über seine starken braunen Schultern und wußte, daß sie nie mehr brauchen würde, als die Sprache und die Botschaften zweier Körper, die sich leicht berührten oder aneinander entlangglitten.

Wenn sie aus einer Laune heraus oder aus dem Bedürfnis nach Koketterie ein Kleid anzog, trug sie es nicht lange, denn Koketterie schien diese Ernsthaftigkeit, die sie beide zum ersten Mal erforschten, zu entwürdigen. Wenn er sich im kalten Wind, der vom Hügelkamm herunterwehte, in den dunklen Militärmantel hüllte, fühlte er sich darin unwohl, beinahe als habe er kein Recht ihn zu tragen. Statt dessen beeilten sie sich, wieder unter die Decken des großen Diwans zu kommen, in ihre Welt, in ihre Zeit zurückzukehren... die sich nicht veränderte, sich nicht verändern konnte... sich aber trotzdem veränderte, und zwar bald. Eines Tages saßen sie am kleinen Tisch vor dem Bogenfenster, von wo sie das geschäftige Treiben im Lager unten am Fuß des Hügels beobachten konnten, und wollten essen. Sie dachten sich Gerichte, aber nichts geschah. Während sie noch verwundert dasaßen, kam Dabeeb den Hügel herauf. Sie ging gebeugt, denn der kalte Wind blähte den alten Mantel, den sie sich übergezogen hatte, und trug zugedeckte Schüsseln und Krüge. Vorsichtig stellte sie ihre Last schnell am äußersten Ende des Portikos unter den ersten Bogen. Ohne den beiden auch nur einen Blick zuzuwerfen, lief sie schnell davon.

Sie warfen sich etwas über und gingen hinaus, um das Essen zu holen. Ben Ata sah sofort, daß es aus der Offiziersmesse stammte – es waren gekochte Bohnen und Brot.

Er begann, genußvoll zu essen und bemerkte, daß Al•Ith ebenfalls mit Appetit aß, als vermisse sie ihre nach Rosen duftenden Konfitüren, das Obst und den Honig nicht.

Ihr Pavillon, dieses märchenhafte Gebäude, erschien ihnen inzwischen recht prosaisch. Früher sah Al•Ith in dieser Anlage eine eher unzulängliche Nachahmung und blasse Erinnerung an die Schönheiten und den erlesenen Geschmack ihres Landes. Für Ben Ata war der Pavillon vor noch nicht langer Zeit ein zwar angenehmer aber verwirrend unmännlicher Ort gewesen, mit dem er sich gezwungenermaßen abfand. Aber jetzt gab es hier nichts mehr, über das er auch nur nachdenken mußte. Der heitere Raum mit der Säule, die sich in der Mitte wie eine Fontäne erhob, dem Spiel von Licht und Schatten, den hohen Wänden und Ornamenten unter der gewölbten Decke – die Zimmer, in denen er badete und sich umzog, und in denen sie sich ebenso ungezwungen bewegte wie er, ihre Gemächer, in denen er wie sie ein und aus ging – all das war jetzt nichts anderes als sein Zuhause: ein Zuhause für ihn und Al•Ith. Früher lebte er in Zelten und hatte sich nichts Besseres gewünscht. Vermutlich würde er das auch wieder tun... er erinnerte sich an seine fernen Pflichten und zog sich in sein Zimmer zurück. Er setzte sich nackt an den einfachen Tisch, den er sich für solche Aufgaben hatte heraufbringen lassen, und formulierte einen Befehl. Sein Heer sollte ins Manöver ziehen oder irgendeinen Scheinkrieg führen. Ihm war wieder eingefallen, daß er ihnen einen Krieg versprochen und das Versprechen

nicht gehalten hatte. »Das wird sie ein wenig auffrischen«, murmelte er und überlegte, den Kopf in die Hand gestützt, welcher Teil des Landes sich zu dieser Jahreszeit und bei diesem Wetter am besten für einen Scheinkrieg eignete... aber das konnte sein Stab ebensogut allein entscheiden. Als er diesen Entschluß faßte, empfand er eine sehr merkwürdige Mischung aus Bedauern, daß er an diesem Krieg nicht teilnehmen würde und gleichzeitig Erleichterung darüber, daß ihm die wochenlange ermüdende Eintönigkeit erspart blieb. Er mußte nicht so tun, als wären die Attrappen und der Scheingegner echt, als dienten ihre Aktionen einem Zweck... und bei diesen Gedanken fiel ihm ein, daß Al•Ith seine ganze Beschäftigung mit dem Militär für unsinnig hielt... aber wenn er an seinen Sohn dachte, der in diesem Moment in Al•Iths schönem und zartem Körper heranwuchs, sah er ihn immer neben sich auf einem Pferd an der Spitze der Armee.
Natürlich war es ein Sohn. Al•Ith wußte es, und er wußte es. Denn es war notwendig und folgerichtig, daß aus dieser Verbindung ein Sohn hervorgehen würde. Die Ehe zwischen Zone Drei und Vier mußte einen Sohn hervorbringen: daran gab es keinen Zweifel.
Als er zurückkam, hatte Al•Ith ein Kleid angezogen – zum ersten Mal seit vielen Tagen.
In ihren Kleiderschränken hingen wieder Kleider aus diesem Land und nicht aus ihrem. Jetzt verschmähte sie sie nicht. Zum Teil lag das daran, daß die Frauen inzwischen geschmackvollere und schlichtere Kleider nähten, nachdem sie die Kleider, die Al•Ith Dabeeb geschenkt hatte, aufgetrennt und jede Naht und jede Falte genau studiert hatten, zum Teil aber auch daran, daß Al•Ith sich verändert hatte. Sie empfand die Produkte dieses Landes nicht mehr als für sie unmöglich. Sie trug ein rosenfarbiges Gewand, das ihr gut stand und die sanfte Wölbung ihres Leibs betonte.
Sie saß in Gedanken versunken am Tisch und stützte den Kopf in die Hand.
»Ben Ata«, sagte sie, und er wußte bereits, was sie sagen

würde, »es gibt sicher Dinge, um die wir uns kümmern sollten!«
Bevor er antwortete, setzte er sich ihr gegenüber. Er wollte ihr nicht zu schnell zustimmen. Wenn er heute auf die vergangene Zeit zurückblickte – und das schien schon lange her zu sein – als ihre Besuche in seinem Land kurz und unregelmäßig gewesen waren –, erinnerte er sich hauptsächlich an ihre Auseinandersetzungen. Damals lag es an ihm. Er hätte sich ihr stellen müssen. Sie war rechthaberisch. Der augenblickliche Zustand gefiel ihm. Sie waren verheiratet. So drückte er es für sich aus. Wir sind jetzt verheiratet, und es geht nicht mehr wie früher alles nach ihrem Kopf.
Al•Ith schwieg. Auch sie erinnerte sich an damals. Oh, damals waren sie beide anders als jetzt... sie war anders als jetzt... Jetzt schien sich zwischen Al•Ith und ihr Reich dort oben ein Vorhang oder eine Wolke zu schieben. Sie konnte sich daran erinnern, daß alles ganz anders gewesen war. Sie *spürte* diesen Unterschied als eine Leichtigkeit, Unbeschwertheit, Süße und vor allem als wundervolle Freundlichkeit. Sie erinnerte sich an ihre Kinder und das vernünftige und ausgewogene Zusammenleben. Sie erinnerte sich daran, daß sie eine Schwester hatte... eine schöne Schwester. Abends trafen sie sich meist, setzten sich zusammen und betrachteten den Himmel, während das Licht langsam verblaßte, oder sie gingen auf den Dächern spazieren... die Erinnerung an die wunderschönen Spaziergänge auf den Dächern schmerzte Al•Ith. Das konnte sie jetzt nicht mehr tun – sie schien sich vor hochgelegenen Plätzen zu fürchten, davor, mit Vögeln und Bergen auf einer Höhe zu sein... und da gab es noch etwas... einen Turm. Und von dort – aber die Erinnerung an eine qualvolle Sehnsucht überfiel sie mit solcher Macht, daß sie aufsprang und die Hände rang. Sie saß hier und vergeudete ihre Zeit, während sie eigentlich etwas ganz anderes tun sollte...
»Was ist?« fragte Ben Ata ruhig und bestimmt, »du darfst nicht so aufspringen. Das ist nicht gut für das Kind.«
Sie dachte an die Anstrengungen, denen sie sich Tag und Nacht unterzogen und beschloß, seine Bemerkung nicht zu beachten.

Aber sie setzte sich langsam und wurde ruhiger. Sie spürte, es mußte ihr gelingen, Ben Ata die Natur des Höheren zu vermitteln, die in ihren Erinnerungen und ihrer vergangenen Persönlichkeit lag – selbst wenn sie jetzt ein anderer Mensch war –, denn sonst war es sinnlos, auf irgendeinem Punkt zu beharren.
»Gut so«, sagte er freundlich, aber vielleicht etwas geistesabwesend.
Er überlegte gerade, daß er nach der Geburt des Kindes alle möglichen Feiern und Festlichkeiten anordnen würde. Deshalb mußte der Scheinkrieg bis dahin unbedingt zu Ende sein. Er nahm das Blatt Papier, auf das er den Befehl geschrieben hatte, und änderte ein Datum.
»Und ich stelle mir vor, daß bei den Feiern«, erklärte er, als habe er sie über seine Pläne informiert, »die anderen Kinder als sein Gefolge oder in einer ähnlichen Rolle teilnehmen.«
Al•Ith wußte bereits, daß Ben Ata im Lauf seines Soldatenlebens zahllose Kinder gezeugt hatte. Sobald sie laufen konnten, steckte man sie in Kinderregimenter. Die Kinderarmee gehörte hier wie selbstverständlich zum Leben. Als Al•Ith das erfuhr, reagierte sie empört – aber das Bedürfnis zu verstehen verdrängte die Empörung.
Sie hatte nicht geantwortet. Ben Ata wurde plötzlich klar, daß sie schon sehr lange schwieg. Er schob den abgeänderten Befehl in seinen Gürtel und blickte lächelnd auf.
»Geht es dir gut, meine Liebe?«
»Ich würde gern etwas von diesem Land sehen, Ben Ata. Keine Angst, ich bin sicher, es würde mir jetzt nichts mehr ausmachen. Ich habe mich an die Bedingungen hier gewöhnt.«
Er wurde sofort lebhaft. »Ja, gut. Du könntest mich ins Manöver begleiten. Würde dir das Spaß machen?«
Al•Ith wurde nachdenklich. Sie sah aus wie jemand, der ein neues Gericht probiert oder eine neue Erfahrung macht. »Warum eigentlich nicht... aber ich dachte an etwas anderes – ich möchte die Frauen bitten, ein Liederfest zu veranstalten. Ich glaube mich zu erinnern, daß wir das taten. Zu Hause. Etwas in dieser Art.«

»Oh, das würden sie nicht mögen, Liebling! Weißt du, sie haben ihre eigene Vorstellung von Festen. Bei ihren Feiern darf sich kein Mann in ihre Nähe wagen – wenn ihm an seiner Männlichkeit etwas liegt.« Höchst amüsiert lehnte er sich in seinen lächerlich kleinen Stuhl zurück und brüllte vor Lachen.
»Ich dachte dabei weniger an dich. Ich könnte gehen. Ich bin eine Frau.«
»Also hast du von mir schon genug!«
»Wir würden es vielleicht überleben, einen Abend nicht zusammen zu sein.«
Mit ein paar kleinen, schnellen Küssen versicherten sie sich gegenseitig ihrer Zuneigung; aber zweifellos lag in dieser Geste eine Andeutung von Routine.
»Wenn sie uns wieder das Essen bringt, schreibe ich Dabeeb ein paar Zeilen.«
»Ich kann selbst mit ihr sprechen.«
»O nein, es ist immer besser, etwas schriftlich niederzulegen, dann gibt es keine Mißverständnisse.«
Al•Ith widersprach nicht, war aber insgeheim entschlossen, Dabeebs Aufmerksamkeit auf sich zu lenken, um ihr zu sagen, was sie sagen wollte. In scheinbar völliger Übereinstimmung lächelte sie Ben Ata liebevoll an.
Kurz darauf sahen sie, daß Dabeeb den Hügel hinaufkam.
Ben Ata ging energisch durch die Tür auf die Veranda und hinderte sie daran, ihre Schüsseln einfach abzusetzen und wieder davonzueilen.
Al•Ith hörte, wie er ihr das Blatt Papier mit den Befehlen für den Scheinkrieg gab. Er erklärte, beim nächsten Mal solle sie auf einen Befehl mit Al•Iths Wünschen warten, den er noch nicht geschrieben habe.
»O wie schön«, sagte Dabeeb mit schmeichelnder Stimme, »wie schön wäre es, etwas zu tun, um der Herrin zu gefallen. Aber vielleicht könnte ich jetzt selbst mit ihr sprechen?«
»Komm herein«, sagte er, trat beiseite und verschwand in seinem Zimmer, um Al•Iths Wünsche zu formulieren.
Die beiden Frauen waren allein. Al•Ith stand auf, und sie

gingen schnell in die Ecke des Raums, die am weitesten von Ben Atas Zimmer entfernt war.
Al•Ith erklärte flüsternd ihr Anliegen. Dabeeb verstand sofort und sagte: »Die Frauen werden sich freuen. Sie sprachen bereits davon, dich einzuladen. Sie haben mich aufgefordert, mit dir darüber zu reden... aber das ist jetzt nicht mehr notwendig.«
In diesem Augenblick kam Ben Ata hereinspaziert – das Bild eines treuen Ehemannes. Aber während er sich ihnen näherte, blieb ihm Zeit darüber nachzudenken, wie schön es wäre, Dabeeb in der nächsten Zeit einen oder zwei Abende für sich zu haben: Er stellte sich vor, wie er sie in Erstaunen versetzen würde mit all dem, was er in der langen Zeit seiner – aber schnell zensierte er das Wort »Gefangenschaft« und ersetzte es durch »Vergnügungen« – mit Al•Ith gelernt hatte. Der Gedanke zeigte sich auf seinem Gesicht als selbstgefälliges Lächeln, und beide verstanden sofort.
Er gab Dabeeb ein Papier. Sie entfaltete es, las es und bemerkte schmeichelnd: »Es ist immer soviel besser, etwas Schriftliches in der Hand zu haben. Aber da ist ein Punkt, Ben Ata, Herr, es ist nicht so, daß wir immer dann gemeinsam singen, wenn es uns gerade einfällt. Wir sind eben so verrückt – mehr ist wirklich nicht dahinter –, aber wir singen nur an bestimmten Tagen und zu bestimmten Jahreszeiten.«
»Sehr gut... beim nächsten Mal ladet ihr Al•Ith einfach ein, und ich werde darauf achten, daß sie pünktlich zur Stelle ist.«
»Vielen Dank. Es wird uns allen eine große Ehre sein.« Als sie sich zum Gehen wendete, zwinkerte sie Al•Ith unmerklich zu. Sie wünschte beiden einen guten Appetit und eilte den Hügel hinunter.
Sie verbrachten eine zärtliche Nacht, und am nächsten Morgen gestand Ben Ata, er glaube nicht, daß die neuen Kriegsspiele ohne seine Aufsicht in Gang kommen würden und bat Al•Ith, ihn ein paar Tage für seine königlichen Pflichten freizugeben.
Al•Ith empfand bei dem Gedanken, auch nur eine Stunde

ohne ihn zu sein, zunächst liebevolle Verzweiflung, dann sogar Panik, was sie dazu brachte, ihren Zustand als pathologisch anzusehen. Darauf stellte sich Empörung darüber ein, daß er sie verlassen wollte, und schließlich eindeutig Erleichterung. Oh, wie wunderbar, die Möglichkeit zu haben, ihr eigenes Ich wiederzufinden – das von ihr so weit entfernt zu sein schien, daß sie daran zweifelte, ob sie es je wiedererkennen würde –, und dann wollte sie zumindest für einige Zeit in ihrem Ich verweilen, bei ihren eigenen, wahren Aufgaben ... wie sie auch aussehen mochten, denn sie konnte sich an sie nicht mehr erinnern.

Ben Ata hielt ihr Schweigen für Trauer und fürchtete, sie könne weinen oder ihn anflehen zu bleiben; er verkündete, er würde alles arrangieren, damit sie ihn zumindest einen Teil des Weges in den Krieg begleiten könne. Natürlich müsse sie nach Hause zurückkehren, ehe das Spiel wirklich begann, denn es würde ihr schaden, sich zu sehr aufzuregen.

Al•Ith stimmte allem zu und entließ ihn mit einem langen, liebevollen Kuß. Sie konnte sich nicht erinnern, irgend jemandem zuvor schon einen solchen Kuß gegeben zu haben, denn darin kam viel zuviel Ergebenheit zum Ausdruck.

Sie winkte ihm so lange nach, bis sie seine kraftvolle Gestalt nicht mehr sah, die energisch den Hügel hinab und auf das Lager zumarschierte. Dann ging sie in ihre Gemächer zurück, nahm ein Bad, parfümierte sich und zog ein weißes Wollkleid an, das mit einem farbenfrohen Blumenmuster bestickt war. Sie wollte gerade durch die andere Tür in den Garten gehen, in dem die Fontänen spielten und die Trommel unaufhörlich schlug – aber wo? einmal da und einmal dort –, als Dabeeb plötzlich wieder auftauchte. Sie flüsterte Al•Ith zu, sie solle ihr folgen, denn heute nacht würden die Frauen ihre Zeremonien abhalten. Ben Ata hätte sie das natürlich nicht sagen können, da kein Mann wissen dürfe, wann die Frauen sich versammelten. Der eine Mann, der ihr geheimes Treffen einmal belauscht hatte, hatte hinterher gewünscht, es nie getan zu haben.

Al•Ith zog ganz im Stil der Zone Vier Ben Atas Militärmantel

über. Dann liefen sie und Dabeeb Hand in Hand den dunstigen Hügel hinunter. Sie liefen unbemerkt durch die Reihen der Zelte, da alle Soldaten viel zu sehr mit den Vorbereitungen für den Krieg beschäftigt waren, der in genau vier Tagen beginnen sollte, und erreichten die Felder hinter dem Lager.
Ohne anzuhalten, liefen sie durch das kurze nasse Gras, schreckten Herde um Herde melancholischer Kühe auf, überquerten unzählige kleine Brücken, sprangen über Bäche und Gräben und erreichten schließlich benommen und übermütig vom schnellen Laufen – die schwere und bedrückende Luft hatte ihnen nichts anhaben können – ein großes Steingebäude, das verlassen zu sein schien. Es war eine alte Festung, das Relikt eines vergangenen und vergessenen Krieges, wie der teilweise ruinenhafte Zustand des Gebäudes zeigte.
Aber nachdem sie sich durch Gebüsch und Gestrüpp hindurchgearbeitet hatten und unter einem großen Torbogen durchgegangen waren, kamen sie in eine riesige Halle voller Frauen jeden Alters. Sie saßen auf Bänken an langen Holztischen, auf denen Gerichte und Krüge von Wein standen. In der Mitte des Raumes war ein freier Platz. Dort sang eine Gruppe junger Mädchen, die ihre Lieder mit Bewegungen ihrer Arme und Körper begleiteten. Alle lachten und waren bester Laune. Bei Al•Iths Anblick standen die Frauen auf, hoben die Hände über die Köpfe und klatschten stürmisch, um zu zeigen, daß sie willkommen sei. Dann setzten sie sich wieder und sahen wieder den singenden und tanzenden Mädchen zu. Man führte Al•Ith zum Kopfende eines langen Tischs. Sie setzte sich ohne weitere Umstände; Dabeeb nahm neben ihr Platz. Sie achtete zunächst nicht auf ihre Umgebung, denn die Mädchen nahmen ihre Aufmerksamkeit gefangen. Es waren fünf, die lebhaft die Worte körperlich darstellten, die sie ernst und voll Konzentration sangen, um keinen Fehler zu machen. Dadurch entstand ein seltsamer Kontrast zwischen ihren Bewegungen und dem, was zumindest ursprünglich ein kindlicher Abzählreim gewesen sein mußte?
Sie sangen gemeinsam:

»Ich fand eine Perlenkette
und hängte sie an einen Baum
eine schönere Perlenkette
findet man kaum.«

Dann sang jede eine Zeile:

»Die Perlen, sie kamen nicht von dir
sie kamen nicht von dir
sie kamen nicht von dir
Perlen so schön wie diese
findet man nicht hier.«

Wieder gemeinsam:

»Ich fand eine Perlenkette
und hängte sie an mein Bord.
Perlen so schön wie diese
kommen nur von dort.«

Und einzeln:

»Dort ist es, wo sie entstehen
dorthin müssen wir gehen
doch der König will nicht verstehen.
Wo die Wolken sind wie Schnee.
Wir haben keine Perlen wie diese
gemacht aus Wolken und Schnee.«

Die fünf Mädchen in den weiten, bunten Röcken und tief ausgeschnittenen Miedern, wie die Frauen sie hier trugen, drehten sich in einem schnellen Tanz. Al•Ith konnte erkennen, daß die Schritte genau bis in alle Einzelheiten festgelegt waren. Dann blieben sie alle plötzlich stehen, und die Röcke wirbelten ihnen um die Beine. Sofort erhob sich jede Frau, jedes Mädchen und jedes Kind in der Halle, verließ seinen Platz und lief in die Mitte zu den Tänzerinnen. Al•Ith bemerkte erst jetzt, daß das obere Drittel der westlichen Mauer der großen Halle sorgsam entfernt worden war, um den Blick auf die ganze Bergkette der Zone Drei freizugeben. Die Gipfel konnte man von hier aus nicht sehen, aber trotzdem mußten die Frauen, die in einem Akt der Anbetung oder der Erinnerung die Arme hoben, die Köpfe zurücklegen, um den Blick auf die Berge zu richten. Es war früh am Abend, und das Licht lag mit einer traurigen und bedeutungsvollen Schwere über ihnen. Erstaunt kam Al•Ith in den Sinn, daß sie während der ganzen Zeit, die sie mit dem König eingeschlossen gewesen war – so empfand sie es jetzt –, nicht einmal hinausgegangen war und zu ihrem Reich, zu ihren Bergen hinaufgeblickt hatte. Dieser Gedanke war ihr einfach nicht gekommen. Während sie dort stand und den Kopf trotz der Spannung in ihrem Nacken zurücklegte, stellte sie fest, daß es ihr schwerfiel und daß ihre Muskeln schmerzten. Es war deutlich zu sehen, daß viele Frauen diese Haltung nur für ein paar Augenblicke einnehmen konnten und ihre Köpfe erleichtert wieder nach vorne sinken ließen. Aber manche Frauen verharrten nicht nur in dieser schwierigen Stellung, sondern streckten die Hände aus, um die Köpfe anderer, meist jüngerer Frauen zu stützen, indem sie ihnen das Kinn hoben. Einige wehrten sich etwas und gaben nicht nach. Sie waren froh, als sie losgelassen wurden, setzten sich wieder auf ihre Plätze und massierten sich den Nacken. Gemeinsam kehrte die ganze Gesellschaft zu ihren Plätzen zurück.

Auf den freien Platz traten jetzt zwölf erwachsene Frauen. Sie trugen die gleichen bunten Röcke wie die Mädchen, aber sie waren kräftiger, eine oder zwei sogar grob und dick. Sie waren alle guter Laune und lächelten verschmitzt und wissend, was, wie sie glaubten, von ihnen erwartet wurde. Dieser Ausdruck wich nicht von ihren Gesichtern, während sie temperamentvoll, hüftschwingend und mit allen möglichen anzüglichen Gesten einen Gassenhauer zum besten gaben. Es dauerte nicht lange, bis die ganze Gesellschaft sich vor Lachen bog.

»Wer fiel in den Kanal gestern nacht
und hat dir solche Angst gemacht?
Raff die Röcke, nimm deinen Mantel
raff die Röcke und lauf!

Wer kroch dir unter den Rock gestern nacht
und hat dir solche Angst gemacht?
Hinauf in den Schnee wollen wir klettern
hinauf in den Schnee wollen wir gehn.

Wer weckte dich aus deinem Traum gestern nacht
ein Traum, der Wolken, Schnee und Licht dir gebracht
er kam von weit her
er kam von weit her.

Wer hat uns gesagt, die Straße sei da
klar wie dein Arm und schon immer da.
Sie führt so weit,
sie führt so weit...«

Und wieder stürzten alle Frauen auf den Tanzplatz, sobald das Lied zu Ende war, legten den Kopf zurück und blickten hinauf zu den Bergen, die im Dunkel lagen und deren Umrisse und Formen von einem bläulichen Schimmern, das von den Sternen kommen mußte, umflossen waren. Aber sie sahen keine Sterne, denn die Berghänge füllten das riesige Fenster. Al•Ith folgte den Frauen und stand in der Menge. Ihre Nackenmuskeln schmerzten und gehorchten nur widerwillig; sie sah, daß einige Frauen, denen andere den Kopf hielten, wieder Tränen in den Augen standen, und sie sich vor Anstrengung auf die Lippen bissen.
Bereits nach kurzer Zeit, denn es war offensichtlich, daß diese Übung nicht lange ausgehalten werden konnte, drängten sich alle wieder auf ihre Plätze zurück. Aus einer Art Küche am Ende der Halle wurden Platten mit Essen gebracht; Mädchen gingen herum und füllten die Krüge mit Wein.
Das Fest oder die Zeremonie – denn nichts anderes war es –

dauerte die ganze Nacht. Sobald ein Spiel, ein Lied oder Abzählreim zu Ende war, beeilten sich alle, an der Übung teilzunehmen, die Nackenmuskeln zu strecken und gestreckt zu halten – denn inzwischen war deutlich, daß keine andere Absicht hinter diesen Ritualen stand. Es traten immer neue Gruppen von Mädchen oder Frauen auf, um ihr Lied vorzutragen, und jedesmal handelte es sich offensichtlich um die Wiederholung eines oft praktizierten Vorgangs. Häufig hatten Worte und Inhalt nichts mit den Gesten zu tun, die sie begleiteten; obszöne Gesten, anzügliches Nicken und Zwinkern untermalten Verse mit harmlosen Worten und umgekehrt. Aber jede Frau wußte genau, welche Worte oder Gesten im nächsten Moment kommen würden, denn mehr als einmal wurden die Sängerinnen oder Darstellerinnen korrigiert, etwa mit den Worten: »Nein, jetzt streckst du den Arm aus«, oder: »Jetzt nicht lächeln, erst bei der nächsten Zeile.«
Ein Ritual. Ein Ritus. Und Al•Ith wußte, an diesem Abend lag darin eine besondere Hingabe, eine besondere Leidenschaft, weil sie anwesend war. Sie spürte sehr wohl, daß die Frauen sie alle je nach ihrem Wesen unverhohlen oder versteckt beobachteten, um zu sehen, wie sie das Ganze aufnahm – und welche Hoffnung lag auf ihren Gesichtern!
Mitternacht war lange vorüber, und die Dunkelheit begann bereits, sich von den Bergen zu heben, als Dabeeb auf das Zeichen einer Frau, die den Ablauf leitete, in die Mitte trat und wartete, bis alle schwiegen. Bisher hatte niemand allein gesungen oder getanzt.
Es herrschte aufmerksames, gespanntes Schweigen.
Sie sang:

»Wenn ich zu dir sagte, du, du bist ein Mann,
dann nimmst du einen Stock,
den wirfst du in die Luft,
der Hund bringt ihn zurück:
Und so gingst du zur Schule!
Nun gut, spiel'n wir den Narren!«

Und alle fielen ein: *»Spiel'n wir den Narren!«*

»Ich sage dir, du, du bist ein Mann!
Hast du nichts zu tun?
Hast du nicht etwas zu erfüllen?
Ist das nicht deine Regel?«

Und alle stimmten ein: *»Nun, dann spiel den Narren!«*

»Ich seh' euch zu, Mann für Mann für Mann
werft ihr Steine übers Wasser,
wollt' sehen, wer am weitesten wirft.
Und so geht ihr in die Schule.
Und spielt den Narren.«

Auf die nächste Strophe hatten alle gewartet, denn Al•Ith sah überall zornige, bittere, gerötete Gesichter, die sich vorbeugten, und nun fielen alle ein und sangen mit Dabeeb:

»Oh, kleiner Junge, liebes Kind,
warum bist du so langsam und dumm?
Großspurig und dumm...

(Das wurde mit bitterem Nachdruck gezischt)

Hast du das in der Schule gelernt?
Den Narren zu spielen?«

Und nun wieder Dabeeb, allein:

»Die Berge ragen in den Himmel,
du solltest sie bezwingen und kennen,
aber du treibst dich hier unten herum.
Das ist dein ganzes Spiel.
Das ist deine Regel,
du spielst den Narren.

Seid wie eure Frauen, Männer und Mann,
ohne euch können sie nicht,
ohne euch werden sie nicht
die Regel ändern,
die den Narren spielt.

Mann, bist du Manns genug, dich zu ermannen,
und die Straße, das Werkzeug, die Rute zu schaffen?
Nein? –

(Und nun zischte es jede Frau in einem Anfall von Zorn und Bitterkeit hinaus)

Dann spiel den Narren!
Also gut, spielen wir den Narren.
Wir spielen den Narren!«

Und als Dabeebs volle weiche Stimme verstummte, standen alle auf und stürzten nicht wie zuvor in die Mitte, sondern aus der Halle hinaus. Al•Ith und Dabeeb folgten ihnen. Vor der Halle lag ein Hof, den niedrige Gebäude umgaben. Jetzt konnte man die Berge von ihren Ausläufern bis zu den höchsten Gipfeln sehen. Die leuchtenden Sterne verbreiteten noch immer ihren blauen Glanz, aber im Osten dämmerte es schon, und der Himmel wurde golden. Die Berge zeichneten sich wie von innen erleuchtet ab, und ihre Gipfel schienen fast den Himmel zu berühren. Überall standen Frauen mit zurückgelegtem Kopf, manche taumelten und schwankten vor Anstrengung, andere verfluchten ihr Unvermögen, und einige wurden wie zuvor von anderen gestützt. Verglichen mit den kurzen Bemühungen in der Halle, verharrten sie jetzt lange in dieser Stellung. Sie strengten sich an und kämpften darum, den Kopf so weit wie möglich zurückzulegen, um alles von diesen wunderbaren Bergen zu sehen, die auf einem bläulichen Nebel zu schweben schienen, und um deren Gipfel sich Wolken aus Schnee legten.
Al•Ith weinte wie die anderen Frauen. Aber sie weinte, weil

sie den Bergen nicht treu geblieben war. Sie hatte ihre Hände im Nacken verschlungen, um ihn zu stützen. Wieder ließen alle Frauen ihre Köpfe gleichzeitig nach vorne fallen. Dann geschah etwas Erstaunliches: Mehrere, meist jüngere Frauen holten schwere Eisenhelme, die sich vor einer Mauer türmten, und setzten sie auf. Es kostete die bedauernswerten Geschöpfe große Anstrengung, den Kopf überhaupt noch gerade zu halten, und daran sah man, wie schwer und hinderlich die Helme waren. Die Qual stand in ihren tränenden Augen, während sie versuchten, wenigstens geradeaus zu blicken. Voll Sehnsucht sahen sie Al•Ith an. Sie umringten sie und flüsterten: »Hilf uns, Al•Ith! Hilf uns, Al•Ith!« Abrupt, wie sie alles taten – Al•Ith kannte das inzwischen an ihnen – verließen sie den Hof. Sie gingen zu zweit oder zu dritt, während eine Frau, die auf einem der niedrigen Dächer stand, Wache hielt und ihnen zurief, wenn sie glaubte, es bestünde keine Gefahr. Al•Ith und Dabeeb gingen als letzte, und vor ihnen in der Dämmerung schien sich eine verlassene Landschaft auszubreiten, denn das diesige Zwielicht hatte die Frauen verschluckt. Aber Al•Ith sah noch ein Mädchen, das den schweren Eisenhelm mit beiden Händen stützte, um den Kopf hochzuhalten. Weinend und schimpfend stolperte sie vorwärts. Al•Ith hörte im Geist wieder die Worte: »Hilf uns, hilf uns, Al•Ith...«
»Wir müssen uns beeilen«, sagte Dabeeb in ihrer kühlen praktischen Art. Und die beiden Frauen gingen den Weg zurück, den sie gekommen waren. Sie nutzten jede Deckung, die sich ihnen bot und liefen durch Tierherden, wenn sie Tiere sahen. Atemlos gab ihr Dabeeb unterwegs ein paar Informationen; zum Beispiel, daß diese Zeremonie viermal im Jahr stattfand. Sie wurde nicht immer am selben Ort abgehalten. »Uns mag zwar viel fehlen, aber an Festungen und Forts herrscht kein Mangel!« Die Männer wußten natürlich von den Zeremonien und erlaubten sie. Sie sahen darin eine Art Sicherheitsventil. »Denn wogegen könnte ein Mann Einwände erheben, wenn eine von uns ihr Versprechen brechen und ihm sagen würde, was wir tun? Keine Frau würde zugeben, daß wir die

Strafhelme abnehmen und insgeheim die Berge ansehen. Keine einzige! Denn jede weiß, daß wir sie umbringen würden... verstehst du, das geschieht in unser aller Interesse. Denn die Männer haben schon lange vergessen, was sie eigentlich tun sollten...« Inzwischen hatten sie den Fuß des Hügels erreicht, auf dem anmutig und weiß der Pavillon in der frühen Morgensonne stand. »Ich verlasse dich hier, denn mein Mann gibt mir eine Tracht Prügel, wenn ich zu spät komme...« Mit diesen Worten drehte sie sich um und lief nach Hause.

Al•Ith stieg langsam den Hügel hinauf und wartete auf den Moment, in dem sie die Trommel hören würde. Sie spürte, daß das Kind mit dem Tag erwachte: Sie legte die Hand auf ihren Leib und stellte sich vor, wie es da drinnen gähnte und sich streckte.

Was hatte Dabeeb gesagt? *Was war es, was die Männer eigentlich tun sollten*... Natürlich! Es war alles ganz einfach! Sie hätte es schon lange sehen können, denn es war nicht schwierig.

Die Männer sollten keinen Krieg führen, weder richtige noch Scheinkriege! Damit verdrängten sie etwas anderes – ein anderes Ziel oder eine andere Aufgabe, eine Pflicht, die sie vergessen... und inzwischen nicht nur vergessen, sondern jetzt verboten hatten. Aber weshalb? Was war geschehen? Und vor allem, *wie*? Das war das Wort: Die Männer sollten... sollten... aber *wie*?

In keinem einzigen Lied, Tanz oder Spiel der vergangenen Nacht hatte ein Mädchen oder eine Frau darauf auch nur angespielt. Wenn »die Berge bezwingen« die richtige Beschäftigung der Männer war, was bedeutete das? Al•Ith wußte, wenn sie Dabeeb fragen würde: »Also gut, was ist die richtige Beschäftigung für Männer?«, würde Dabeeb auf die Berge deuten. Ja, aber was hieß das?

Ich möchte an dieser Stelle die Erzählung unterbrechen und kurz zur Zone Drei zurückkehren.

Al•Ith hatte das Fest der Lieder und Geschichten angeregt, da sie glaubte, auf diesem Weg Informationen über oder zumindest Hinweise auf halbvergessene Weisheiten zu finden... und sie hatte recht gehabt. Aber sie hatte sich im Ort geirrt. Die Zeremonie hatte in der Zone Vier stattgefunden: die Rituale der Frauen dort und ihre bewußte Pflege dieser Rituale. Während Al•Ith in dieser Nacht so aufgeschlossen teilgenommen hatte, dachte sie auch darüber nach, wie es möglich war, daß man in einer Sache recht haben konnte, aber nur halb... denn jetzt wußte sie – aber ohne zu wissen, weshalb –, daß das Fest in der Zone Drei sehr wahrscheinlich keine nützlichen Ergebnisse bringen würde. Und so war es auch.

Murti• tat alles, um die Bitte ihrer Schwester zu erfüllen.

Aber es fiel ihr schwer.

Das lag zum Teil daran, daß wir, wie ich bereits erwähnt habe, Feste dieser Art zumindest einmal im Jahr feierten und daß es außerdem noch regionale Feste gab. Wie sollte Al•Iths dringender Wunsch in die Tat umgesetzt werden? Sollten wir die Vorstellung unterstützen, daß alle im Land glaubten, unsere alten Lieder und Gedichte, selbst die platten und abgegriffenen, seien möglicherweise von Nutzen, und man solle sie unter diesem Aspekt vortragen? Meine Erfahrung hat mich immer wieder gelehrt, daß ein zu direktes Angehen solcher Dinge meist nur zu Fehlschlägen führt. Nein, die Wahrheit kommt uns nur unerwartet, verhüllt oder indirekt entgegen... in dieser Weise grübelte ich, mußte ich grübeln, da ich sehr viel mit den Vorbereitungen zu tun hatte: Murti• überließ die ganze Angelegenheit schließlich mir. War es vielleicht nur eine Frage des anderen Hörens? Das schien dem Problem näher zu kommen. Ganz bestimmt hatten sich unsere Lieder und Geschichten seit langer Zeit nicht verändert: Richtiger oder vielleicht genauer gesagt, setzten wir das als selbstverständlich voraus und sahen nur, was direkt vor uns lag... Ich spreche hier etwas offen aus, was bereits angedeutet wurde – das allgemeine Unbehagen oder die Stagnation (aber es fiel schwer, ein solches Wort in Verbindung mit unserem Land zu benutzen) war unter uns, den Chronisten, den Bildermachern, den Sängern weit verbreitet... obwohl wir, wie es üblicherweise der Fall ist, Worte wie »Stagnation« erst später benutzen konnten.

Unsere Feste waren sehr schön. Ich benutze bewußt dieses Wort. Denn genau das waren sie. Sie hatten etwas Üppiges, Wiegendes und Reiches an sich. Sie waren beruhigend und ermutigend. Ein solches Fest ähnelte einem langen und reichlichen Mahl. Aber es fehlte die Überraschung oder Erregung. Es gab keine Verblüffung. Sie brachten keine Anregung.

Es ist sicher nicht richtig, in diesem Zusammenhang zu überlegen, wozu Feste dienen. In der Phase der Vorbereitung wurden genügend Diskussionen darüber geführt, und im großen und ganzen waren sie nutzlos. Nach meiner Erfahrung sind Diskussionen nutzlos. Der Anblick der tatsächlichen Ereignisse, das Erleben und Verstehen der Ereignisse schafft Einsichten und zeigt uns etwas...

Die Vorbereitungen für dieses besondere Fest waren mühsam. Niemand wußte, was von ihm erwartet wurde. Al•Ith wollte das Fest: und deshalb sollte es natürlich stattfinden... aber sie war doch nicht da? Wollte sie für das Fest zurückkommen? Wenn nicht, was sollte das Ganze? Hatten die Versorger es angeordnet? Aber das glaubten wir nicht.

Das Fest fand statt. Es dauerte eine Woche, und es war das größte Fest mit den meisten Teilnehmern seit Jahren. Alle Regionen schickten ihre Sänger und Erzähler. Wie üblich war alles sehr hübsch und – köstlich. Ich gebrauche dieses Wort mit Sarkasmus...

Ich und andere von uns – die Organisatoren und Aktiven – hatten allen Grund, sarkastisch zu sein. Trocken. Und enttäuscht. Nichts geschah, das nicht schon tausendmal vorher geschehen war. Jedes Lied, jedes Gedicht, jede Geschichte wurde gekonnt, glatt und lächelnd vorgetragen, und so gespannt wir auch zuhörten, so sehr wir auch versuchten, mit Al•Iths Ohren zu hören, wir hörten nichts, das auf mehr hinwies, als wir bereits wußten.

Natürlich war Murti• die ganze Zeit über anwesend, und in gewisser Hinsicht war sie Al•Ith... aber sie wirkte nicht überzeugend. Sie verhielt sich gleichgültig, ja sogar mecha-

nisch, wie jemand, der sich einer ungeliebten Pflichtübung unterzieht.
Und nach dem Fest war alles vorbei.
Ich glaube, ich übertreibe nicht, wenn ich sage, es hing zum Teil damit zusammen, daß dieses Fest bereits stattgefunden hatte – aber an einem anderen Ort. Denn Al•Iths Geschichte hat uns alle gelehrt, daß die Vorgänge in einer Zone Auswirkungen auf die anderen Zonen haben; selbst wenn wir glauben, Feinde zu sein oder alles vergessen, was jenseits unserer Grenzen geschieht. Wir teilen sogar unsere Phasen der Trägheit, Beschränktheit und der Selbstbeweihräucherung und tauschen sie gegenseitig aus. Als diese Frauen sich abmühten und darum kämpften, ihre armen Köpfe zu heben, damit sie unsere Berge sehen konnten, die hoch über ihnen aufragten, war es, als speisten sie insgeheim Quellen mit Kraft und Energie, aus denen wir uns alle nährten. Al•Iths erzwungener Abstieg in dieses trostlose Land diente uns allen... paradoxerweise wurde unser Fest auch deshalb kein großer Erfolg, weil sich die Lage in unserer Zone besserte. Es war zu spüren, obwohl es nicht offen ausgesprochen wurde. Zum Beispiel die Tiere, die aus allen Regionen kamen und zusammen vor den Mauern von Andaroun weideten – sie waren keineswegs melancholisch, sondern zeigten auf ihre Weise eine übermütige Stimmung. Sie tobten und spielten miteinander, und wir sagten scherzend, das Fest würde sicher prächtigen Nachwuchs zur Folge haben. Natürlich suchten wir in uns Zeichen eines neuen Geistes – und glaubten, sie zu entdecken. Obwohl nicht viel darüber gesprochen wurde... das Blatt hatte sich gewendet... wir wagten bereits, auf eine *vergangene*, schlechte Zeit zurückzublicken. Und Al•Ith wurde allgemein mit dieser Zeit in Zusammenhang gebracht. Da wir bereits ungern über diese Zeit nachdachten, wurde auch weniger über Al•Ith gesprochen. Natürlich waren ihre Besuche bei uns besprochen worden. Die unterschiedlichsten Versionen waren im Umlauf. Und in allen Geschichten wirkte sie bizarr. Als sei sie von einem Makel befleckt und verseucht. Ich weiß aus Erfahrung, daß die Menschen sich in der Regel weigern, sich den Versehrten und

Verletzten zu öffnen, wenn sie nicht dazu gezwungen werden. Die Wurzel ist Furcht davor, selbst niedergeworfen zu werden. Ich muß jedenfalls festhalten, daß sich die Stimmung in Zone Drei hob. Zuversicht und Lebensmut stellten sich bei uns und unseren Tieren wieder ein. Deshalb dachte man seltener an Al•Ith, dachte sogar mit Widerwillen an sie. Ich fürchte, das ist das richtige und zutreffende Wort.
Diese Chronik ist unter anderem auch ein Versuch, im Herzen und in der Erinnerung unseres Volkes eine Vorstellung von Al•Ith lebendig werden zu lassen, ihr den richtigen Platz in unserer Geschichte zuzuweisen. Es genügt nicht, wenn eine Minderheit sie aufsucht, sich mit ihr identifiziert oder in ihrer Nähe leben will, wenn die überwältigende Mehrheit in ihr nur einen Menschen sieht, der in unseren Augen Aspekte unserer selbst verkörpert, mit denen sich zu beschäftigen uns als gefährlich erscheint...

Langsam betrat Al•Ith den Pavillon. Sie spürte, daß sie müde war und sich bald ausruhen mußte – und dort am Fußende des Diwans saß Ben Ata. Er hatte seine Heldenbeine mit den Sandalen an den Füßen weit ausgestreckt und blickte sie mit blassem, versteinertem, verwundetem Gesicht an. Er stand auf und näherte sich ihr tragisch, sie sah, daß er sie im nächsten Augenblick schlagen würde.
»Wo warst du, Al•Ith?«
»Auf einem Fest... bei den Frauen«, antwortete sie mit der kühlsten und erstauntesten Stimme, die wie Wasser auf seine Flammen wirkte, und sie sah, wie er die erhobene Faust wieder sinken ließ.
»Und das soll ich dir glauben?«
»Aber warum solltest du es mir nicht glauben?« fragte sie mit der vernünftigen Stimme ihres wahren Ich. Noch vor wenigen Stunden dachte sie, dieses Ich für immer verloren zu haben.
Plötzlich riß er sie an sich und vergrub sein Gesicht in ihrem Nacken und ihren Haaren – sie begriff, daß er an ihr roch, um festzustellen, ob der Geruch eines Mannes an ihr haftete – Jarnti vielleicht? Aber vermutlich war Jarnti die ganze Zeit bei

ihm gewesen und hatte Kriegspläne entworfen. Al•Ith empfand eine gewisse Genugtuung wie bei einem vielversprechenden Schüler. Denn als sie sich kennenlernten, wäre Ben Ata nicht zu diesem praktischen, vernünftigen Verhalten fähig gewesen, an ihr zu schnuppern, um festzustellen, wonach sie roch, und ebensowenig wäre er zu dem in der Lage gewesen, was er als nächstes tat: Er nahm sie bei der Hand, setzte sich mit ihr an das Fußende des Diwans, blickte ihr – zwar noch immer mit blassem Gesicht und brennenden Augen, aber immerhin vernünftig – ins Gesicht und sagte: »Al•Ith, das darfst du nie wieder tun! Ich habe mich vor Sorge um dich gequält.«
Al•Ith, ebenso nachsichtig wie er, unterließ es, ihn daran zu erinnern, daß es in ihrem Land niemand einfallen würde, sich ihretwegen Sorgen zu machen. Tatsächlich fiel es ihr inzwischen schwer, sich das überhaupt bewußt zu machen – aber es fiel ihr noch schwerer, sich die Gründe dafür ins Gedächtnis zu rufen. Denn sie lebte nun schon so lange im Bannkreis von Hierarchie und Rangordnung, daß sie bereits selbst begann, sich darauf zu stützen. So ließ sie zu, daß ihr wirkliches Unterscheidungsvermögen abstumpfte.
Sie versicherte Ben Ata, nichts liege ihr ferner, als ihn beunruhigen zu wollen. Sie beteuerte, ihr liege nur sein Seelenfrieden am Herzen – und sie konnte das alles unbekümmert sagen, weil es stimmte, vielleicht jedoch auf eine andere Weise, als er glaubte. Darüber hinaus hatte sich an diesem angenehmen, schattigen Ort, allein mit ihm, die Al•Ith wieder eingestellt, die Ben Atas anderes Ich war. Während sie prüfend in ein Gesicht blickte, das zu studieren sie gelernt hatte, als tauche dieses Gesicht plötzlich im Spiegel auf und behaupte, es sei ihr eigenes, sah sie, daß er in dieser Nacht wirklich gelitten hatte. Das Grübeln schien seine Schläfen gezeichnet zu haben, und der Mund sprach von echtem Leiden. Sie sah, wie er sich vorbeugte, um ihr Gesicht zu durchforschen, ihr in die Augen zu blicken, als läge darin ein Geheimnis und als wäre er von dem unerbittlichsten aller Richter dazu verurteilt, es zu ergründen. Mit einem Seufzen, dem sie nicht erlaubte, zu einem Aufstöhnen zu werden, sah sie in ihm wieder den Mitgefange-

nen. Sie staunte darüber, daß dieser angespannte, vom Leid gezeichnete Mann der ungehobelte, muskulöse Ben Ata der ersten Tage sein sollte. Sie umarmte ihn, wie er sie umarmte; als sie sich liebten, schenkten sie sich Trost und Sicherheit. Als seine Hand nach dem Kind tastete, das sehr lebhaft auf die Bewegungen ihrer Körper reagierte, als wolle es an ihrer Liebe teilhaben – als sei sie das Versprechen auf ein Fest –, geschah dies mit einer Achtung und einem Versprechen, das nicht einer Erweiterung seiner oder ihrer Person galt; sondern es war eine Huldigung der Möglichkeiten, die in ihnen beiden lagen, eine wohlüberlegte und bewußte Huldigung. Als Al•Ith die sanfte, zurückhaltende Kraft der suchenden Finger spürte, wußte sie, daß er damit nicht nur das Versprechen auf ein vertrautes Entzücken anerkannte, sondern auch das Unerwartete und Unbekannte. Denn diese Verbindung des Unvereinbaren konnte nichts weniger als eine Herausforderung sein.

Al•Ith spürte, daß sie diesen Mann wirklich liebte, und diese Liebe verband sie endgültig mit den Frauen, mit denen sie während der Erinnerungsrituale zusammen gewesen war.

Aber ihr sank das Herz, als sie sich diese Bindung an ihn eingestand – sie konnte sich nicht mehr daran erinnern, was sie für die Männer empfunden hatte, mit denen sie in ihrem Reich in einer Beziehung stand; aber sie wußte, daß es sich nicht mit dem vergleichen ließ, was sie für Ben Ata empfand. Es war, als vertauschte sie Licht und Luft gegen Bande, die sie beim Atmen einschnürten und ihr ins Fleisch schnitten.

Als sie aus ihrer Verschmelzung auftauchten, wartete auf Al•Ith eine neue Aufgabe.

Sie sollte mit Ben Ata vor dem Heer erscheinen.

Ben Ata begleitete sie in ihre Gemächer. Mit vor Konzentration gerunzelter Stirn betrachtete er prüfend eines ihrer Kleider nach dem anderen. Schließlich nahm er ein prächtiges, golddurchwirktes Gewand aus dem Schrank, das reich bestickt war. Er traf diese Wahl mit einem leidenschaftslosen Gespür, das nichts mit ihr oder mit ihm zu tun hatte, sondern nur mit ihrer Rolle als Königin dieses Landes.

Und natürlich als Mutter des Erben.

Sie zog das Gewand an, während er mit verschränkten Armen an der Wand lehnte und andere Möglichkeiten in Erwägung zog. Mit prüfendem Blick drehte er sie hierhin und dorthin. Sie erlaubte es sich, passiv zu sein, sein Geschöpf. Schließlich nickte er, deutete aber mit den Augen an, daß das offene Haar nicht angemessen sei. Sie flocht es in Zöpfe und legte sie um ihren Kopf. Als er immer noch nicht zufrieden zu sein schien, befestigte sie ein kleines Goldnetz über der Frisur, das die gebändigte Masse noch weiter einzuengen schien, in die er, während sie sich liebten, seine Hände, sein Gesicht vergrub, und das sie beide umhüllt hatte, als könnte das Zelt aus glänzenden Haaren die Welt für immer ausschließen.
Vor dem Pavillon, zwischen den Springbrunnen wartete ihr Yori. Er war aufgezäumt und kaute und biß auf der Trense, um sie zu lockern. Unter einem schweren Ledersattel mit Goldprägung lagen golddurchwirkte Decken. Ben Ata erwartete, daß sie Einspruch erheben würde, und das tat sie auch, aber nur, indem sie ihm mit den Augen zu verstehen gab, daß der arme Yori ausnahmsweise für diese Gelegenheit so gefesselt werden dürfe. Aber Ben Ata, der breitbeinig und mit verschränkten Armen vor ihr stand, erwartete nicht, daß sie sich gegen etwas Unvermeidliches auflehnen würde; denn er zeigte nicht das Unbehagen, das sich mit einem falschen Standpunkt einstellt; und sie reagierte nicht verdrießlich oder gereizt.
Er hob sie aufs Pferd, ordnete ihr Kleid und strich es glatt, damit man die Wölbung ihres Leibes deutlich sah. Al•Ith half ihm dabei.
Während er das Pferd am Zügel an den Springbrunnen vorbeiführte, legte sie ihre Hand auf Yoris Hals und sagte ihm, daß die Schmach und das Unbehagen bald vorüber sein würden.
Am Fuß des Hügels, in der Nähe des Korrals, rief er nach seinem Pferd, das gesattelt und gezäumt über die Mauer sprang und auf ihn zutrabte. Ben Ata sprang in den Sattel, und König und Königin galoppierten hinunter zu den Wiesen, wo die Armee aufmarschierte und sich formierte. Zwischen den dampfenden Kanälen wirkten die Soldaten wie rote, blaue und goldene Muster auf Quadratkilometern dunstigen Grüns.

Als Ben Ata und Al•Ith sich ihnen näherten, kam jede Bewegung zum Stillstand. Die glänzenden Trompeten schmetterten, als hundert Trompeter sie an die Lippen setzten; die Trommeln schlugen, und es schienen Hunderte zu sein. Der gewaltige Trommelwirbel ließ die Erde erzittern und übertönte den weichen Trommelschlag in Ben Atas und Al•Iths Abgeschiedenheit. Zu all diesem Aufruhr und Getöse gesellten sich die Hochrufe, die einsetzten, als das Herrscherpaar das Paradefeld erreichte, und nicht aufhörten, bis sie es wieder verließen, und das war erst sehr viel später. Die Soldaten konnten sich nicht satt sehen am Anblick von Al•Ith, der Königin jener legendären Zone, auf dem großen Rappen, der seit langem in ihren Liedern und Geschichten immer wieder auftauchte. Endlich konnten sie alle sie sehen. Sie war so schön in ihrem goldenen Kleid. Und sie sahen den Beweis dieser Ehe – die kräftige, stolze Wölbung ihres Leibes.

Die Hochrufe erhoben sich wie ein Sturm, der über Felder und Wälder jagt, ergossen sich wie ein Regen, waren wie ein anhaltender Wind, der aus allen vier Himmelsrichtungen gleichzeitig bläst.

Die Trommeln hörten nicht auf zu schlagen, und die Trompeten bliesen eine Fanfare um die andere.

Natürlich gibt es immer einen Unterschied – und muß es geben – in der Art wie ihre und unsere Künstler die verschiedenen Ereignisse der Geschichte unserer Königin und ihres Königs darstellen.

Es hat nie an Gelehrten gemangelt, die nur zu bereitwillig ihr ganzes Leben der Untersuchung dieses oder jenes Bildes oder dieser oder jener Ballade widmen. Obwohl mir ein solches Unternehmen nicht sehr nützlich zu sein scheint, muß ich zugeben, daß ich immer die unterschiedlichen Akzente untersucht habe, die beide Länder setzten. So ließen zum Beispiel Szenen, die bei uns sehr beliebt waren, sie gleichgültig, und natürlich galt das auch umgekehrt.

In der Zone Vier war die Szene, in der Al•Ith das Heer abreitet, immer die beliebteste. Angesichts der Anzahl und Größe der Bilder, Balladen, Lieder und Geschichten könnte man leicht glauben, dies sei das einzig wichtige Ereignis in dieser Ehe gewesen. Es ist nicht übertrieben zu behaupten, wenn in einem Haus, in einem öffentlichen Gebäude überhaupt ein Bild hängt, dann ist es eine Darstellung dieser Szene. Meist kommt es der Wahrheit ziemlich nahe – warum sollte in der Zone Vier das Bedürfnis bestehen zu entstellen oder auszuschmücken, was man an diesem Tag sehen konnte?

Ben Ata ritt voran. Entsprechend seiner Gewohnheit war er nicht aufwendiger gekleidet als sein einfachster Soldat. Er trug eine Ledertunika, die die Oberschenkel bis zur Hälfte bedeckte, und an den nackten Füßen Sandalen. Darüber eine leichte Tunika aus einem glänzenden, silbrigen Material: das »undurchdringliche« Hemd. Er trug sein berühmtes Schwert, das niemand außer ihm heben konnte – so erzählte man sich wenigstens, obwohl natürlich viele der starken Soldaten wußten, daß sie es ebenso gut wie Ben Ata führen konnten. Ben Atas Schlichtheit war ein Zeichen von Klugheit in einer Armee, in der die geringsten Rangunterschiede durch alle möglichen Tressen, Streifen und Abzeichen markiert wurden; in einer Armee, die im kleinsten Detail hierarchisch gegliedert war. Einerseits schützte Ben Ata dadurch die untersten Ränge. In dieser Masse von Männern, die nie so oft Krieg führen durften, wie sie wollten, für die Feldzüge wie Extraportionen rationiert wurden, die im Laufe eines Jahres höchstens ein paar Scheinkriege und Manöver erwarten konnten, kam es immer wieder zu Kämpfen. Und kein Soldat, der einen anderen im Dunkeln anfiel oder glaubte, in einer Bar einen Streit vom Zaun brechen zu müssen, konnte sicher sein, daß es sich bei dem Unbekannten nicht um Ben Ata handelte. Das war das eine. Zum anderen zeigte er seinen stolzen und rivalisierenden Offizieren, daß er immer über ihnen stand, von ihnen getrennt war, indem er sich so entschlossen mit den einfachsten seiner Männer gleichsetzte. Und die Offiziere wußten, daß sie in seinen Augen nicht mehr galten, als der geringste der neuen Rekruten. Ben Ata stand immer unter dem Druck, sich eine prächtige Uniform zuzulegen, aber er tat es nicht.

Wenn er an der Spitze der Armee ritt, entzündeten sich an

seinem Anblick stets die Emotionen. Alles konzentrierte sich auf ihn, den König, der aufrecht und sicher im Sattel saß; seine kraftvollen braunen Beine wirkten wie Baumstämme und aus seinen grauen Augen strahlte Güte.
Hinter ihm, nur halb so groß wie er, reitet Al•Ith auf ihrem schwarzen Pferd. Der Pferdehals wölbt sich unter dem straffen Zügel. Sie reitet im Damensitz und ist hochschwanger. Auf manchen Bildern ist das Kind bereits geboren, und sie hält es auf dem Arm: ein großes Kind, neben dem sie klein wirkt. Ihr Gesicht ist konventionell mit dem festen, stumpfen Blick dieser Menschen dargestellt. Sie lächelt und streckt eine Hand aus, mit der Handfläche nach oben. Auf der Handfläche liegt ein kleiner Gegenstand, der die Zone Drei symbolisieren soll – es ist ein Berg.
Wie man sich denken kann, ist diese Szene bei uns nie sehr beliebt gewesen. Lange Zeit wurde sie überhaupt nicht dargestellt. Dies lag nicht nur daran, daß man sie als schmerzlich und entwürdigend empfand. Nein, nicht nur das. Wir alle spürten eine Zwiespältigkeit darin, obwohl nur wenige von uns in der Lage sind zu verstehen – nämlich die, die bereit waren, sich um Verständnis zu bemühen –, was es für Al•Ith bedeutete, auf diese Weise in diese Zone hinabzusteigen.
Aber später griffen unsere mutigeren Künstler das Thema auf und versuchten sich an ihm – gerade weil es so schwierig war.
Bald verlor man das Interesse an den früheren, ungeschliffeneren Darstellungen: Einige zeigten Al•Ith sogar gefesselt oder mit einer Kette um den Hals. Aber die meisten konzentrierten sich mehr auf die Soldaten als auf Al•Ith, die zu einer bedauernswerten marionettenhaften Gestalt auf ihrem Pferd reduziert war. Statt dessen sahen wir die Gesichter der Soldaten, die begeistert in Hochrufe ausbrachen und eher wie Tiere vor einer großen Fütterung wirkten. Kurz gesagt, diese ersten Bilder neigten alle zur Karikatur.
Schließlich machte sich eine Gruppe von ernsthafteren Künstlern daran, die Szene nicht wesentlich anders darzustellen, als sie im allgemeinen in der Zone Vier gezeigt wurde – was nicht

einer gewissen Ironie entbehrte und natürlich von einigen von uns sehr geschätzt wurde.
Die Bilder konzentrierten sich vor allem auf Al•Iths goldenes Kleid – ihr üppiges, besticktes Kleid und ihre geflochtenen, hochgesteckten Haare. Sie verschwindet beinahe unter schwerem Stoff und Schmuck. Ihre Schwangerschaft wird nicht übergangen, aber auch nicht besonders betont. Das Gesicht ist nur angedeutet. Sie reitet durch die Reihen der Männer in Uniform, die in allen Einzelheiten dargestellt sind. Diese Bilder kennt man bei uns unter dem Titel »Al•Iths Kleid«!
Daneben kursierten auch ein paar komische Verse über Al•Iths Kleid und seine Erlebnisse, als spiele Al•Ith dabei keine Rolle.
Und doch gelang es all diesen Darstellungen nicht, Al•Iths wahre Gefühle wiederzugeben, als sie Stunde um Stunde in der feuchten Schwüle hinter Ben Ata herritt und das ohrenbetäubende Getöse sie beinahe ohnmächtig werden ließ.
In Wahrheit beobachtete sie Ben Ata genau. Sie lächelte nicht und winkte den Soldaten auch nicht zu, denn sie wußte, es wurde von ihr nicht erwartet – sie war nicht mehr als ein Symbol. Es stand Ben Ata zu, sich durch den Ausdruck seines Gesichts und seiner Augen darzustellen. Ihm entging nichts. Sie bemerkte, daß er mit einem Blick jede Einzelheit einer Kompanie in sich aufnahm, während er langsam an ihr vorbeiritt. Sie wußte, er speicherte alles, was er gesehen hatte, um es später auszuwerten. Sie wußte, er würde im Kreis seiner Offiziere zur Sprache bringen, was ihm aufgefallen war.
Sie neigte dazu, diese Rolle zu vergessen, die schließlich seine wahre Rolle war, seine Aufgabe und sein Wesen – der Repräsentant und Führer seiner Männer. Sie verstand und respektierte das aus dem Wissen über sich selbst und ihre Funktion.
Während sie Ben Ata beobachtete, stellte sie fest, daß er alles bis ins kleinste Detail beherrschte, was von ihm verlangt wurde.
Dafür achtete sie ihn. Sie liebte ihn.
Sie hatte in diesem geschmacklosen Kleid vielleicht das Gefühl, daß man beinahe mehr von ihr verlangte, als sie ertragen

konnte, aber andererseits – und das war ihr ebenso klar wie Ben Ata – war es notwendig.
Al•Ith war keine Gefangene in dieser dampfenden, feuchten Ebene unter tausenden und aber tausenden Soldaten, während sie Ben Ata beobachtete und sein Verhalten billigte.
Nach meiner Ansicht kommt keiner unserer Künstler, Balladendichter oder Sänger der Wahrheit dieser Szene nahe. Vielleicht sind es die Bilder der Zone Vier, auf denen das Kind bereits geboren ist und manchmal sogar auf einem Pony vor Ben Ata und Al•Ith herreitet, die die Wahrheit am ehesten treffen.
Als die Parade endlich vorüber war und die vielen Kompanien über die Ebene in ihre Lager zurückmarschierten, waren die beiden weit von ihrem Pavillon entfernt, und es war Abend.
Nicht weit entfernt lag eine alte Festung, und dorthin ritten sie jetzt in gutem Einverständnis Seite an Seite. Er war ihr für ihr Entgegenkommen nicht dankbar, denn Dankbarkeit ist nicht angebracht, wenn etwas Notwendiges getan werden muß; aber er wußte, der Tag hatte ihr viel abverlangt. Außerdem war sie blaß und gestand, daß sie Kopfschmerzen hatte. In der Festung half er ihr, den armen Yori abzusatteln und abzuzäumen, ehe er sich um sein Pferd kümmerte. Sie ließen beide Pferde für die Nacht frei, nachdem Al•Ith ihnen gesagt hatte, sie sollten am nächsten Morgen wieder zur Stelle sein. Die Tiere galoppierten mit wehenden Mähnen davon und wieherten erleichtert über ihre Freiheit. Dann wälzten sie sich im weichen Gras, während die beiden sie beobachteten.
»Schon gut, Al•Ith, du brauchst es nicht zu sagen«, bemerkte er.
»Es besteht kein Grund«, erwiderte sie leise und leidenschaftlich, »es besteht kein *Grund,* aus Geschöpfen Sklaven zu machen, die aus Liebe bereit sind zu tun, was man von ihnen verlangt.«
Bei diesen Worten umarmte er sie in einer Art seufzender Entschuldigung, löste ihr Haar und vergrub sein Gesicht darin. So blieben sie stehen, bis sie die Kälte spürten und feststellten, daß der aufsteigende Nebel ihnen bereits an die Hüfte reichte.

Sie gingen in die Festung. Sie nahmen beide bereitwillig Mühsal auf sich, wenn es notwendig war und freuten sich geradezu über die Ferien von der Bequemlichkeit und den Annehmlichkeiten des Pavillons. Die große Halle mit dem nackten Steinboden und dem eingefallenen Dach, durch das die Sterne schienen, entsprach mehr ihrer augenblicklichen Stimmung. Sie saßen beim Schein der Sterne beisammen und verschwendeten keinen Gedanken an Essen oder Trinken.
Mitten in der Nacht hörten sie, wie die Pferde draußen wieherten und miteinander sprachen. Sie gingen hinaus und streichelten sie. Es war kalt, und am Himmel funkelten unzählige Sterne. Sie blickten beide zu der schneebedeckten Masse der Berge hinauf, die über ihnen aufragten und den Himmel füllten. Plötzlich sagte Ben Ata erregt und traurig: »Oh, Al•Ith, du wirst dich freuen, wieder nach Hause zurückzukehren. Ich weiß das, aber...« Und wieder nahm er sie fest in die Arme, und sie schmiegte sich an ihn.
Natürlich wußte sie, daß dieser Aufenthalt in seiner Zone nur vorübergehend sein konnte, und natürlich sehnte sie das Ende herbei, aber seit langem hatte keiner von beiden ausgesprochen, daß sie ihn wieder verlassen mußte. Al•Ith weinte. Trauer und das Gefühl des Verlusts erfüllten sie.
Daß dies die Wahrheit sein sollte, war mehr, als sie verstehen oder hinnehmen konnte. Es schien, als habe sie sich vor langer Zeit von allem getrennt, was sie verstehen konnte, und sie fühlte sich von den Gegensätzen in sich selbst hin und her gerissen.
Und so klammerte sie sich an ihn. Sie glaubte, ohne ihn sei sie nichts mehr. Er hielt sie in den Armen, und auch er dachte, ohne sie sei er nur noch ein halber Mensch.
Sobald es hell wurde, gingen sie zu den Pferden hinaus und ritten weiter. Ben Atas Pferd war gesattelt und gezäumt, aber ihr Tier nicht.
Er hatte ihr eine Reise wenigstens durch einen Teil seines Landes versprochen; und jetzt war der geeignete Zeitpunkt gekommen, denn bald würde sie zu schwerfällig sein, um lange ohne Beschwerden reiten zu können.

Das Land bestand nicht nur aus der niedrigen und feuchten Ebene. Sie ließen die Zentralebene bald hinter sich und ritten in ein trockeneres, bewaldetes Gebiet mit verstreuten Dörfern. Die Siedlungen waren klein und arm. Die Felder in ihrer Nähe hatten guten Boden, aber sie wurden lieblos bearbeitet.
Auf den Feldern arbeiteten Frauen, Kinder und alte Männer – die jungen Männer dienten in der Armee.
Wenn die beiden vorüberritten, unterbrachen alle die Arbeit. Hier gab es keine Hochrufe, noch nicht einmal Anzeichen dafür, daß man sie erkannte. Al•Ith begriff, daß die Leute nicht wußten, daß dies ihr König war. Sehr wahrscheinlich ahnten sie auch nicht, daß sie seit kurzem eine Königin hatten.
Sie trugen grobgewebte, braune Gewänder und benutzten primitivste Arbeitsgeräte. Bei uns stehen solche Dinge seit langem im Museum.
Wenn sie an den Hütten und Häusern der Dörfer vorbeiritten, hielt Al•Ith nach Marktplätzen, Festplätzen und Versammlungsorten Ausschau. Sie suchte Lagerhäuser und Vorratsschuppen, die Läden und Werkstätten der Handwerker.
In letzter Zeit verblaßte die Erinnerung an das Leben in Zone Drei immer mehr, aber was sie sah, rief es ihr wieder ins Gedächtnis. Erschüttert und traurig verglich sie den Reichtum und die Annehmlichkeiten ihres Landes mit dieser Armut und Kargheit, die noch nicht einmal jemandem bewußt war.
Zuerst blickte sie Ben Ata immer wieder an, um herauszufinden, wie das alles auf ihn wirkte, aber an den verstohlenen Blicken, die er ihr zuwarf, erkannte sie, daß er hoffte, etwas von ihr zu lernen. Dann sah sie ihn nicht mehr an, denn sie fürchtete, ihre Augen könnten verraten, wie armselig ihr dieses Land erschien. Sie wollte ihn nicht verletzen. Aber im Lauf des Tages wurde sie immer niedergeschlagener und bedrückter. Sie ritten weiterhin durch bewaldetes Gebiet mit gutem Boden, der fruchtbar hätte sein können, und vorbei an den kahlen, windgepeitschten, sumpfigen Feldern, die die Dörfer umgaben. Sie ritten durch Dörfer, die nichts als An-

sammlungen von Behausungen waren, die den Menschen vermutlich nur zur Sicherheit dienten.
Sie bat darum, ein Haus von innen zu sehen. Sie äußerte diese Bitte in einem der besseren Dörfer. Dort hatte man wenigstens den Versuch unternommen, die Dorfstraße mit Steinen zu pflastern – in anderen Dörfern bestand sie nur aus Pfützen und Schlamm oder hartgebackenem Lehm.
Auf einem Baumstumpf vor dem Eingang eines Hauses saß eine alte Frau. Sie trug einen dicken braunen Rock und eine Art Lederwams mit zerschlissenen Ärmeln, durch die man die welken Arme sah. Sie stand auf, als die beiden näher kamen und sah sie prüfend und verwundert an. Sie schien zu wissen, daß dies wichtige und mächtige Besucher sein mußten, wenn sie nicht sogar ahnte, daß es sich um ihren König handelte, denn sie versuchte zu lächeln und bemühte sich um eine Art Knicks, bei dem sie beinahe das Gleichgewicht verlor. Ben Ata sprang vom Pferd, stützte sie und sagte: »Dürfen wir in dein Haus kommen und uns setzen?«
Sie sahen, daß ihr noch niemand eine solche Bitte gestellt hatte, denn sie mußte über den Sinn der Worte erst nachdenken. Sie nickte und ging vor ihnen ins Haus. Sie kamen in einen nicht allzu kleinen Raum, in dem offensichtlich mindestens zehn Menschen lebten, denn in einer Ecke stapelten sich Felle und gewebte Decken, um Platz für die Tagesarbeit zu schaffen. Das Dach war anscheinend haltbar, aber kunstlos mit Gras gedeckt und der Boden mit Steinplatten ausgelegt. In einem Kamin hingen Fleischstücke und Schinken zum Räuchern. Zwischen den Balken waren Schnüre mit Gemüse und Kräutern gespannt. Eine Tür im Hintergrund führte in die Vorratskammer. Wenn sie auch sonst nicht viel besaßen, so verrieten die Krüge und Fässer doch, daß die Familie oder Sippe wenigstens genug zu essen hatte.
Im Zimmer standen nur ein paar Bänke und ein Webstuhl.
Die alte Frau folgte ihnen mit unsicherem Lächeln und erstauntem Blick. Von Zeit zu Zeit strich sie hastig über ihr dünnes, weißes Haar, wenn sie glaubte, etwas in dieser Art sei angebracht. Als die beiden sich bei ihr bedankten und ohne sich zu

setzen wieder hinausgingen, lächelte sie und machte wieder einen Knicks. Sie stiegen auf ihre Pferde und ritten an Türen vorbei, aus denen Kinder und ein paar alte Leute sie anstarrten.
So ging es den ganzen Tag. Am Abend erreichten sie eine kleine Stadt, und hier war alles etwas besser. Ben Ata hätte gerne seinen Stolz gezeigt, wenn sie ihn dazu ermutigt hätte. Aber Al•Ith fühlte sich mutlos und konnte nicht einmal lächeln. Es gab eine Art Gasthaus, das aus einem großen Raum bestand. Die Reisenden konnten hier etwas essen und auf Bänken im Sitzen vor sich hin dösend die Nacht verbringen. Man erkannte sie, und alle Leute in der Stadt strömten herbei, um sie anzustaunen und zu bewundern. Sie aßen Suppe, Brot und gebratenes Geflügel in Gesellschaft einiger Reisender, die aus lauter Ehrfurcht keinen Bissen hinunterbrachten. Nach dem Mahl bedankten sie sich bei den Leuten der Stadt und ritten in den Wald, wo sie die Nacht wieder wachend verbrachten und nur hin und wieder in einen leichten Schlaf fielen.
Er fragte nicht, was sie dachte, und sie sagte es ihm nicht. Aber insgeheim plante sie einen Besuch Ben Atas in ihrem Land, damit er es mit eigenen Augen sehen konnte. Wenn sie sich hier in dieser schweren leblosen Luft akklimatisieren konnte, würde er sich wohl auch an die Atmosphäre der Zone Drei gewöhnen. Aber würde ein solcher Besuch erlaubt sein? Würden die Versorger so etwas billigen? Sie saß, umschlungen von seinen starken Armen, unter dem großen Baum, den sie sich als Schutz ausgesucht hatten, und fragte sich, ob er etwas Ähnliches dachte. Sie atmete den Geruch der fruchtbaren, lehmigen Erde ringsherum und wußte, daß es in ihrem Land nichts gab, das er in seinem Reich nicht ebenfalls erreichen konnte. Wenn das zu dem Befehl gehörte, den sie befolgen mußten.
Sie setzten diese Reise mehrere Tage fort. Manchmal trafen sie auf größere Städte, aber meist waren es nur kleine. Und überall bemerkte sie dieselbe geordnete und begrenzte Funktionstüchtigkeit, die verrät, daß ein Zentrum seiner Umgebung dient – aber auch nicht mehr. Es gab unzählige Dörfer. Alle verrieten

ein Leben, das an Armut grenzte. Nirgends sah man junge Männer, Männer in den besten Jahren oder im mittleren Alter. Die Frauen waren sehr groß und sehr stark, als habe man sie schon sehr früh in ihrem Leben gezwungen, Eisen zu schlukken, das sie nie verdauen konnten. Aus den Augen der Alten sprach deutlich, daß sie gelernt hatten, nichts zu erwarten. Die Kinder wirkten nicht verspielt oder lebhaft, sondern starrten sie kalt, vorsichtig und argwöhnisch an. Inzwischen erinnerte sich Al•Ith wieder genau an ihr Land, obwohl jeder Gedanke daran sie schmerzte und sie halb wünschte, es wieder vergessen zu können. Eine schreckliche Unruhe ergriff von ihr Besitz, ein Leid, das aus dem Konflikt erwuchs. Sie war völlig zerrissen, mit sich zerstritten, und alles in ihr lag im Widerstreit. Vor allem dachte sie daran, daß es dem Kind in ihrem Leib bestimmt war, dieses öde und verarmte Land zu regieren – der Gedanke lastete kalt und bitter auf ihr, und sie fühlte sich dem Kind entfremdet. Normalerweise legte sie ihre Hand gerne auf den Bauch und grüßte das kleine Wesen. Sie freute sich darüber, wie es sich streckte und bemerkbar machte. Sie brauchte das Gefühl, ihm Stärke und Vertrauen zu schenken. Aber jetzt stockte ihre freundliche Hand und wollte sich von dem Kind fernhalten, als könne ihre Berührung nur Zweifel und zerstörerische Botschaften vermitteln. Sie konnte sich auch nicht ihrer aller Zukunft vorstellen: Zwischen ihr und dem, was kommen sollte, lag ein Nebel. Sie konnte sich nicht daran erinnern, jemals nicht gewußt zu haben, was ihr bevorstand, um sich darauf vorzubereiten.

Die Al•Ith, die ihrem Mann schließlich sagte, sie habe genug gesehen, sie sei weit genug geritten und sei bereit, »nach Hause« zurückzukehren – damit meinte sie den Pavillon und nicht ihr eigenes Reich –, unterschied sich sehr von der, die ausgeritten war, um sich der Armee zu zeigen.

Sie wendeten und kehrten langsam zur Zentralebene zurück. Sie aßen in Städten, in denen es Gasthäuser gab, verbrachten die Nächte aber immer im Wald, in einer Festung oder in einer Ruine.

Auf dem Rückweg dachte Al•Ith die ganze Zeit darüber nach,

was diesem Land widerfahren sein mochte, um es in den Zustand zu bringen, in dem es sich befand. Wie hatte es wohl in früher Vergangenheit ausgesehen, ehe es nur dem Krieg diente – und wie konnte man Ben Ata überzeugen, etwas zu tun, um eine Änderung herbeizuführen?

Ben Ata war unruhig und sehnte sich danach, zu seiner Armee zurückzukehren.

Denn während der sorgfältigen Inspektion seiner Truppen an jenem Tag hatte er gesehen, daß sie nicht mehr lange mit Aufmärschen, Paraden und Zapfenstreichen zufrieden sein würden – er mußte ihnen etwas wie einen Krieg zugestehen, oder er war nicht mehr lange König.

Außerdem war er sich nach allem, was Al•Ith zwar nicht gesagt, aber unfreiwillig gezeigt hatte, bewußt, daß sein Land wirklich sehr arm war.

Völlig ratlos stand er vor einem Problem, das über seine Kräfte ging. Er fühlte sich unsicher und zweifelte an seiner Aufgabe.

Für beide begann eine neue Phase.

Wenn sie später an diese Zeit dachten, wußten sie, daß der gemeinsame Ritt durch sein Reich der Höhepunkt ihrer Ehe war, denn nie wieder kamen sie sich so nahe. Er wendete sich danach seinen Soldaten zu, und sie stellte fest, daß die Frauen sie in Beschlag nahmen und daß sie mehr Zeit mit ihnen als mit Ben Ata verbrachte.

Bald würde das Kind geboren werden, und es gab keine Frau in der ganzen Zone, die nicht von Al•Iths Besuch bei ihnen wußte. Jede Frau fühlte sich an diesem Abenteuer von Anfang bis zum Ende beteiligt.

Ben Ata kam jetzt abends spät nach Hause. Meist war er über und über mit Schmutz bedeckt und sehr oft müde. Man brachte das Essen aus der Lagerküche herauf, und nachdem er gebadet hatte, aßen sie gemeinsam. Nicht selten beschäftigte er sich in Gedanken mit anderen Dingen, antwortete aber bereitwillig, wenn sie ihn nach Neuigkeiten fragte, und hörte aufmerksam zu, wenn sie sich dazu äußerte. Aber sie verstand nichts vom Krieg. Sie interessierte sich zwar für dieses Leben, das ihr so

fremd war, aber sie konnte nicht viel dazu sagen. Deshalb sprach er oft überhaupt nicht, wenn er in den Pavillon kam. Er ging am liebsten früh zu Bett, da er immer im Morgengrauen aufstand. Sie war in dieser Zeit unförmig, fühlte sich nicht wohl und schlief schlecht. Aber wenn sie umschlungen auf dem Diwan lagen, schenkten sie sich gegenseitig Freundlichkeit und Wohlwollen. Er legte gerne die starke, schlanke Hand auf ihren Bauch, um die Bewegungen des Kindes zu spüren, bis ihr das Gewicht zuviel wurde. Dann drehte er sie um, damit sie ihm den Rücken zuwendete und legte seinen Arm unterhalb der Wölbung über den Bauch. Sie liebten sich sanft. Al•Ith hatte früher nicht oft mit einem Mann geschlafen, wenn sie schwanger war – zumindest glaubte sie das. Ganz bestimmt hatte sie während der Schwangerschaft mehr Zeit mit den Vätern verbracht als jetzt mit Ben Ata. Ihr schien, als hätten sie und die Väter, die die Eltern des Kindes waren, die Tage damit verbracht, es zu nähren, zu fördern und ihm Sicherheit zu geben. Die Zeit der Gemeinsamkeit schien von allergrößter Wichtigkeit zu sein. Aber diese Sicht der Dinge hatte so wenig mit Ben Atas Leben zu tun, daß sie nicht darüber sprach.
Deshalb verlief ihr Leben jetzt so, daß Ben Ata sie kurz nach Sonnenaufgang verließ, wenn sie noch auf dem Diwan unter der Decke lag, nachdem er gebadet, sich angekleidet, sie geküßt und ihr gesagt hatte, er freue sich schon darauf, sie abends wiederzusehen. Und Al•Ith beschäftigte sich in Gedanken bereits mit den Frauen, die bald aus dem Lager den Hügel heraufkommen würden. Ihr Kind wurde zumindest tagsüber von Frauen beeinflußt – von den Gesprächen der Frauen und von der Liebe der Frauen, die seine Geburt beinahe ebenso herbeisehnten, wie die Geburt eines eigenen Kindes. Auch daran konnte Al•Ith sich nicht erinnern. Sie kannte diese leidenschaftliche Identifikation mit der Geburt eines Kindes nicht, als handle es sich dabei um eine Art Selbsterfüllung; mehr noch, als sei eine Geburt der Triumph über eine Bedrohung oder sogar ein Unrecht und verdiene den wilden Jubel eines Kriegers über den besiegten Feind. In der Vergangenheit betrachtete man ihre Kinder – alle, die sie selbst geboren hatte –

mehr als eine Zusammenfassung, ein Zusammenfließen und eine Stärkung von Einflüssen und Ererbtem. Ein Neugeborenes wurde als Geistesverwandter, als Freude, als ein Geschenk begrüßt – aber gab es je dieses leidenschaftliche Bedürfnis, es zu besitzen, zu halten und zu bejubeln? Vielleicht ja...

Und noch etwas war hier ganz anders. Al•Ith war nie allein. Natürlich waren in ihrem Land die Väter und die Frauen, die mit der Erziehung des Kindes betraut sein würden, und die man als Mütter betrachtete, oft bei ihr und standen ihr nahe. Aber sie erinnerte sich an viele Stunden des Alleinseins, in denen sie und das Kind sich selbst und ihrer Verbindung überlassen waren. Hier hielt man jeden Wunsch, den sie in dieser Richtung äußerte, für ein Zeichen von Schwäche oder geistiger Erschöpfung. War sie vielleicht traurig oder ängstlich? Alle Frauen verhielten sich, als sei dies ihr erstes Kind, und Al•Ith brachte es nicht über sich, ihnen zu erzählen, wie ihr Leben als Mutter so vieler Kinder – der eigenen und der Waisen – ausgesehen hatte, denn sie verstanden nichts, was nicht mit Besitz im Zusammenhang stand, der ihnen gehörte – und das war es in ihren Augen.

Man hielt dieses Kind für Ben Atas Sohn und nicht für ihren Sohn. Al•Ith betrachtete man als einen Kanal oder ein Gefäß. Das war höchst merkwürdig und befremdlich. Al•Ith geriet deshalb täglich immer wieder aus ihrem mühsam errungenen Gleichgewicht und fragte sich, ob sie sich vielleicht irre und die Frauen im Recht seien. Aber wie konnten sie im Recht sein? Dieses *mein, mein, mein* im Zusammenhang mit einem Kind würdigte ausschließlich den Körper; aber auf welche Weise wurde man den höheren und subtileren Einflüssen gerecht, von denen sich jedes Kind nährte – das heißt jedes Kind, das von ihnen genährt und gestärkt wurde? Jeder konnte ein Kind von oben bis unten ablecken, als sei es ein Kätzchen oder ein junger Hund – woher kam ihr dieser Gedanke in den Sinn? Wie merkwürdig, so etwas zu denken! Jeder konnte ein Kind an sich pressen und Ähnlichkeiten feststellen: »Das ist meine Nase; das hat es von seinem Vater, das von meiner Mutter und das vom Großvater...« Jeder, selbst ein Pferd oder ein Hund, konnte auf diese Weise vererbte Züge nachweisen. All das machte natürlich viel Spaß, und niemand würde sich die Freude versagen, diese oder jene Erbanlage bei einem Kind zu suchen. Aber das war doch längst nicht alles... man durfte, *konnte* nicht von einem Kind sagen »mein, mein«, oder »unser, unser« Kind und darunter nur Elternschaft verstehen. Denn was an diesem neuen Wesen wirklich, schön und kostbar war, stand nur in Beziehung mit... etwas anderem...

Aber wo lag dieses Etwas? Al•Iths Gedanken schweiften ab und verschwammen. »Blau...«, murmelte sie, »ja, Blau... aber wo?« Sie stützte den Kopf in die Hände, schloß die Augen und versuchte, sich zu erinnern... sie sah eine unendliche Bläue, eine azurblaue Weite, die zwischen hohen Gipfeln schimmerte. Aber wo lag sie? Sie spürte Hände auf ihrer Schulter, und man schüttelte sie sanft. »Al•Ith, Al•Ith, was ist los? Geht es dir nicht gut?« Und gerade wenn sie kurz davorstand, sich *wirklich* zu erinnern, wurde sie zurückgerufen und zurückgezogen. Um sie herum standen besorgte und liebevolle Frauen; Dabeebs Arm lag um ihre Schultern; die Frauen redeten aufgeregt durcheinander und konnten nicht still sein. Reden, reden... das war alles, was sie taten. Und doch liebte Al•Ith sie und war dankbar für ihre Unterstützung. Schließlich sollte sie im Land dieser Frauen ein Kind gebären, nicht in ihrem eigenen, und Al•Ith wußte nicht, was ihr bevorstand.

Während Al•Ith so ihre Tage verbrachte, war Ben Ata von fieberhafter Geschäftigkeit erfüllt. Er dachte sich für das Heer komplizierte Kriegsspiele aus und inspizierte seine Truppen häufig. Er begeisterte sie mit zündenden Reden und Ermahnungen, spürte jedoch, daß er begann, sich dessen zu schämen, auch konnte er sich eines peinlichen Gefühls nicht erwehren. Mehr als einmal ertappte er sich dabei, daß er vor sich hinmurmelte: »Wie gut, daß Al•Ith nicht hier ist.« Ansonsten ritt er kreuz und quer durch sein Land, ohne den kleinsten Ort auszulassen. Er wollte erleben, wie er es mit seinen neuen Augen sah – die Sehweise war ein Geschenk von Al•Ith. Und außerdem gab es Gebiete, die er und Al•Ith auf ihrer langen

Reise nicht besucht hatten – er hatte sorgsam darauf geachtet, daß sie es nicht taten. Denn dort waren die Zustände schlimmer als alles, was sie gesehen hatten. Ben Ata sah deutlich und schmerzlich berührt die Armut seines Volkes. Oft überlegte er, wie es dort oben in ihrer Zone aussehen mochte, da sein Reich sie so schweigsam werden ließ und verstörte. Er konnte sich ein Land ohne Militär nicht vorstellen. Bereits der Gedanke daran erfüllte ihn mit Verachtung – die er zunächst nicht als solche erkannte. Aber als er erkannte, daß jeder Gedanke an die Zone Drei in ihm dasselbe Gefühl eisiger Abneigung hervorrief, das er empfand, wenn sein Heer einen Sieg – selbst der Sieg über eine Partei in einem Kriegsspiel, das er selbst entwickelt hatte – über einen Feind errang, mußte er sich eingestehen, daß dieses Gefühl Verachtung war. Deshalb überfielen ihn Verwirrung und innere Schwäche. Dieses Gefühl tödlicher Herabsetzung und der absoluten eigenen Überlegenheit lieferte den Brennstoff für seine gesamte Energie. Und sie war beachtlich. Man kannte den König von einem Ende der Zone bis zum anderen als einen Mann, der Tag und Nacht im Sattel sitzen, sich praktisch ohne Schlaf, ohne Pause Fragen der Organisation widmen konnte. Und woher kam das? Er hatte es nicht gewußt, aber jetzt wußte er es: Er schien dann einen Feind in den Staub zu treten. Wollte er wirklich für Al•Ith und ihr Volk dasselbe empfinden?

Als ihm dieser Gedanke zum ersten Mal kam, wies er ihn energisch zurück. Aber er stellte sich wieder ein, wurde zögernd zugelassen und dann zurückgewiesen; kam unvermeidlich wieder, stellte sich ihm hartnäckig und direkt – und Ben Ata wurde es unbehaglich. Ihn überfielen Schwindel und ihm wurde schlecht. Er ritt gerade durch den Wald, den er vor nicht allzu langer Zeit mit Al•Ith, seinem anderen Ich, durchquert hatte. Jetzt allein war ihm, als sähe er vor sich auf einer üppigen, saftiggrünen Lichtung mit unzähligen zwitschernden Vögeln sich selbst, Ben Ata, und Al•Ith. Sie sah wunderschön aus in ihrem goldenen Gewand; das schwarze Haar fiel ihr weich über den Rücken und mit ihrer kleinen zartgliedrigen Hand sprach sie zu ihrem geliebten Pferd.

Ben Ata weinte plötzlich. Das war einfach albern! Es war sogar schockierend. Trotzdem ließ er sich vom Pferd gleiten und stolperte von Schluchzen geschüttelt zu einer schlanken Birke am Rand der Lichtung. Er umarmte den Baum und weinte. »Al•Ith«, schluchzte er immer und immer wieder. Er küßte die weiße Birkenrinde, als sei Al•Ith tot oder bereits aus seinem Reich verschwunden. Aber wie konnte er diesen Aufruhr der Gefühle ohne sie ertragen! Wie sollte er ohne sie leben! Er war nicht länger er selbst, kein großer Krieger, kein großer Soldat mehr. Er war ein Mann, dem seine eigenen, innersten Motive mißfielen. Er beobachtete seine Gefühle, als wären sie Feinde; er war ein Mann, der seine Ziele verloren hatte.
»Al•Ith«, stöhnte er und trauerte um sie – dann fiel ihm ein, daß sie nur einen Tagesritt entfernt war. Er mußte nur sein Pferd wenden und über Felder und Gräben jagen, den Hügel hinaufreiten und in den Pavillon ihrer Liebe eilen, wo die Trommel sanft schlug und schlug und schlug – und sie in seine Arme nehmen.
Aber wenn er das tat, würde er sie in ihren Gemächern finden. Sie säße in einem niedrigen Sessel, ihr dicker Bauch würde ihn merkwürdig berühren, und wie die Dinge lagen, wäre sie von der Hälfte aller Frauen im Lager umgeben. Dabeeb saß wahrscheinlich neben ihr, fächelte sie, rieb ihr die Arme oder massierte ihr die Fußknöchel. Al•Ith wäre erschöpft, ihr Gesicht gerötet, und sie würde den Kopf nervös hin und her bewegen, während eine der Frauen – wahrscheinlich wieder Dabeeb – ihr die wundervollen schwarzen Locken bürstete, die er so liebte. Dieser Szene stand er gestern gegenüber. Er war ins Zimmer gekommen und fand sie alle vor. Al•Ith hob den Kopf und lächelte – genauso hätte vielleicht ein Gefangener gelächelt, für den es keine Hoffnung auf Freiheit gab. Aber wer hielt sie gefangen? Er nicht!
Er entschuldigte sich rasch und verließ das Zimmer. Dabeeb lächelte ihn wie eine Verbündete offen und zuversichtlich an.
Da ihm Al•Iths Schönheit, ihre herausfordernde, lebendige Vernunft versagt war, dachte er an Dabeeb, beinahe so, als sei sie Al•Ith. Er stellte sich vor, wie er aus dem Zelt der

Offiziersmesse oder seinem eigenen Zelt trat und Dabeeb begegnete, die ihm zulächelte. Er fühlte sich gestärkt und beruhigt. Lächelnd wandte er der Birke den Rücken und bestieg sein Pferd.

Er wollte sich nicht beeilen, zu den Frauen zurückzukehren. Er nahm sich vor, weiter durch sein Land zu reiten und alles in Augenschein zu nehmen, was er sehen konnte. Nichts sollte verborgen bleiben, und vor seinem geistigen Auge sollte Al•Iths Gesicht als Maßstab und als Erinnerung stehen – Al•Iths Gesicht, wie es auf ihrer gemeinsamen Reise gewesen war, als sie allein durch Wälder, Felder und Gehölze ritten, als sie die ganze Nacht zusammensaßen, sich umarmten oder an den Händen hielten. Hatte er, hatten sie dieses Glück wirklich erlebt? Denn wenn er an Al•Ith in ihrem jetzigen Zustand dachte, sah er nur ein erhitztes, leicht geschwollenes Gesicht mit Augen, die fragten und fragten. Wonach? Hatte sie nicht alles? Und überhaupt, wie sollte er überhaupt in ihre Nähe kommen, wenn diese verdammten Frauen ihr nicht von der Seite wichen?

Er erreichte eine Stadt, die groß genug war, um eine Garnison zu beherbergen und befahl dem diensthabenden Offizier, mit der Trommel die Botschaft durch das Land bis zum Lager am Fuß des Hügels zu senden, daß er an diesem Abend nicht zurückkommen würde. Vielleicht auch nicht am nächsten Abend – oder am nächsten – oder am nächsten. Lächelnd ritt er weiter und erinnerte sich daran, daß in der Zone Drei Botschaften durch Bäume übermittelt wurden. Ja, durch Bäume. In ihrem Reich standen überall Bäume, von denen alle wußten, daß sie als Übermittler jeder Botschaft dienten, mit denen man sie betraute. Hatte ein Reisender sich verspätet, oder konnte jemand nicht zur verabredeten Zeit zu Hause sein, suchte er einen solchen Baum. Wie Al•Ith erklärt hatte, waren diese Bäume immer groß, gut gewachsen, und ihre Zweige hatten eine bestimmte Anordnung. Man flüsterte die Nachricht dem Stamm dieses Wesens zu – denn Al•Ith hatte von diesen Übermittlerbäumen gesprochen, als seien sie fähig zu Empfindungen und besäßen Wissen. Die Gedanken oder Gefühle des

Baums nahmen die Gedanken oder Gefühle des Senders auf und trugen sie so weit über das Land, wie es notwendig war, um einen Ehemann, ein Kind, eine wartende Familie zu erreichen. Al•Ith hatte erzählt, sie habe oft weit entfernt vom Palast ihren Kindern, ihrer Schwester – und natürlich ihren Männern, murmelte Ben Ata erregt und spürte, wie ihm plötzlich vor Eifersucht das Blut in den Kopf stieg und der Schweiß ausbrach – einen solchen Baum gesucht und ihm eine Botschaft zugeflüstert.

Und nun verschluckte ein ganz unerwarteter Zorn und Mißmut alle sanften Gedanken an Al•Ith, und er begann, gegen sie zu wüten.

Oh ja, es war alles Liebe und Liebe und Freundlichkeit, es gab nur Lächeln und Küsse, aber er war eben nur einer von – er wußte noch nicht einmal von wievielen! Wenn er sie fragte – aber das hatte er nur am Anfang ihrer Beziehung getan –, wieviele, mit wem, wie oft und ähnliche Dinge, lachte sie und nannte ihn einen Wilden, einen Barbaren, einen Dummkopf – die Liste der Namen, mit denen sie ihn belegte, nahm kein Ende. Aber jetzt nicht mehr. Jetzt war sie nur allzu bereit, sich in seine Arme zu schmiegen, an seiner Brust zu liegen und auszuruhen. Was würde als nächstes geschehen – oder später? Bei einem solchen Wesen mußte man auf alles gefaßt sein, denn je nach Situation konnte sie zu allem werden!

So zog Ben Ata wütend und gequält von einem armseligen Dorf zum nächsten, von Stadt zu Stadt durch sein Reich und verglich sie insgeheim mit den Dörfern und Städten der Zone Drei, die er sich noch nicht einmal vorstellen konnte. Was konnte eine Stadt schon sein, in der es keine Garnison gab, keine Soldaten in den Bars und Wirtshäusern, in denen keine Trompetensignale Morgen und Abend begrüßten? Was konnte ein Dorf schon sein, in dem die Männer alle zu Hause waren und Frauenarbeit erledigten – bei diesem Gedanken hörte er Al•Ith lachen. Al•Ith lachte ihn aus. O ja, vermutlich hatte sie ihn insgeheim immer ausgelacht; sehr wahrscheinlich hatte sie ihn ausgelacht, ohne daß er es merkte. Oh, sie war raffiniert, die große Al•Ith, daran gab es keinen Zweifel.

Als das Licht am Himmel verblaßte, erreichte er eine Stadt. Am Stadtrand hielt er an und blickte zu den Bergen hinauf. »Al•Iths Berge«, murmelte er, und die Sehnsucht nach ihr überfiel ihn. Diese Berge hatten sie geschaffen, die schöne Al•Ith – und er stellte sich vor, wie sie ihm mit ausgebreiteten Armen lächelnd entgegenkam. Mit einem Fluch auf den Lippen sprang er vom Pferd, befahl einem vorübergehenden Soldaten es zu versorgen und betrat das nächste Gasthaus. Dort traf er eine Frau, deren Mann im Manöver war. In ihrem Gesicht entdeckte er etwas, das ihn an die Al•Ith der ersten Begegnung erinnerte – zart, schlank und geschmeidig, nicht wie jetzt feindselig gegen ihn und mit einem dicken Bauch. Er schlief mit dieser Frau. Aber er konnte sie nicht nehmen, wie er es in der Vergangenheit immer getan hatte, ohne in ihr ein Individuum zu sehen. Er stellte ihr Fragen über sie, über die Kinder, die im Nebenzimmer schliefen, über ihren Mann und seine Meinung zu den neuen Manövern. Er war unzufrieden, soviel verstand Ben Ata, denn es handelte sich nur um militärische Übungen, nicht um Krieg, und es bestand keine Aussicht auf Beute. Und während er mit der Frau schlief, mußte er sich zusammennehmen, um nicht Al•Ith, Al•Ith zu rufen.
Er war noch nie in seinem Leben so betroffen gewesen. Noch nie hatte er an eine Frau gedacht, wenn er bei einer anderen lag. In dieser Nacht konnte er nicht schlafen, während die umgängliche Frau in seinen Armen tief und fest schlief, denn sie war völlig erschöpft. Sie sagte, ihr jüngstes Kind sei im Augenblick sehr schwierig, da es Zähne bekäme. Ben Ata wußte nichts über die Zähne von Kindern. Er wußte nicht, wie alt die Göre sein mochte und fürchtete, durch Fragen sein Unwissen zu verraten. Aber in der Nacht spürte er, wie seine Handflächen feucht wurden, und er wußte, daß in den üppigen Brüsten Milch war. Er empfand nur Widerwillen und Ärger. Warum hatte sie ihm das nicht gesagt? Warum hatte sie ihn nicht gewarnt? Wie konnte sie so aufdringlich und gierig darauf sein, mit ihm, ihrem König zu schlafen, ohne ihm vorher zu gestehen, daß Milch in ihren großen Brüsten war... ihm kam der Gedanke, daß es in ihren Augen möglicherweise nicht notwendig war, so

etwas zu gestehen. Er dachte daran, daß Al•Iths Brüste bald Milch haben und seine Hände damit befeuchten würden. Er ekelte sich wieder und sehnte sich gleichzeitig nach Al•Ith... so ging die Nacht vorüber. Ben Ata wurde in jeder Minute von neuen Gedanken und Gefühlen gequält, von denen er überzeugt war, sie seien unmännlich, geradezu schwachsinnig.

Inzwischen gebar Al•Ith ihren Sohn, den Thronerben Arusi.

Al•Ith empfand alles als sehr mühsam – nicht schwierig oder besonders schmerzhaft, denn schließlich hatte sie darin einige Erfahrung. Aber ganz gewiß war ihr dieses geschäftige Treiben der Hebammen neu; sie kannte keine Ermahnungen, dies und das nicht zu tun, sondern das und dies. Das Baby wurde von allen anderen gehätschelt, nur nicht von ihr. Es schien, als sei sie eine Kranke, oder auf erstaunliche Weise von einem Vorgang geschwächt, den sie in der Vergangenheit immer nur als etwas Befriedigendes empfunden hatte.

Sie konnte sich deutlich daran erinnern, daß sie bei den anderen Kindern sich mit ihrer Schwester in ihre Gemächer zurückgezogen hatte und die Väter beisammensaßen – man hatte sie gerufen, um Al•Ith durch ihre Gegenwart zu unterstützen und ihr zu helfen. Sie kauerte auf einer weichen Unterlage, und das Baby glitt beinahe augenblicklich in Murti•s oder ihre eigenen Hände. Die beiden Frauen nahmen das Kind, begrüßten es, hüllten es ein und durchtrennten die Nabelschnur, wenn die Nachgeburt kam. Murti• half Al•Ith, sich zu reinigen und zu waschen. Dann setzten sich die beiden Frauen mit dem Kind in die Fensternische und zeigten ihm den Himmel, die Berge, die Sonne oder die Sterne. Dies war immer eine Zeit der Freude und der Zärtlichkeit. Das Kind blickte sie mit seinen neuen Augen an, und sie schenkten ihm Sicherheit, hielten es im Arm und streichelten es. Glück! An nichts anderes erinnerte sich Al•Ith. Es war ein gesegnetes, ruhiges Glück, das sich mit nichts vergleichen ließ. Wenn beide ausgeruht waren, und das Baby sich an ihre Berührungen und Gesichter gewöhnt hatte, gingen alle drei hinaus zu den wartenden Vätern, und auch dort herrschte nur Freude. Die anderen Frauen, die sich um das Kind kümmern sollten, gesellten sich ebenfalls zu ihnen. Frauen und Männer und danach Al•Iths Kinder begrüßten das neue Wesen... so war das in ihrem Reich. Nichts davon hier.

Al•Ith kämpfte gegen die Gereiztheit über all dieses geschäftige Treiben und die Besorgnis um sie.

Kein Mann zeigte sich, und offensichtlich sollte sich auch keiner hier blicken lassen. Wie konnte es für ein Kind richtig oder gesund sein, inmitten einer Ansammlung von Frauen geboren zu werden. Wo war Ben Ata? Aus dem Lager erreichte sie die Botschaft, daß er sich weit entfernt im Land befand und nicht so bald zurückkehren würde – die Trommeln hatten das verkündet. Nicht ihre Trommel, die sanft draußen zwischen den Springbrunnen schlug. Die Militärtrommeln... keine der Frauen sah darin etwas Ungewöhnliches. Ganz im Gegenteil, ein oder zwei, darunter Dabeeb, erklärten: Das sei ganz gut so; dies sei nicht der richtige Zeitpunkt und nicht der richtige Ort für Männer.

Al•Ith gab es auf, die Sitten dieses barbarischen Landes begreifen zu wollen – denn wieder erschien es ihr rückständig und roh. Sie bestand darauf, es sei an ihr, das Kind im Arm zu halten – denn bislang schienen die Frauen der Ansicht gewesen zu sein, es sei ihr Recht, das Baby zu hätscheln und sich an ihm zu begeistern. Das Kind war gereizt und weinte. Al•Ith konnte sich nicht daran erinnern, daß eines ihrer Kinder nach der Geburt geweint hätte. Warum sollten sie auch weinen? Aber diese Frauen schienen sich über Arusis Unbehagen zu freuen und sahen darin einen Beweis seiner Kraft.

Al•Ith erhob sich vom Bett – man hatte ein Bett von draußen hereingebracht, da sie sich weigerte, den Hochzeitsdiwan zu diesem Zweck zu benutzen –, nahm das Baby auf den Arm, setzte sich mit ihm auf einen Stuhl und bat die Frauen ziemlich gereizt, sie allein zu lassen. Sogar ihre schlechte Laune erschien den Frauen als etwas, das sie billigten und erwarteten. Sie sahen sich bedeutungsvoll an und nickten sich zu, worüber Al•Ith staunte, da sie sich bereits wegen ihres Verhaltens schämte. Dann gingen sie, lächelten und warfen sehnsüchtige Blicke zurück. Sie sahen Al•Ith, die dort saß und das Baby im Arm hielt, das jetzt nicht mehr weinte, sondern sich aufmerksam umsah. Es war ein prächtiger, kräftiger Junge, an dem alles in Ordnung war. Dabeeb blieb zurück, aber sie schien zu spüren, daß Al•Ith Ruhe brauchte, und beschäftigte sich mit tausend Dingen, die in Al•Iths Augen überflüssig waren und mit der Kleidung und Pflege des Kindes zusammenhingen.

Al•Ith wünschte Ben Ata herbei. Sie sehnte sich nach ihm. Es war Zeit, daß das Kind seinen Vater sah. Es war Zeit, daß der Vater das Kind im Arm hielt, daß es von den Gedanken des Vaters genährt wurde. Vermutlich blickte es sich deshalb immer wieder im Raum um – es suchte seinen Vater. Früher hatte Al•Ith sich nie nach der Anwesenheit des Vaters eines Kindes gesehnt – es gab keinen Grund dafür.

Al•Ith beunruhigten alle möglichen Gefühle, die sie aus tiefstem Herzen ablehnte und als unpassend empfand. Während Dabeeb sie beglückt ermunterte, sich auszuweinen, wenn ihr danach sei, konnte Al•Ith ihre Gereiztheit nur mühsam beherrschen. Dabeeb forderte sie auf, dem Kind, dem armen Kerlchen, die Brust zu geben, aber Al•Ith schüttelte den Kopf – denn das Baby jetzt zu stillen hieße, ihm Ärger und Unzufriedenheit weiterzugeben.

Sie wollte Dabeeb nicht verstimmen oder enttäuschen, denn sie war so geduldig und freundlich gewesen, zwar nicht mit Murti• zu vergleichen, aber der bestmögliche Ersatz an diesem umnachteten Ort.

Später gab sie Dabeeb das Baby, während sie badete, sich umzog und das Haar wie hier üblich in Zöpfe flocht und aufsteckte. Dann erklärte sie Dabeeb, sie wäre gerne bis zum nächsten Morgen allein. Dabeeb hatte nicht die geringste Absicht, ihre Herrin allein zu lassen – dies war offensichtlich die Laune einer bedauernswerten, überanstrengten Frau –, aber sie erhob keine Einwände, sondern setzte sich auf die Veranda, von der aus man das Lager sehen konnte, mit dem Rücken an eine Säule. Es war eine milde, feuchte Nacht. Hier würde sie Al•Ith hören, wenn sie nach ihr rufen sollte, aber sie beabsichtigte auch, sich in regelmäßigen Abständen hineinzuschleichen, um sich davon zu überzeugen, daß alles in Ordnung war.

Das tat sie. Sie stellte fest, daß Al•Ith durch ihre Räume ging, dem Kind etwas vorsang und mit ihm sprach – sie redete über so schwer verständliche Dinge, daß es Dabeeb unbehaglich wurde. Später sah sie Al•Ith mit dem Kind auf dem Schoß an einem großen Fenster auf dem Boden sitzen, von dem man die großen Berge sah. Sie zeigte dem Kind die Berge! Und Dabeeb beurlaubte sich von ihrer Pflicht und lief den Hügel hinunter, um den anderen Frauen die Neuigkeit zu berichten.

Nachdem all dies geschehen war und das Licht golden und rosa auf den schneebedeckten Berggipfeln erschien, nahm Al•Ith dem Baby die Windeln ab. Sie wollte es vorsichtig abwischen, wie sie es früher immer getan hatte – aber plötzlich bemerkte sie, daß sie das Baby ableckte und beschnupperte wie eine Stute ein Fohlen oder eine Hündin ihr Neugeborenes. Dies entsetzte und überraschte sie. Gleichzeitig empfand sie sich wie eingeschlossen in einem liebevollen Zauber mit diesem neuen Kind. Es schien die natürlichste Sache der Welt zu sein, es wie ein Tier sauberzulecken. Dem Kind schien es ebenso zu gehen; offensichtlich gefiel es ihm, ihr Gesicht in so unmittelbarer Nähe zu haben und die Berührung ihrer Haare zu spüren, während sie es am ganzen Körper ableckte; manchmal sogar ziemlich rauh, wie vielleicht ein Tier es tut, um den Blutkreislauf und die Lebensgeister anzuregen.

Und nachdem all dies geschehen war, wickelte sie das Kind wieder in die Windeln und preßte es an sich, während heftige Liebe und Besitzerstolz sie ergriffen – so etwas hatte sie noch nie erlebt, und es erfüllte sie mit großem Unbehagen. Das sollte sie eigentlich nicht empfinden. Sie war schwach vor Liebe und Verlangen nach diesem Kind. Am liebsten hätte sie es – wie eine der Frauen einmal liebevoll gesagt hatte – »aufgefressen«.

Nun, hier war die Zone Vier; das waren die Sitten der Zone Vier, und vermutlich konnte man nichts dagegen tun.

Aber wo war Ben Ata? Wo war Ben Ata? Wo war er? Wie konnte er sie allein lassen und so verraten? Wie konnte er sein Kind so vergessen und es hungern lassen? Was für ein Unge-

heuer war er, gerade in dem Moment wegzugehen, in dem sie und das Kind ihn am meisten brauchten?
Ben Ata ritt inzwischen zurück. Er war in jeder Hinsicht unzufrieden. Die Nacht mit dieser Frau hatte seine Neugier auf Al•Ith nur noch gesteigert. Er sah in ihr jetzt eine Frau voller Geheimnisse, die sie ihm bewußt vorenthielt. Hätte ihm sein Zustand erlaubt, sein Unbehagen zu prüfen und zu definieren, hätte er gesagt, daß er eine Animalität (obwohl er ein solches Wort in Verbindung mit Al•Ith nicht benutzen würde), die offensichtlich als eine Quelle der Stärke und Rechtmäßigkeit empfunden wurde, nicht mit einer Intelligenz vereinbaren konnte, von der er wußte, daß sie seine übertraf. Aber er war nicht analytisch, nur von Widersprüchen gequält. Die Gefährtin der letzten Nacht hatte ihm gesagt – und zwar schlichtweg dadurch, daß er zum ersten Mal seinen Verstand beim impulsiven Sex nicht ausgeschaltet hatte –, daß er während der Vorbereitungszeit auf diese Ehe nichts anderes als ein Rohling gewesen war – und eigentlich fand er sich mit einer solchen Bezeichnung nicht ab. Er wußte jetzt, daß er unbekümmerter als ein Tier Kinder in die Welt gesetzt hatte. Er war immer auf die Kinderarmee stolz gewesen, in die seine und die Kinder der Offiziere gesteckt wurden. Bei Paraden oder ähnlichen Gelegenheiten ließ er seine Augen über die jungen Gesichter schweifen und versuchte festzustellen, welche ihm ähnlich sahen. Er erwartete, daß diese Jungen – von denen einige inzwischen junge Männer waren, die alle Hoffnungen erfüllten – zur Zierde seiner Armee heranwachsen würden.
Aber er war nie ein Vater gewesen.
Er hatte nicht geahnt, daß man diese Angelegenheit auch unter einem anderen Gesichtspunkt betrachten konnte.
Ihm kam es jetzt vor, als habe er fast sein ganzes Leben seine wahre Natur geleugnet und blind gegen sich selbst gelebt.
Darüber hinaus und noch schlimmer, er erkannte an vielen Dingen, die die Frau, von der er sich im Morgengrauen verabschiedet hatte, als sie ihn verließ, um sich um ihre Kinder zu kümmern, erzählt oder angedeutet hatte, daß sein

Königreich in jeder Hinsicht ärmer und unmenschlicher, und sein Volk unzufriedener war, als er geahnt hatte.
Und doch war es ihm nie in den Sinn gekommen, darüber auch nur nachzudenken.
Er hatte gehandelt und gelebt wie immer. So hatte sein Vater gelebt und dessen Vater – soweit er das wußte, aber darüber hatte er ebenfalls nie nachgedacht.
Es dämmerte bereits, als er das Lager am Fuß des Hügels erreichte. Er bemerkte, daß die Soldaten, die Frauen und die Kinder ihn anlächelten und ihm offenbar zujubeln wollten, aber in seinem Zustand bitterster Unzufriedenheit mit sich selbst sah er darin Heuchelei oder sogar Verrat. Ohne zu reagieren, ritt er mit unbewegtem Gesicht den Hügel hinauf, mit seinen Gedanken ganz bei Al•Ith und entschlossen, sie zu verstehen... darunter verstand er, sich in Zukunft von ihr nicht mehr täuschen zu lassen. Trotzdem sehnte er sich nach ihr – er sehnte sich nach etwas, das mehr war, als die Frau ihm in der vergangenen Nacht gegeben hatte. An das Kind dachte er überhaupt nicht.
Er sah auf der Veranda, die den Pavillon umgab, eine Frau mit einem Baby auf dem Arm. Verdrießlich dachte er daran, daß er erst alle diese Weiber loswerden müsse, bevor er mit seiner Frau allein sein konnte. Dann kam ihm der Gedanke, daß die Frau Dabeeb sein mußte, und sein Ärger schwand: Er hatte die Absicht, bei der ersten günstigen Gelegenheit mit ihr zu schlafen, denn er wollte auch sie verstehen. Dabeeb hatte immer ein Baby oder ein Kind um sich: Dieser Anblick war ihm deshalb vertraut. Beim Näherkommen geriet er einen Moment lang in Verwirrung, denn er glaubte, es sei nicht Dabeeb, sondern Al•Ith.
Es war aber Dabeeb. Sie war in den letzten Wochen, in denen sie sich ununterbrochen um ihre Herrin bemühte, schlanker und zarter geworden. Die Freude über diese Geburt entzündete in ihr eine Flamme, die sich aus dem Glauben der Frauen nährte, daß dieses Kind sie alle auf irgendeine Weise erlösen würde und dadurch auch das ganze Reich. Durch die Nähe zu Al•Ith nahm sie etwas von den höheren

Schwingungen jenes Landes in sich auf, das ihr Reich überragte.
Ein Strahlen ging von ihr aus. Aber als Ben Ata sich über sie beugte, um sie festzuhalten, ihr ins Gesicht zu blicken und – in einem einzigen aufrüttelnden und ehrlichen Moment – zu verlangen, daß Al•Ith ihm alles enthülle, was sie vor ihm verborgen hielt, sah er, daß es sich um Dabeeb handelte. In noch größerer Verwirrung ging er weiter, ohne einen Blick auf das Baby zu werfen, das sie ihm entgegenhielt.
Im Torbogen zu dem großen Raum stand eine Frau mit verschränkten Armen. Und wieder fluchte er innerlich darüber, daß es in seinem Leben nur Frauen, Frauen, Frauen gab und wollte an ihr vorbeigehen, als er sah, daß dies Al•Ith war. Wie erstarrt blieb er stehen und brachte kein Wort heraus.
Al•Ith wirkte schwer, lichtlos, sogar derb. Ungläubig sah sie ihn mit zusammengekniffenen Augen an. Ein Geruch von Blut umgab sie. Er erkannte sie nur an ihrem glänzend schwarzen Haar.
»Wo bist du gewesen?« fragte sie mit einer Stimme, die er an ihr nicht ertragen konnte. Nach den schnell aufeinanderfolgenden Stimmungswechseln konnte er dieses neue Gefühl kaum ertragen – den Verdacht, daß diese Frau auf irgendeine Weise, auf irgendeine Zauberei ihren Charme, ihr Leuchten, ihr Feuer auf ihre Dienerin Dabeeb übertragen hatte.
Dann bemerkte er, daß sie nicht mehr dick und schwanger war. Langsam dämmerte ihm, daß sie das Kind geboren haben mußte. Und schließlich begriff er, daß er gerade an seinem Kind vorübergegangen war.
All dies war einfach zuviel. Er ging geradewegs in seine Gemächer, setzte sich an einen Tisch und stützte den Kopf in die Hände.
Al•Ith blieb regungslos stehen. In Gedanken war sie in ihrem Land und versuchte, alle ihre Erfahrungen mit dem in Einklang zu bringen, was sich gerade ereignet hatte.
Sie vermied Dabeebs Blick, mit dem sie Al•Ith drängte, ihrem Mann zu folgen und das Baby mitzunehmen. Sie hatte gesehen, daß sich Ben Ata Dabeeb mit ungestümer Verzweiflung und

voller Zweifel näherte, und nachdem sie es so oft gesehen hatte, glaubte sie, daß dies eigentlich ihr zukäme. Das war »Liebe« in dieser Zone: Verzweiflung, bohrendes Fragen und keine Erfüllung.

Al•Ith durchzuckte ein scharfer, brennender Schmerz, den sie nicht kannte. Sie schien keine Luft mehr zu bekommen; es war, als habe man sie gezwungen, über eine Klippe zu springen. Sie konnte diese neue, erstaunliche Qual nicht deuten, aber ihr wurde schwindelig davon. Abrupt ging sie in ihre Räume und setzte sich, wie Ben Ata mit dem Kopf in die Hand gestützt, an einen Tisch.

Was sie empfand, gefiel ihr nicht, obwohl sie es nicht benennen konnte. In diesem abscheulichen Land nahmen die Qualen und Demütigungen kein Ende.

Ihr Herz verkrampfte sich unter diesem Schmerz. Ihr Atem ging schneller, und sie wagte nicht, die Augen zu öffnen, denn alles um sie herum verschwamm, wenn sie es tat.

Inzwischen war es draußen dunkel. Dabeeb brachte ihr das Kind, denn es war hungrig und mußte gestillt werden. Sie zupfte Al•Ith am Ärmel; Al•Ith nahm ihr den Jungen teilnahmslos ab. Er begann zu weinen. Dabeeb erwartete, Al•Ith würde ihre Brust entblößen, aber sie tat es nicht. Sie dachte, daß ihr Schmerz – ein unguter Schmerz, das wußte sie – das Baby nur vergiften könne. Ihm fehlte nur die nährende Gegenwart des Vaters; jetzt würde es auch noch von ihr schlecht beeinflußt werden. Das konnte sie Dabeeb nicht erklären, die trotz all ihrer Freundlichkeit von diesen Dingen nichts verstand. Mühsam stand sie auf, denn sie fühlte sich krank und ging mit dem Baby hin und her, um es zu beruhigen. Aber es weinte herzzerreißend.

Dabeeb überlegte gerade, ob sie nicht zu Ben Ata gehen und ihn auffordern solle, zu seiner Frau zu kommen, als er erschien. Er wirkte wie ein Kind, als er Al•Ith mit dem Baby durch das Zimmer gehen sah. Er war wie gelähmt gewesen, schockiert, hatte den Schmerz der Vereinsamung und des völligen Verlusts empfunden. Aber jetzt schien ihm Al•Ith mit dem Baby auf dem Arm richtig und vollkommen. Selbst

ihre Erschöpfung und sogar ihre Schwerfälligkeit empfand er als schön und angemessen. Hätte er sich in der Erwartung, freudig begrüßt zu werden, dem Eingang eines Gebäudes genähert, in dem sich alles befand, was er sich in seinem Leben wünschen konnte, und man hätte ihm die Tür vor der Nase zugeschlagen, er hätte sich nicht schlimmer fühlen können. Er lehnte mit verschränkten Armen im Torbogen und betrachtete schwermütig seine Frau. Sein Gesicht war blaß und schmal.
Dabeeb beunruhigte das nicht im geringsten. Sie wußte genau, was geschah. Beide waren eifersüchtig. Es war alles ganz in Ordnung. Sie durchschaute die natürlichen Dinge des Lebens ebenso gut wie Al•Ith das auf einer höheren Ebene der Natur tat und sie vertraute völlig darauf, daß in kurzer Zeit alles in Ordnung sein würde. Bei jeder ihrer eigenen Geburten fand ihr teurer Mann irgendeine andere Frau unwiderstehlich – meist eine, die bei der Geburt anwesend war. Und sie wurde eifersüchtig. Und er hatte sie mit dem Baby als eine vollkommene Einheit gesehen und war daher wie ein kleiner Junge gewesen. Al•Ith sah das doch wohl selbst? Manchmal war diese große Königin ziemlich schwer von Begriff. Aber es stand ihr nicht zu, dies zu sagen oder auch nur zu denken.
Im Vertrauen auf die Natur und in diesem Glauben bescheiden, verabschiedete Dabeeb sich zurückhaltend von dem Paar, ging den Hügel hinunter und berichtete den Frauen, daß alles in Ordnung sei.
»Warum siehst du mich nicht an, Al•Ith?«
»Weil du mich betrogen hast, du hast mich betrogen – und das Kind!« antwortete Al•Ith mit dieser neuen, strengen, schrillen Stimme, die sie selbst in Erstaunen versetzte.
Natürlich glaubte er, sie habe auf irgendeine geheimnisvolle Weise von seinem Seitensprung in der letzten Nacht erfahren, und sah sofort hilflos aus. Sie bemerkte das – und verstand den Grund dafür. Schon seit langem wußte sie, daß sein dümmlicher Blick sexuelle Schuldgefühle verriet. In diesem Moment haßte sie ihn einfach dafür. Und sich selbst haßte sie noch mehr, weil ihr an ihm etwas lag. So wenig war von ihrem eigenen Wesen übriggeblieben, daß sie wie gebannt lauschte,

um zu hören, ob die Trommel schlug – konnte es nicht sein, daß sie gerade den besten Zeitpunkt gewählt hatte, um aufzuhören, damit sie einfach ihr Pferd rufen und dieses sumpfige, neblige Reich verlassen konnte?
Und er? Ihm war wohl bewußt, daß er sich wie ein ungehobelter Bauerntölpel vor Verlegenheit wand; und er staunte darüber, denn er empfand keine Schuld. Im Gegenteil, inzwischen war er recht stolz darauf, was er in dieser Nacht mit der Frau gelernt hatte, die er behandelt hatte, als verdiene sie die gleiche Achtung wie er selbst – auch wenn es das erste Mal gewesen war.
Al•Ith sagte: »Dein Kind... dies ist dein Sohn...« Sie sprach mit erstickter, ersterbender Stimme.
Ben Ata begriff, daß dies wirklich sein Sohn war, was er natürlich erwartet hatte – die ganze erzwungene Heirat hätte sonst keinen Sinn ergeben –, aber trotzdem überflutete ihn die Freude. Er wußte nicht, wie er sie ausdrücken sollte, obwohl er sie beide in die Arme nehmen wollte. Er schritt hinüber und umarmte ungeschickt Mutter und Kind. Er strahlte. Aber das Baby fing an zu schreien, und Al•Ith entzog sich ihm, setzte sich und drehte ihm den Rücken zu.
»Also gut«, sagte er bitter, »bei euch ist das eben anders.«
Sie antwortete nicht, sondern entblößte eine Brust, und das Baby begann sofort zu trinken. Schweigen. Ben Ata ging auf die andere Seite, ohne sich darum zu kümmern, daß Al•Ith ihm den Rücken zuwendete, um ihn auszuschließen, und strahlte beim Anblick von Mutter und Kind. Er war jetzt so glücklich und konnte nicht glauben, daß Al•Ith wirklich so kalt war.
Nach ein paar Minuten seufzte sie und schien nachgiebiger zu werden.
»Bei uns«, sagte sie, »sind die Väter des Kindes anwesend, um es zu begrüßen. Um es zu... nähren...«
Die Worte »Väter des Kindes« waren ins Leere gefallen, als weigere sich die Luft im Raum sie aufzunehmen. Kaum waren sie ausgesprochen, bedauerte es Al•Ith auch schon. Sie fürchtete, Ben Ata würde darin eine bewußte Provokation

sehen. Aber es war noch schlimmer. Er starrte sie fassungslos an. »Selbst in deinem Land nährt doch wohl die Frau das Kind?«
»Nicht mit Milch«, antwortete sie in einer kalten, sarkastischen Stimme, von der sie nicht glauben konnte, daß es tatsächlich ihre eigene war. »Es gibt andere Nahrung, Ben Ata. Ob du es glaubst oder nicht. Dieses Kind ist nicht einfach – ein Klumpen Fleisch.«
Das Stillen wurde schwierig. Im Raum ballten sich Zorn, Vorwürfe und Gereiztheit und erreichten Arusi durch die Luft, durch die Milch, die er trank, und durch den Körper seiner Mutter. Er ließ die Brustwarze los, weinte ein bißchen und strampelte unbehaglich. Währenddessen tropfte aus Al•Iths großer Brust, die Ben Ata nicht mehr wiedererkannte, und die ihm auch nicht mehr gehörte, Milch auf ihr bereits fleckiges blaues Kleid. Ben Ata fand es abstoßend, aber er lächelte noch immer und sehnte sich nach ihrem Wohlwollen.
»Ich stelle mir vor, ihr sitzt alle zusammen«, sagte er und versuchte ebenfalls sarkastisch zu sein, aber in Wirklichkeit interessierte es ihn, »und erfreut euch an glücklichen Erinnerungen.«
»Ach, laß mich in Ruhe«, antwortete sie, »laß mich allein. Geh zu – Dabeeb!«
Das verblüffte ihn. Er verstand nicht, wie sie seine Absicht bemerkt haben konnte, denn schließlich hatte er sie doch nicht gezeigt. Außerdem fürchtete er sich ein bißchen vor ihr, wie am Anfang.
Aber er ging nicht. Er wandte dem Raum für eine Weile den Rücken zu und starrte trübe aus dem Fenster hinauf zu der geballten Masse der Berge, die inzwischen im Dunkeln lagen und an diesem Abend bedrohlich und feindselig wirkten. Er lauschte auf das Schmatzen des Babys, das nach einer Weile verstummte.
Schweigen. Schließlich drehte er sich vorsichtig um und sah, daß Al•Ith mit dem schlafenden Kind auf dem Schoß friedlich dasaß. Sie schien ihn jetzt freundlich, ja sogar einladend anzusehen.

»Komm und sieh ihn dir an«, flüsterte sie.
Erwartungsvoll kam er näher und kniete sich neben den Stuhl, um auf einer Höhe mit Al•Ith und seinem Sohn zu sein. Die Eltern lächelten beide. Sie nahm das Umschlagtuch ab, mit dem das Baby fest eingewickelt war und enthüllte die winzigen Arme und Beine. Zusammen betrachteten sie das Kind aufmerksam von Kopf bis Fuß.
Arusi war ein kräftiges, gesundes Baby. An seinen Händen und Füßen konnte man sehen, daß er einmal groß und stark werden würde. Auf seinem Kopf wuchsen bereits glänzende braune Haare.
»Er wird einmal so groß werden wie du«, flüsterte sie, »aber etwas hat er von mir... er hat die Augen unseres Landes.«
Dann nahm sie dem Kind die Windeln ab, damit Ben Ata sehen konnte, daß sein Sohn in jeder Hinsicht gesund und wohlgeformt war.
Sie wickelte ihn wieder soweit ein, daß nur das Gesicht freiblieb und sagte: »Jetzt nimm du ihn.«
Angesichts dieser ungeheuren Herausforderung biß er die Zähne zusammen und nahm tapfer das kleine Wesen entgegen. Dann lächelte er stolz, weil er dazu in der Lage war, und stand auf.
»Geh mit ihm durchs Zimmer«, flüsterte Al•Ith und strahlte ebenfalls voll Freude und Vertrauen.
Ben Ata ging eine Weile auf und ab, und als sie bemerkte, daß er ihr das Kind zurückgeben wollte, sagte sie: »Nein, nein, behalte ihn. Denke an deinen Sohn. Laß ihn wissen, daß du da bist, daß du bei ihm bist.«
Ben Ata begriff und tat, was sie sagte. Später, nachdem sie etwas gegessen hatten – beiden schien es, als hätten sie seit Tagen nichts mehr gegessen – und sie das Baby noch einmal gestillt hatte, legte Al•Ith das Kind zwischen sich und Ben Ata ins Bett und erklärte, das sei für diese Nacht notwendig.
»Damit es uns beide kennenlernt«, fügte sie hinzu.
Sie schliefen beide tief in dieser Nacht. Das Baby lag zwischen ihnen, und Al•Ith fühlte sich wieder wohl, denn endlich wurde Arusi von seinem Vater genährt.

Für Ben Ata war die Nacht wunderbar, weil er mit den Sitten ihrer Zone und mit ihren Gedanken vertraut gemacht wurde. Er wußte, danach mußte er streben – zum Wohl seines ganzen Volkes.

Aber am nächsten Tag war alles ganz anders. Einmal kamen die Frauen zurück und nahmen alles in Beschlag. Sie strahlten und lächelten ihn an, als habe er etwas Wunderbares geleistet, und das ließ ihn an die anderen Kinder denken, die er gezeugt hatte – schließlich war dies hier wohl kaum sein erstes Kind. Und dann glich die Al•Ith, mit der er allein gewesen war, und die das Kind mit ihm teilen wollte, nicht dieser erschöpften, gereizten, geschäftigen und sogar wieder häßlichen Frau – denn er mußte sich eingestehen, um sie schön zu finden, war er gezwungen, sich Al•Ith auf dem Ritt durch die Wälder ins Gedächtnis zu rufen, und dies schien lange zurückzuliegen.

Obwohl sie jede Minute des Tages mit dem Baby beschäftigt zu sein schien, hielt sie ständig nach ihm Ausschau und ließ ihn nicht aus den Augen: Wo war er? Was tat er?

Er tat nur das eine. Er träumte davon zu entfliehen, und am Nachmittag verschwand er zu seinen Truppen. Er schämte sich für sie wegen ihrer schrillen Anklagen ebenso wie sie sich selbst schämte – er wußte es, und sie tat ihm leid.

Außerdem wollte er Dabeeb sehen. Er wußte nicht warum, und es kümmerte ihn auch nicht weiter. Er sagte sich, er würde gern von der Hebamme einen Bericht über die Geburt hören, aber in Wirklichkeit interessierte er sich auch dafür nicht sehr. Wie erwartet, fand er Dabeeb – sie hatte sich Al•Ith den ganzen Tag über nicht genähert – am Abend, als er von den Kriegsspielen zurückkehrte, in ihrem Haus. Jarnti als ein bedeutender General war natürlich vollauf damit beschäftigt, sich um alles zu kümmern. Nachdem Ben Ata und Dabeeb sich davon überzeugt hatten, daß die Kinder schliefen – diese geteilte Sorge gab ihm das Gefühl, verantwortungsbewußt und erwachsen zu handeln – gingen sie sofort ins Bett, wo sie sich mit großem Genuß einander hingaben. Dabeeb weinte ein bißchen und seufzte, sie sei eine schlechte Frau, und, was noch besser war, er sei böse und die Männer alle gleich – dies hatte er in der einen oder anderen Form sein ganzes Leben lang erlebt, und er fühlte sich bestätigt und befreit. Vor allem warf sie ihm nicht Plumpheit oder Gefühllosigkeit vor: Er hatte bereits geglaubt, dieser neue, von Al•Ith geschaffene Ben Ata hätte in ihm jedes Gefühl der Freude für immer zerstört.

Am nächsten Morgen ging er wieder zu seinen Manövern und blickte Jarnti ins Auge wie ein König seinem General. Erst am Abend kehrte er in den Pavillon zurück, was bedeutete, er war zwei Tage weggewesen. Er erwartete, Al•Ith würde ihn mit Vorwürfen überschütten.

Statt dessen trug sie ein glänzendes rosa Kleid, das er nicht kannte. Sie hatte ihre Haare auf matronenhafte Weise frisiert, die ihm nicht gefiel. Er fand das Kleid unvorteilhaft, denn es schien ihren Körper zu betonen, und sie wirkte darin plump. Er bemerkte, daß sie versuchte, für ihn attraktiv zu sein, und das stieß ihn ab. Sie bewirkte damit das Gegenteil: Es erschien ihm ziemlich unpassend, daß sie mit ihm schlafen wollte, obwohl die Wunden der Geburt noch nicht verheilt waren. Aber als sie das Baby gestillt und ins Bett gebracht hatte – nicht in ihr Bett, sondern in eine Wiege daneben –, schlief er mit Al•Ith, die er nicht wiedererkannte. Sie klammerte sich an ihn, war unterwürfig, war auch aggressiv, und all das, weil sie sich schämte.

Er spürte, daß sie ihn nicht wirklich wollte. Was sie tat, entsprang nicht ihrem Verlangen; er sollte etwas beweisen – ihr oder sich, das war ihm gleichgültig. Ihr Körper wirkte auf ihn leblos und schlaff. Er konnte sich nicht von der Vorstellung befreien, daß dieser Körper von dem schlafenden Kind in der Wiege gedehnt und geöffnet worden war. Und aus dieser Perspektive schien das Baby riesig zu sein. Während Ben Ata in sie hineinstieß, mußte er immer daran denken, wie das Kind sich aus diesem Körper hinausstieß. Es war wirklich schrecklich. Er haßte es.

Sobald wie möglich drehte er sich um und gab vor zu schlafen. Sein letzter Gedanke vor dem Einschlafen war, daß er für Al•Ith nur noch Mitleid empfand. Wenn es möglich gewesen wäre, hätte er sie am liebsten wie ein Kind in die Arme

genommen und getröstet. Aber das war es offensichtlich nicht, was sie wollte.
Schamgefühle quälten Al•Ith. Sie wußte, sie hatte so etwas noch nie getan, hätte es nie tun können. Sie erkannte sich in dieser gequälten, keifenden und eifersüchtigen Frau selbst nicht wieder. Sie hatte gehört, wie eine der Frauen das Wort Eifersucht benutzte. Auf natürliche Weise fallen in einer Situation oder Szene Worte, die uns über die eine oder andere Wahrheit informieren, wenn es für uns notwendig ist – und Al•Ith wußte, sie war eifersüchtig; sobald sie das Wort gehört hatte, akzeptierte sie es. Noch nie zuvor war sie eifersüchtig gewesen. Sie wußte nicht, daß es so etwas wie Eifersucht gab. Hätte man ihr ein solches Gefühl zu Hause im Kreis ihrer wirklichen Gefährten und Freunde beschrieben, sie hätte es nicht geglaubt.
Aber Ben Ata sollte sie verführerisch finden. Deshalb hatte sie sich in einer Art angezogen und zurechtgemacht, wie sie es nie zuvor getan hatte, und wozu sie nie auch nur den Wunsch verspürt hatte. Sie brauchte es, daß er mit ihr schlief. Warum?
Al•Ith lag wach. Sie hörte das tiefe Atmen ihres Mannes und den leichten, unregelmäßigen Atem des Kindes. Sie lauschte auch auf das leise Trommeln draußen und wünschte sich nur eins: Die Trommel sollte schweigen und sie befreien.
Am nächsten Morgen machte Ben Ata leichthin ein paar Bemerkungen über Dabeeb, die noch nicht gekommen war, und Al•Ith wußte genau, was sich ereignet hatte. Einerseits bäumte sich in ihr alles auf: Es war nicht gerecht; sie war im Nachteil; sie wurde betrogen – eine ganze Skala häßlicher Gefühle, die sie andererseits für völlig verrückt hielt. Dieser Widerstreit war so groß, daß sie mit Erleichterung sah, wie Ben Ata wieder zu seinen Soldaten zurückkehrte. Und als Dabeeb kam, beruhigte Al•Ith sie mit einem Kuß. Sie tat das nicht nur für Dabeeb, sondern auch für ihren eigenen Seelenfrieden, denn sie wollte die Rolle der Gefängniswärterin, Besitzerin und Anklägerin nicht spielen.
Außerdem begriff sie, es war falsch, für dieses Kind zu wollen, worauf die Kinder in ihrem Land ein Recht hatten. Das

Körperliche würde Arusi nähren, und alles, was sie ihm bringen konnte und dank der Kraft ihres Landes gebracht hatte. Für ihn würde es die nährenden Kräfte des Vaters, wie sie sie kannte, nicht geben. Das ließ sich nicht ändern. Vielleicht war es sogar falsch gewesen, sich das an diesem ersten Abend mit Ben Ata zu wünschen und den Versuch zu wagen.

Sie sah Ben Ata selten. Er verbrachte Tage und sogar Wochen bei der Armee. Sie hörte – stellte ihn aber deshalb nicht zur Rede –, daß er einen Feldzug gegen die Zone Fünf plante. Kam er spätabends zurück, um sich zu ihr zu legen, machte sie ihm klar, daß sie müde war. Manchmal zog sie es sogar vor, auf einem Sofa in ihren Räumen zu schlafen, da sie fürchtete, das Kind sei unruhig und könne ihn stören. In dieser Zeit lebten sie wie Fremde miteinander, die die Umstände zusammengeführt haben, die aber entschlossen sind, höflich zu sein.

Sie fragte sich noch nicht einmal, ob Dabeeb wieder mit ihrem Mann geschlafen hatte. Sie weigerte sich, darüber nachzudenken, da sie die Frau in sich verachtete, die solche Gedanken hervorbrachte.

Das Kind war kräftig und gesund, und sie dachte daran, es zu entwöhnen.

In dieser Zeit hatte sie einen Traum: Sie machte Arusi mit der Sexualität bekannt. Er war gleichzeitig ein Kind, ein großer Junge und ein junger Mann. Sie empfand bei ihrem Tun großen Genuß und das Gefühl, *richtig* zu handeln. Denn so wurde die größtmögliche Intimität erreicht, die es gab oder geben konnte, und sie fand so ihren Ausdruck auf natürlichste Weise. Aber Al•Ith empfand auch großes Bedauern, denn durch diesen Akt gab sie ihn frei, und er konnte sich anderen Frauen zuwenden. Sie handelte verantwortungsvoll, denn mit ihrem Tun verband sich keine Schuld. Es war ein Ritual und eine von allen gutgeheißene Notwendigkeit. Der Übergang von *jener* Welt, in der es für eine Frau richtig war, ihren Sohn in die Sexualität einzuführen, in diese Welt, in der ein solcher Akt als unvorstellbar, schlecht und schädlich galt, fiel ihr so

schwer, daß sie nach dem Erwachen stundenlang an einem Ort umherzuirren schien, in dem keine der beiden Welten wirklich oder gültig war.
Später sah sie Dabeeb durch die Sträucher den Hügel heraufkommen. Sie strich über die Spitzen der Zweige, um den Duft der Blätter freizusetzen. Ihre fröhliche und erdverbundene Vitalität erschien Al•Ith wie eine Herausforderung. Al•Ith kam sich pervers und unanständig vor, so etwas überhaupt geträumt zu haben. Und der Traum war so lebendig gewesen, daß sie sich noch immer in seinem Bann fühlte.
Al•Ith saß auf einem großen roten Kissen auf dem Boden. Das Kind lag schlafend auf einem blauen Kissen neben ihr. Wie üblich strahlte Dabeeb vor Freude beim Anblick der beiden. Aufmerksam wie immer bemerkte sie sofort, daß Al•Ith etwas bekümmerte. Sie faltete die Hände, blieb ihre Dienste anbietend neben der Mittelsäule stehen und blickte Al•Ith besorgt an.
Der Gegensatz zwischen dieser kräftigen, erdverbundenen Frau und dem erlesenen, zarten Schwung der Gewölbebögen, die aus der Säule wuchsen, erschien Al•Ith als Summe ihrer Gedanken.
»Dabeeb«, sagte sie, »ich hatte einen sehr beunruhigenden Traum.«
»Oh, wirklich«, sagte Dabeeb, in ihrer üblichen, beruhigenden Stimme.
»Bitte, setz dich, Dabeeb. Wirst du nie lernen, meine Freundin und nicht meine Dienerin zu sein?!«
Dabeeb setzte sich auf die Kante des Diwans, da sie nicht gerne auf dem Boden saß.
»Ja! Ich träumte, Arusi sei erwachsen und gleichzeitig noch sehr jung... etwa sieben. Und ein Baby. Ich – ich hatte die Aufgabe, ihn sexuell zu unterweisen.« Man sah deutlich Al•Iths Bestürzung über sich selbst, denn es fiel ihr schwer, darüber zu sprechen. Prüderie war typisch für die Zone Vier...
Dabeeb blieb gelassen; aber sie blickte nervös auf die zurückgezogenen Vorhänge der Tür, die in Ben Atas Räume führte.

Ben Ata war kurze Zeit zuvor zurückgekommen und arbeitete an seinen militärischen Plänen.
Er hatte beobachtet, wie Dabeeb den Hügel hinaufkam und Al•Iths Worte gehört. Jetzt erschien er im Torbogen, lehnte sich an die Wand und blickte die beiden Frauen aus der Entfernung an. Er bemühte sich darum, gelassen zu wirken.
Dabeeb wollte sich schnell zurückziehen und stand auf, aber Al•Ith bedeutete ihr mit einem Nicken, sich wieder zu setzen.
»Ich hatte einen ungewöhnlichen Traum, Ben Ata.«
»Das habe ich gehört.«
Die beiden Frauen zusammen zu sehen, beunruhigte ihn. Er fragte sich oft, wie er sich in diese Situation gebracht hatte, die sein Gefühl für Diskretion und Anstand auf höchste beleidigte. Er hätte es lieber gesehen, daß sie einander nie begegnet wären... daß sie sich nicht kannten... daß Al•Ith Szenen machte und Dabeeb aus dem Haus warf – alles, nur nicht diese schreckliche Intimität.
Dabeebs Impuls aufzustehen und zu gehen, erschien ihm lobenswert. Al•Iths Ungezwungenheit – so empfand er es – war unschicklich und anstößig.
»Nun, Dabeeb, willst du dich dazu nicht äußern? Ich kann sehen, daß du etwas zu sagen hast!«
»Ich habe diesen Traum selbst auch gehabt, Al•Ith«, antwortete Dabeeb verlegen aber trotzig.
Ben Ata machte eine ungeduldige Bewegung und wurde rot.
Al•Ith sah es und lächelte. »Na bitte, Ben Ata. Ich bin nicht allein pervers!«
»Ich habe nicht behauptet, daß du pervers bist!« protestierte er sofort.
Sie lachte.
»Ich habe dies bei jedem meiner Söhne geträumt, und ich habe vier Jungen«, gestand Dabeeb. Sie lachte, aber es klang gezwungen. »Beim ersten Mal dachte ich, ich sei schlecht und unanständig, aber jetzt weiß ich...«
»*Was* weißt du?«
»Wenn man sich mit den Frauen unterhält, stellt man fest, daß

alle diesen Traum haben... und zwar, wenn das Kind noch sehr klein ist. Aber im Traum kann der Junge jedes Alter haben. Meist ist er sieben oder etwa zwölf.«

Ben Ata verließ jetzt seinen Platz im Durchgang zu seinen Räumen und schloß energisch den Vorhang hinter sich, als bestehe er auf ordentlichen Grenzen. Er ging zu den Bogenfenstern, von denen aus man das Lager am Fuß des Hügels sah. Dort stellte er sich breitbeinig in seiner charakteristischen Pose hin und verschränkte die Hände auf dem Rücken. Alles an ihm verkündete, daß er einem Angriff ausgesetzt war, dem er sich nicht beugen, sondern den er nur erdulden wollte.

»Ich frage mich, woher der Traum kommt?«

»Das verstehe ich nicht, Al•Ith?«

»Das wird doch bei euch nicht wirklich gemacht, Dabeeb, oder?«

»Oh, wie kannst du so etwas sagen! Wie mußt du uns verachten«, erklärte Dabeeb beleidigt.

»Ich habe nur Spaß gemacht.«

»Frag sie, ob es in Zone Drei gemacht wird«, warf Ben Ata ein, ohne sich umzudrehen. Er bemühte sich sehr, unbeschwert zu klingen.

Er tat Al•Ith leid, und sie sagte begütigend, vor dem Traum sei ihr so etwas nicht in den Sinn gekommen.

Ben Ata konnte einen kurzen erleichterten Seufzer nicht unterdrücken und er veränderte seine Haltung, als sei ihm eine Last von der Schulter gefallen.

»Du hast doch nicht im Ernst geglaubt... oh, Ben Ata, du kennst mich jetzt schon so lange und immer noch stellst du dir die phantastischsten Dinge über uns vor!«

»Warum überrascht dich das? Du vergißt, daß manches, was ihr da oben treibt, für mich schlimm genug ist, auch wenn ihr keinen Grund seht, euch deshalb zu schämen! Aber natürlich bin ich nur ein Barbar.«

»Du kannst mir glauben.«

Während sie sprachen, warf Dabeeb schnelle Blicke von einem zum anderen; und auf ihrem Gesicht zeigte sich wie üblich Erleichterung und Freude, daß sie sich vertrugen und nicht

miteinander stritten. Wenn sie das taten, litt sie darunter, denn sie wurde den Gedanken nicht los, es sei ihre Schuld… zumindest teilweise.
»Es ist merkwürdig, daß du das sagst, Al•Ith. Erst letzte Woche hatte eine der Frauen diesen Traum, den sie einigen von uns erzählte. Es handelte sich um ihren ersten Sohn. Es fiel ihr sehr schwer, darüber zu sprechen. Und irgend jemand fragte dasselbe: Woher kommt dieser Traum? Wir hier würden uns schämen, so etwas zu tun. Wir würden nie daran denken, und es käme uns nie in den Sinn, wenn wir nicht diese merkwürdigen Träume hätten. Aber wir haben sie.«
»Wahrscheinlich ist es eine Überlieferung aus der Vergangenheit«, sagte Al•Ith.
»Ich würde nicht gerne annehmen, daß er aus dieser Zone kommt«, sagte Dabeeb, ganz die sittsame Frau, »niemals. Es ist unangenehm, auch nur daran zu denken.«
»Das weiß ich nicht«, antwortete Al•Ith, »genau darauf will ich hinaus. Der Traum war nicht nur lustvoll. Es war ein Ritual, und das macht es so schwer, ihn zu verstehen… etwas Vorgeschriebenes. Es wurde von mir erwartet… erst jetzt, seitdem ich wieder wach bin, habe ich das Gefühl, es sei etwas Schlechtes.«
Von Ben Ata kam ein unterdrücktes Stöhnen.
»Ich glaube, du solltest in Anwesenheit des Königs nicht so sprechen. Es muß unangenehm für ihn sein.«
»*Warum nicht?* Auch er hatte eine Mutter!« erwiderte Al•Ith, und Ben Ata stöhnte erneut.
»Oh, Al•Ith!« protestierte Dabeeb.
»Es hilft nichts. Ihr bringt mich immer aus der Fassung. Ich weiß, daß keiner von euch begreift, warum, aber es ist so. Wie könnt ihr Frauen euch damit zufriedengeben, die Männer zu behandeln, als seien sie Feinde oder Dummköpfe, denen ihr nicht vertrauen könnt, oder kleine Jungen.«
Dabeeb und Ben Ata schwiegen: das hartnäckige Schweigen von Menschen, die ihre Rechtschaffenheit gegen schwere und verwirrende Angriffe verteidigen müssen.
»Ich kann euch sagen, wenn ich diesen Traum in der Zone Drei

hätte, würden wir alle darüber sprechen und uns Gedanken machen. Wir würden die Memoranden befragen und die Historiker rufen; alle würden sich damit beschäftigen, um soviel wie möglich herauszufinden. Es käme uns nie in den Sinn, ihn als ein Geheimnis der Frauen zu betrachten.«

Erneutes Schweigen. Dann sagte Ben Ata, der ihnen noch immer den Rücken zuwendete, mit mürrischer und verletzter Stimme, es täte ihm leid, daß er rückständig sei, aber es falle ihm schwer, sich so schnell an solche Ideen zu gewöhnen. »Vielleicht ziehe ich es vor, wie ein Dummkopf oder wie ein kleiner Junge behandelt zu werden.« Mit diesen Worten drehte er sich um und kam lächelnd zum Diwan. Er hatte sich vorgenommen, zu lächeln und freundlich zu sein und nicht wütend zu verschwinden, obwohl ihm genau danach zumute war.

Mit dem Gedanken, wenn er schon gute Miene zum bösen Spiel mache, könne er sich auch neben Dabeeb auf den Diwan setzen, ging er durch den Raum und setzte sich. Sie bildeten ein Paar und blickten beide auf Al•Ith und das Baby hinunter. Sie lächelte zu ihnen hoch. In Wirklichkeit waren alle drei verstört, ließen sich aber nichts anmerken.

»Vielleicht kommt der Traum aus der Zone Fünf«, sagte Dabeeb, »jeder weiß, wozu die Wilden da unten fähig sind.«

»Davon habe ich nie etwas gehört«, erwiderte Ben Ata und dachte dabei, er habe sich nie die Mühe gemacht, an mehr als an Krieg und Beute zu denken.

»Von irgendwoher muß er kommen«, beharrte Al•Ith, »er ist im Bewußtsein aller Frauen dieser Zone, und zwar so stark, daß auch ich den Traum hatte, nachdem ich bei euch lebe. Das heißt, er muß auch irgendwo in dir sein, Ben Ata.«

»Wenn du es sagst, Al•Ith.«

Sie lachten. Aber es war kein befreiendes Lachen. Für alle drei war das ein schwerer Moment. Ben Ata kämpfte gegen sein Mißtrauen, gegen all das, wobei der Traum nur ein Teil des Ganzen war. Er konnte sich einfach nicht damit abfinden, daß sie drei allem Anschein nach so vertraut und eng zusammensaßen.

Dabeeb fühlte sich schuldig. Aber sie sagte sich, sie habe Ben Ata nicht verführt, sondern er sie. Und es stand ihr nicht zu, den König abzuweisen. Da Al•Ith auch weiterhin erkennen ließ, daß sie sie schätzte und mochte, mußte sie von ihr nichts befürchten.

Al•Ith war eifersüchtig. Aber sie verbarg es. Sie fühlte sich einsam. Sie betrachtete ihren Mann und diese Frau, die beisammensaßen, die sich in ihrer Art, in ihrer Robustheit und Beharrlichkeit so sehr glichen, und sie fühlte sich fremd und ausgeschlossen. Irgendwo in Al•Ith klagte ein kleines Mädchen, von dem sie bislang nichts wußte: »Ich bin ungeliebt. Ich bin ausgeschlossen. Sie lieben sich mehr als sie mich lieben.«

Wenn ich hier weggehe, dachte Al•Ith, bleibt Dabeeb bei meinem Mann, und ich werde sogar froh darüber sein, denn ich möchte nicht, daß er einsam ist. In Wirklichkeit verbindet sie mehr miteinander als mit mir... die Angst folterte sie, aber trotzdem lächelte sie so freundlich wie möglich.

»Al•Ith«, sagte Dabeeb, »bei uns bedeutet der Traum, daß das Kind entwöhnt werden soll.«

»So deutet ihr ihn?«

»Ja. Wenn wir unsere Jungen noch nicht entwöhnt haben, tun wir es nach diesem Traum. Er ist ein Zeichen dafür, daß man sich innerlich entfremdet hat, obwohl man es noch nicht weiß. Der Junge beginnt sich als Mann zu fühlen.«

»Also gut! Dann werde ich es tun.«

Dabeeb stand auf, ließ die beiden taktvoll allein und ging in Al•Iths Gemächer. Ben Ata wartete eine Weile, machte ein paar passende Bemerkungen über das gesunde Aussehen des Kindes, entschuldigte sich und ging. Er konnte nicht zuviel von diesem schrecklichen Hin und Her ertragen. Dabeeb, Al•Ith, dann Al•Ith, Dabeeb – immer und immer wieder. Irgendwie fürchtete er auch, Al•Ith wolle vielleicht mit ihm schlafen... und das wollte er einfach nicht.

So ging er bald wieder den Hügel hinunter und kam sehr viel später an diesem Abend zu Dabeeb. Inzwischen hatte ihn große Unruhe erfaßt, denn er mußte immer wieder an Al•Iths Traum denken, der schlimm genug war. Noch schlimmer,

Dabeeb sprach so selbstverständlich davon, daß alle Frauen diesen Traum hatten. Ihm schien, daß alle Gefahren, die er mit der Zone Drei assoziierte, in einer Art lächelnden Verrat gipfelten, der nicht verdammt oder verhindert werden konnte, da *sie*, die Versorger, ihn rätselhafterweise als etwas Übergeordnetes und Höheres beurteilten – die Versorger schienen ihm in Dabeeb auf Dauer gegenwärtig zu sein, um ihn nie wieder zu verlassen. Er hatte das Gefühl, die Hälfte seines Reiches, die weibliche Hälfte, sei ein gefährlicher dunkler Sumpf, aus dem sich jeden Augenblick Ungeheuer erheben konnten, und diese Gefahr war ihm erst kürzlich und plötzlich vor Augen geführt worden. Er bedauerte, daß er sich früher nie über Frauen Gedanken gemacht hatte. Er hoffte, sein Geist würde wieder zu dem früheren gesunden Zustand zurückfinden, wenn Al•Ith ihn schließlich verließ – aber er fürchtete, daß diese Hoffnung sich nicht erfüllen würde.

Auf sein halbherziges Drängen hin erzählte ihm Dabeeb in dieser Nacht von allen möglichen Träumen, Überzeugungen und Vorstellungen der Frauen. Den Sinn der geheimen Zusammenkünfte deutete sie jedoch nur an. Ben Ata erschien es, als habe man ihn an einen Ort unendlichen Trostes und Sicherheit gebracht – Dabeebs großer und erfahrener Körper –, und nachdem er dort war, versetzte man ihm mit unerfreulichem Wissen ständig neue Schocks. Er wurde zwischen den beiden Frauen, Dabeeb und Al•Ith, zerrieben! Wer hätte geahnt, daß Dabeeb, die hübsche, gesunde und durchschnittliche Soldatenfrau, sich als Quelle der Schwierigkeiten erweisen würde – das kam ihm so vor, als spüre er bei einer Parade Grassamen im Unterhemd, und ihm blieb nichts anderes übrig als zu lächeln. Denn wohin konnte er sich jetzt wenden, um dieses wirkliche Dunkel, den echten Trost und das wahre Vergessen zu finden, das bei Frauen zu suchen er erst vor kurzem gelernt hatte: Jetzt mußte er immer darauf gefaßt sein, einer Frau zu begegnen, die ihn plötzlich mit Problemen, Gedanken und Vergleichen konfrontierte, die sogar in die Geschichte, in die ferne Vergangenheit zurückreichten... »Woher kommt dieser oder jener Traum?« fragten die Frauen einander und sprachen über solche

Themen, aber ohne die Männer je in ihre Gedanken und Überlegungen einzuweihen. So brütete Ben Ata vor sich hin, als er wach neben Dabeeb lag – in dieser Nacht und in anderen Nächten, während zwischen ihm und Al•Ith eine unsichtbare Schranke zu bestehen schien.
Al•Ith entwöhnte den Jungen und spürte, daß sie unruhig und voll neuer Energien war.
Sie hatte nicht genug zu tun. In ihrem Reich tat sie so viele und so unterschiedliche Dinge! Ihr fiel nichts anderes ein, als ihre Garderobe zu ergänzen, aber im Grunde fand sie diese Art Beschäftigung langweilig. Sie bestellte bei den Schneidern in den Städten neue Kleider – so förderte sie wenigstens den Umsatz. Sie war wieder schlank und temperamentvoll, und diese neue Al•Ith brauchte Kleider, die ihr entsprachen. Sie selbst und die Frauen sagten im Spaß, es sei bald wieder Zeit für ein Baby.
Aber Al•Ith spürte, daß nicht noch ein Baby von ihr erwartet wurde. O nein, sie hatte getan, was sie tun mußte... und doch schlug die Trommel und hörte nicht auf zu schlagen: Sollte sie vielleicht doch noch ein Kind von Ben Ata empfangen?
Eines Abends kam Ben Ata spät in den Pavillon zurück und sah sie. Wieder fühlte er sich zu ihr hingezogen, als sei sie ihm völlig unbekannt. Sie verweigerte sich ihm nicht und zeigte ihm auch nicht die kalte Schulter. Ganz im Gegenteil. Sie begehrte ihn. Auch das hatte sie bisher nie gekannt: Sie führte es darauf zurück, daß sie jeden Tag viele Stunden auf ihr Aussehen verwendete. Sie beschäftigte sich mit Kleidern und Schnitten, die eine Linie – die Brüste, die Beine oder die Arme – betonen sollten, und frisierte ihr Haar unter Dabeebs fachkundiger Anleitung, die mit der größten Freude ihre Herrin dabei unterstützte, wieder schön zu werden. Wenn man seine Energien auf die Zurschaustellung und Vervollkommnung des eigenen Körpers richtete und dabei nur das Ziel verfolgte, gesehen und bewundert zu werden, genügte das offensichtlich, um dieses leidenschaftliche Verlangen zu erwecken. Ursache und Wirkung. Energie, in eine Richtung gelenkt, rief die entsprechende Reaktion hervor... so beurteilte Al•Ith ihren Zustand. Aber

das hielt sie nicht davon ab, sich Ben Ata hinzugeben, als verzehre sie sich nach ihm.
Und ihm gefiel das sehr. Trotzdem fragte er sie: »Erinnerst du dich, wie wir uns früher geliebt haben?«
»Wie war das?« fragte sie, obwohl sie es sehr gut wußte.
»Erinnerst du dich nicht an damals...«, denn jetzt erschien es ihm, als sei es lange Zeit so gewesen, vor einer Ewigkeit, ein verlorenes Paradies. Damals war sie ganz anders gewesen als heute – leicht, zart und auch lustig –, denn so schützte sie den dankaren Ben Ata vor ihrer Welt, die, wie er wußte, von dem Unbekannten, dem Schwierigen, dem Bedrohenden überschattet war – damals konnte sie sensibel sein und spielerisch von einer Freude zur anderen tanzen, bis die unerträgliche Kluft zwischen ihnen in einem Feuer aufloderte, das sie beide verbrannte. Das geschah jetzt nicht mehr. Wie konnte es auch, wenn ihre Einstellung zur körperlichen Liebe sich so geändert hatte?
»Und wie waren wir damals?« fragte sie sachlich, obwohl sie es sehr gut wußte.
»Du warst damals anders.«
»Und jetzt?«
»Jetzt... jetzt pflüge ich in dir. Ich pflüge dich um!«
»O ja«, hauchte sie bebend. »Ja, das tust du. Ich muß es haben. Du mußt es tun. Ich brauche es.«
»Oh, ich beklage mich nicht«, sagte er, ganz gutmütiger Ehemann, und betrachtete sie freundlich und anerkennend. »Glaube ja nicht, ich beklage mich.«
»Aber das tust du!«
»Es scheint, als ob du mich brauchst, um dich auszulöschen. Um dich zu zermalmen. Du liegst da und stöhnst, und ich... pflüge dich um.«
»Ja! Ja! *Jetzt,* Ben Ata! In mir spannt sich alles... ich könnte zerspringen. Ich brauche dich, um mich... zu füllen. Um... *tu es!* Jetzt! Du mußt es tun! Ich brauche es!«
Und er tat es. Er stieß tief und ausdauernd in sie, immer und immer wieder, während sie stöhnte und unter ihm erstarb.
Aber das war es nicht, woran er sich erinnerte, das war nicht

das Erlebnis, das alles weit übertraf, was er je mit einer Frau erlebt hatte, daß er manchmal daran zweifelte, ob es sich überhaupt ereignet hatte.
Aber das hatte es. So war ihr Zusammensein gewesen. Ein wunderbares, subtiles Antworten: Berührung auf Berührung, Blick auf Blick; ein Anreiz, Akkorde und Reaktionen zum Leben zu erwecken, die sie jetzt, wie es schien, völlig vergessen hatten.
Konnte diese verzweifelte und gierige Frau die lachende Al•Ith sein, die ihm unvorstellbare Genüsse erschlossen hatte?
»Warum kann es nicht mehr wie damals sein?« fragte er immer wieder.
»Aber damals kam ich von *dort,* Ben Ata.«
»Du bist noch immer von dort! Von woher sonst?«
»O nein, Ben Ata. Das bin ich nicht. Das kannst du mir glauben. Ich bin es nicht.«
Und sie klammerte sich wie eine Ertrinkende an ihn, die nur von seinem stoßenden Körper gerettet werden konnte.
Sie glaubte verrückt zu werden, zu explodieren, wenn er das nicht tat, sie auslöschte, betäubte, versenkte, alle Spannungen in ihr zur Entladung brachte. Warum? Sie wußte es nicht. Dies war die Zone Vier. So war sie.
Und doch lauschte sie immer auf die Trommel und fragte sich, wann sie wohl schweigen würde. Dann konnte sie wieder hinauf in ihr Land reiten und ihr eigenes Ich wiederfinden.
Eines Tages würde die Trommel schweigen, und sie war wieder frei.
Sie stellte sich sogar vor, daß sie Ben Ata vielleicht wiedertraf, nachdem sie in der reinen, kühlen, frischen Atmosphäre ihres wahren Ich gesund geworden war. Dann konnten sie »es so tun« wie früher, in der Zeit, von der er bewundernd sprach.
Aber während sie das dachte, erschien es ihr unmöglich.
Und dann geschah dies.

Eines Morgens kehrte Ben Ata von seinen Soldaten zurück, fand Al•Ith nicht im Pavillon und ging in den Garten hinaus.

Sie saß mit dem Kind auf der erhöhten, weißen runden Plattform am Ende des langen Wasserbeckens. Zwischen ihm und ihr plätscherten die Fontänen; die Trommel dröhnte ihm in den Ohren. Hinter Al•Ith befand sich das ovale Becken mit den Springbrunnen. Die Gewürzbäume verströmten ihren Duft. Der grüne, feuchte und dunstige Garten glänzte in der Sonne. Das Licht kam von überall. Das Echo und der Widerhall schienen den Schlag der Trommel zu vervielfältigen. Und inmitten dieses goldenen Rhythmus von Licht und Klang war Al•Ith mit ihrem Sohn. Arusi lag auf einer blauen Decke auf dem weißen Stein. Al•Ith schien selbst nur Licht und Funkeln zu sein. Ihr gelbes Kleid ließ die schlanken braunen Arme frei; wo es sich hochgeschoben hatte, sah man auch ihre Beine. Sie beugte sich mit intensiver Konzentration, die ihn und die Welt ausschloß, über das Kind. Durch das Geräusch des Wassers und der Trommel konnte er sich ihr unbemerkt nähern, ohne seinen schweren Soldatenschritt zu dämpfen. Al•Ith war in Betrachtung ihres Sohnes versunken, entrückt, verloren. Das Kind bewegte seine kleinen Glieder und gab leise Töne von sich. Es war sich der Bewunderung seiner Mutter bewußt – falls Bewunderung das richtige Wort dafür war – wie Ben Ata bitter dachte. Das Baby schien vor Zufriedenheit und Liebe zu strahlen. Al•Ith berührte seine kleinen Füße, umschloß sie mit den Händen, ihre Finger glitten an den Beinen auf und ab. Sie beugte sich tiefer und blickte mit einer aufmerksamen, ernsten Intensität in das Gesicht des Kindes, die Ben Ata noch nie an ihr bemerkt hatte. Ihn hatte sie ganz sicher noch nie so angesehen. Er stand mit angehaltenem Atem still, entschlossen zu verstehen, was er sah – er wußte, es mußte ihm gelingen, denn die Eifersucht loderte in ihm. Al•Ith nahm dem Baby die Windeln ab, und es lag nackt vor ihr. Neben der geschmeidigen, schlanken braunen Mutter wirkte das Kind blaß, und im Vergleich zu ihr schien es langsam und schwerfällig zu sein. Ben Ata mußte sich sofort eingestehen, was er lieber geleugnet hätte: Er spürte eine instinktive Abneigung gegen die Nacktheit seines Sohnes. Vielleicht weniger Abneigung als eine Neugierde, deren Quelle er nicht verstand. Neugierde worauf?

Er spürte, daß irgend etwas in ihm *nein* zu sagen schien... der Junge war ein wohlgestaltetes, normales und gesundes Kind. Vermutlich hatte er seine Genitalien; Ben Ata glaubte sie zu erkennen. Aber sie verwirrten ihn, und er fühlte sich unbehaglich. Warum entblößte Al•Ith das Kind? Al•Ith untersuchte jede Einzelheit des kindlichen Körpers mit diesem ernsten konzentrierten Blick.

Sie betrachtete jede Einzelheit, jedes Grübchen und jede Falte... sie berührte und streichelte die Glieder und ließ ihre Hände auf und ab gleiten. Ben Ata litt und fühlte sich einsam... würde sie die Genitalien des Jungen berühren? Er beobachtete sie angstvoll. Aber sie tat es nicht, obwohl sie bei dieser Untersuchung – als suche sie danach, dachte Ben Ata, nicht wenig erstaunt über sich selbst – den Kopf im Körper des Kindes vergrub und lachte. Das Kind griff nach ihren Haaren, strampelte heftig und lachte ebenfalls. Ben Ata sah eine Liebesszene, und er mußte sich eingestehen, daß Al•Ith ihn nicht mit dieser Hingabe berührte. In seinem Bauch vergrub sie ihr Gesicht nicht... er stellte sich die Berührung ihrer Wimpern auf der Haut vor, und hilfloser Zorn stieg in ihm auf. Sie hatte ihn so geliebt – früher. Vor langer Zeit. Ja, das hatte sie. Aber jetzt tat sie es nicht mehr. Jetzt preßte und klammerte sie sich nur an ihn, als flehe sie darum, gerettet zu werden. Al•Ith drehte das Baby auf den Bauch; der Junge versuchte, die Knie anzuziehen, um sich aufzurichten. Aber es gelang ihm nicht. Al•Ith fuhr in ihrem langen liebevollen Ritual der Untersuchung oder Hingabe fort. Oder war es Leidenschaft? Sanft legte sie einen Zeigefinger auf die Kniekehlen, als wolle sie den Puls fühlen, oder zumindest eine Äußerung des Körpers an dieser Stelle. Sie wölbte die Hände über die kleinen Hinterbakken, küßte den Nacken des Kindes und strich mit den Handkanten über die kleinen Schultern. Sie schien das Kind völlig in sich aufzunehmen, es in Besitz zu nehmen, als sie sich über es beugte – in ihrem goldgelben Kleid und den Haaren, die in der Sonne schimmerten, wirkte sie wie ein anmutiges, sonnengebräuntes Mädchen. Dieses blasse große Kind schien nicht ihr Kind, sondern nur untergeschoben zu sein – für Ben Ata lag in der Art, wie sie von ihm Besitz ergriff und es sich aneignete, etwas Falsches, sogar etwas Perverses... und sie nahm ihn immer noch nicht wahr. Obwohl er jetzt über ihr stand und sein Schatten beinahe bis an den Rand der runden weißen Plattform fiel. Ben Ata kam es vor, als hätten sie sich dort unzählige Male geliebt. Es war die Plattform, der Ort ihrer Liebe, einer Liebe, die nur ihnen beiden gehörte...

Arusi mühte sich ab, sich mit den Knien abzustützen, und plötzlich gelang es ihm – anstatt unter ihm nachzugeben, trugen sie ihn, und er krabbelte auf allen vieren – wie ein kleiner weißer Hund, dachte Ben Ata. Seine Gefühle würgten und überschwemmten ihn. Das Baby war so verletzlich. Er konnte es töten; er mußte es nur hochheben und mit dem Kopf nach unten auf den weißen Marmor fallen lassen. Während Ben Ata das dachte, klammerte sich das Kind an Al•Iths Haare und zog sich hoch – es stand. Ben Ata war blind vor rasender Wut. Er mußte sich zusammennehmen und beruhigen, und als sein Blick sich geklärt hatte, sah er Al•Ith lächelnd zu ihm aufschauen.

Dieses Lächeln erschien ihm schamlos. Nicht eine Spur von Schuld lag darin! Aber wie tausendmal zuvor hatte sie ihn gerade betrogen.

Sie lächelte immer noch – ein liebevolles, zärtliches Lächeln, das bestimmt dem Baby galt und nicht ihm, Ben Ata! Sie streckte die Hand aus und legte sie um seine Knie, wie sie es zuvor bei dem Baby getan hatte. Schamlos, dachte Ben Ata, den die Berührung wie ein Blitz durchzuckte. Sie lächelte. Sie wollte, daß er sich zu ihr und dem Kind setzte und an ihrem Liebesritual teilnahm. Erstaunt registrierte er, daß sie nicht die geringste Reue oder Schuld empfand... Ohne auf das Kind zu achten, hob er sie auf und ging mit ihr in Richtung Pavillon.

»Ben Ata«, schrie sie auf, »das Baby! Wir können ihn nicht allein hierlassen.«

Aber der Aufschrei rief Dabeeb auf den Plan. Sie näherte sich bereits zwischen den Säulen und sah, daß sie sich um das Baby kümmern mußte. Ihr verständnisvolles Lächeln verriet gewisse Vermutungen. Ben Ata mied ihren Blick, um in einem instinktiven Bedürfnis seine und Al•Iths Intimität zu schützen. Es ist, dachte Ben Ata, als habe man Dabeeb irgendwann in ihrem Leben das passende Verhalten in jeder Situation beigebracht: Wenn der Herr die Herrin ins Ehebett trägt, reagiert die treue Dienerin mit einem bestimmten Gesichtsausdruck. Im Pavillon setzte er Al•Ith ab. Sie lachte. Er lachte. Inzwischen war sein Zorn verflogen. Al•Iths leichter warmer, kraftvoller Körper in seinen Armen hatte ihn vertrieben. Sie standen einander gegenüber, jeder an einer Seite des großen Diwans, und beobachteten sich wachsam wie Fechter – amüsierte, lachende Gegner. Gleichwertig! Im Gleichgewicht... als sie dann miteinander schliefen, stand dies unter einem anderen Vorzeichen und hatte nichts mehr mit dem zu tun, was Ben Ata bei sich seit kurzem als »eheliche« Liebe bezeichnete. Unbeschwertheit, Spontaneität... Anmut.

Und es war genau so, wie es »vor langer Zeit« gewesen war – die Zeit, an die Ben Ata immer wieder gedacht hatte.

Sie wachten in der Abenddämmerung zusammen auf. Sie fühlten sich einander nahe und geheilt, als sei eine unvorhergesehene und unvorhersehbare schreckliche und unnatürliche Trennung, unter der sie gelitten hatten, plötzlich aufgehoben; und sie konnten wieder frei und in Frieden atmen.

Und in Stille.

Sie hörten das plätschernde Wasser draußen.

Welch eine Stille... sie schien sie beide zu erfüllen, an und um ihre Körper zu gleiten und sie zu umschließen.

Eine Stille.

Die Trommel hatte aufgehört zu schlagen. Und plötzlich setzten sie sich beide gleichzeitig auf. Sie sahen sich an und stießen einen Seufzer hervor, der wie ein Stöhnen klang.

»O nein, nein, nein«, murmelte er und preßte sie an sich. Sie griff mit beiden Händen in seine Haare, wie um seinen Kopf an ihren Körper zu drücken, aber auch um ihn zurückzuhalten... ihr ganzer Körper bebte vor Schluchzen.

Er hielt sie jetzt eng umschlungen und wiegte sie. Sie wiegten einander. In schrecklicher Qual knieten sie nebeneinander auf dem Diwan, trösteten und umarmten einander. Sie legten die

Hände um das Gesicht des anderen und sahen sich in die Augen, als gäbe es dort eine Erklärung für das Urteil, das über sie verhängt worden war.

Jetzt getrennt zu werden... nein, es konnte nicht sein.

In diesem Moment trat Dabeeb durch die Tür, die zum Hügel hinausführte. Sie hielt das Kind auf dem Arm, räusperte sich leise und sagte: »Ich habe eine Botschaft zu überbringen.«

Bei diesen Worten ließen sich Ben Ata und Al•Ith los und knieten, bereits getrennt, rechts und links auf dem Diwan. Sie wußten, Dabeeb würde etwas Endgültiges sagen, das sie nicht ertragen konnten... ihre pochenden Herzen verrieten es ihnen.

Und Dabeebs Gesicht verriet Niedergeschlagenheit. Sie war ihretwegen tief getroffen... und gleichzeitig erleichtert.

»Wer hat die Botschaft überbracht?« fragte Ben Ata.

»Ein Kind.«

»Kennst du das Kind?«

»Ich habe den Jungen noch nie gesehen, und es ist dunkel. Ich hätte ihn auch nicht erkennen können. Er rannte sofort wieder den Hügel hinunter.«

Stille. Sie hörten das ungleichmäßige, ängstliche Atmen des anderen.

Dann sagte Dabeeb: »Ich bitte zuerst um Verzeihung für das, was ich sagen werde.«

»Wir verzeihen dir, Dabeeb.«

»Herrin, ihr müßt in Euer Land zurückkehren... aber das wißt Ihr bereits, denn die Trommel schweigt.«

»Ja, wir wissen es.«

»Und Ihr, Herr, Ihr müßt... Ihr müßt... Ihr müßt die Herrin des Landes im Osten heiraten. Herr, Ihr müßt eine Ehe mit der Zone Fünf eingehen.«

Al•Ith war vom Diwan geglitten, saß auf dem Boden, legte den Kopf auf die Arme und zwang sich gleichmäßig zu atmen.

Sie fragte: »Ist das die ganze Botschaft?«

»Nein. Das Kind muß hierbleiben. Bei uns. Aber Ihr werdet

zeitweise mit ihm zusammensein. Sechs Monate in jedem Jahr.«
Weinend warf sich Al•Ith mit dem Gesicht auf den Diwan und trommelte mit den Fäusten auf das Polster.
Ben Ata starrte die Überbringerin dieser schlechten Nachrichten – denn in diesem Moment konnte man sie nicht anders deuten – an und schien etwas sagen zu wollen. Aber schließlich schüttelte er hilflos den Kopf, und die in Tränen aufgelöste Dabeeb ging hinaus.
Die beiden blieben allein.
Weinend klammerten sie sich die ganze Nacht aneinander und versuchten, sich gegenseitig zu trösten.
Am nächsten Morgen lauschten sie angestrengt auf die Trommel – denn vielleicht begann sie bei Tagesanbruch wieder zu schlagen. Aber alles blieb still, nur das Geräusch des Wassers war zu hören.
Bald darauf kam Dabeeb mit dem Kind und gab es Al•Ith. Sie nahm Arusi auf den Arm und setzte sich. Einen Moment lang betrachtete sie ihn, streichelte seine kleinen Arme und Beine – aber nur kurz. Die Berührung und der Blick wirkten bereits – zwar nicht gleichgültig, aber abwesend. Sie küßte das Kind nicht, sondern gab es Dabeeb zurück, die natürlich bitterlich weinte.
Ben Ata stand am Fenster und starrte zum Lager hinunter.
»Auf Wiedersehen, Ben Ata«, sagte Al•Ith streng und knapp, beinahe kalt – und ging hinaus in den Garten, wo ihr Pferd wartete.
Und so ritt Al•Ith davon, verließ ihr Kind, ihr zweites Zuhause und ihren Mann, Ben Ata.
Eine andere Al•Ith ritt auf ihrem geliebten Pferd den Höhen der Zone Drei entgegen. Sie unterschied sich sehr von der Al•Ith, die nach dem letzten Abschied von Ben Ata hier entlanggeritten war. An diese Al•Ith konnte sie sich kaum mehr erinnern. Sie wußte nur, damals war sie glücklich gewesen, gehen zu können. War das möglich? Ja. Wie befreit hatte sie dieses feuchte, nasse Land verlassen.
Damals war sie in ihr Land zurückgekehrt, als käme sie aus dem

Exil. Jetzt konnte sie nur daran denken, daß ihr Körper unter dem erdrückenden Leid, mit dem er nicht fertig werden konnte, so schwer war, daß sie klaglos vom Pferd in den Kanal hätte gleiten können, um dort zu ertrinken. Sie hob die Augen zu den mondbeschienenen Bergen, wo der Schnee glitzerte und glaubte, sie werde nie, nie die Kraft aufbringen, wieder dort hinaufzusteigen. Was erwartete sie dort? Sie glaubte sich zu erinnern, daß sie das letzte Mal nicht als geliebte und willkommene Bewohnerin des Landes empfangen worden war. Im Gegenteil, sie selbst hatte sich dort fremd gefühlt – ja noch mehr, sie schien unsichtbar gewesen zu sein. Wie konnte sie jetzt einfach in dieses Leben zurückreiten, als sei nichts geschehen.

Und in einem halben Jahr würde sie wieder in die andere Richtung reiten – zu ihrem Mann, der dann mit dieser unbekannten Königin aus dem Osten verheiratet war.

Aber das war unmöglich. Weder sie noch Ben Ata begriffen es... wie *konnte* er diese Frau heiraten... wer immer sie auch war? Sie beide, Al•Ith und Ben Ata, waren jetzt so miteinander verbunden, daß sie eins waren.

Und doch: Er würde jetzt eine andere Frau heiraten, und Arusi würde als Halbwaise aufwachsen. Nein, das konnte nicht sein! Wer konnte das erlauben? Sicher hatten sich die Versorger geirrt und ein falsches Urteil gefällt... so dachte Al•Ith und lenkte das Pferd traurig in Richtung Grenze. Wenigstens hatte sie an ihren Schild gedacht. Ohne ihn würde sie ihr Land nicht betreten können. Sie war jetzt so sehr eine Bewohnerin dieser Zone, daß sie sich praktisch an die Al•Ith der Zone Drei nicht mehr erinnerte. Aber das mußte sie. Sie mußte es versuchen...

Al•Ith reitet durch die lange dunkle Nacht. Neben ihr glänzen die Kanäle und vor ihr schimmern die weißen Berge der Zone Drei. Das Pferd trägt sie langsam und vorsichtig. Sie weint die ganze Nacht.

So wird sie gemalt, und so war es auch.

Sie befand sich bereits eine Weile in ihrem Land, bevor sie es bemerkte. Sie glaubte, sich an unvermittelte und sogar schmerzhafte Symptome beim Grenzübergang zu erinnern, aber der Schild baumelte unbeachtet am Sattel. Aber warum ritt sie mit einem Sattel? Sie stieg vom Pferd, warf Sattel und Schild ins Gras und sprach mit Yori, der die Ohren aufstellte, die Luft schnupperte und den Ort, an den er sich erinnerte, leise wiehernd begrüßte. Sie spürte keine Nachwirkungen. In der Morgendämmerung wirkten die hohen Gipfel nah und nicht beunruhigend oder bedrohlich wie am Vortag.

Al•Ith blieb ruhig stehen und beobachtete, wie der Himmel hell wurde. Sie bemerkte, daß Gedanken in ihr aufstiegen, die sie seit langem nicht gehabt hatte. Sie erkannte und begrüßte sie: Ach, ihr! Ich hatte euch schon vergessen! Willkommen! Soviel von ihr war beiseite gedrängt worden, während sie dort unten in Ben Atas Land lebte – und trotzdem sehnte sie sich schmerzlich nach Ben Ata.

Sie wanderte eine Weile zwischen niedrigen Büschen und Farnen am Rande der Ebene umher. Yori begleitete sie. Jetzt wartete sie bewußt darauf, daß ihr lange vergessenes Ich zurückkehren und sich wieder behaupten würde. Sie wünschte, die schwere, quälende Frau der Zone Vier möge verschwinden und dann vergessen sein. Aber es schien sich etwas anderes zu ereignen. Bald blickte sie mit Gleichmut und Ruhe auf ihren Aufenthalt in der Zone Vier zurück – aber aus dem Abstand: Im Geist sah sie das ganze Land vor sich, als sei es vor ihr ausgebreitet. Sie wußte alles über dieses Land, sie verstand es – und sie sah auch die Al•Ith, die dort gelebt hatte, und sie konnte sie ohne Abneigung und Bedauern betrachten.

Sie sprang auf Yoris Rücken und ritt langsam weiter. Ruhig wartete sie darauf, mit sich und ihrem Land wieder in Einklang zu stehen. Sie war ihm fern. Eine Zuschauerin. Jemand, der durch das Land ritt, aber nicht dorthin gehörte.

Al•Ith begann sich ein bißchen zu fürchten. Wenn schon, bald würde sie Menschen treffen und an ihren Reaktionen sehen... und das geschah auch. Aus den Bergen ritt ihr eine Gruppe Männer entgegen. Sie hoben die Hand, grüßten freundlich und ritten weiter. Sie hatten Al•Ith nicht mit ihrem

Namen begrüßt. Die Menschen sahen sie zwar, erkannten sie aber nicht als Al•Ith.

Sie ritt zum Paß hinauf. Unterwegs traf sie viele Leute und niemand nannte sie beim Namen, obwohl alle wie gewohnt freundlich grüßten, und Al•Ith den Gruß erwiderte.

Al•Ith ritt durch ihr schönes Land. Sie erinnerte sich an jede Biegung der Straße und an jeden neuen Ausblick auf die Berge. Sie fühlte sich so trocken und leicht wie ein Blatt. Etwas in ihr wußte, was geschah, verstand es und trug zu einer Resignation bei, die wie ein zurückgehaltener Schmerz war.

Man würde sie nicht mehr als die alte Al•Ith und auch nicht mehr in ihrem Land aufnehmen. Sie war von allem abgeschnitten, was sie sah. Das glückliche Einssein mit dem Boden, den Bäumen und der Luft war dahin. Sie war auch nicht mehr Teil ihres Volkes und konnte deshalb nicht mehr sofort alles über die Menschen wissen, denn sie war nicht mehr eins mit ihnen und eins mit sich selbst. Aber sie war auch nicht mehr Teil der Zone Vier und würde es nie mehr sein – der Gedanke, sich dort sechs Monate mit dem Wissen aufzuhalten, daß sie wieder abreisen mußte – einen Sohn zu besuchen, der ein Kind jener Zone war – und einen Mann, der eine fremde Frau geheiratet hatte, die sie noch kennenlernen mußte – der Gedanke daran, wie ihr Leben sein würde, schien sie von allem zu entfernen, das sie einmal gewesen war und machte sie leichter, trockener, und in gewisser Weise mehr sie selbst, als sie sich das hätte vorstellen können. Aber von nun an war sie dazu verurteilt, überall eine Fremde zu sein, wohin sie auch ging.

Als sie den Palast erreichte, brachte sie das Pferd in die Ställe. Die Männer und Frauen, die dort arbeiteten, starrten sie erst ungläubig an, flüsterten dann miteinander und starrten wieder. Al•Ith hatte sich sehr verändert, und sie wollten es nicht glauben. Sie waren erleichtert, als Al•Ith ihnen das Pferd übergab und sie verließ.

Sie ging über die große Treppe zum Palast hinauf. Sie kam an den Räumen vorbei, in denen die Menschen, die ihr nahestanden, so zufrieden ohne sie lebten, und erreichte schließlich ihre eigenen Gemächer. Aber sie sah sofort, daß diese Räume ihr

nicht mehr gehörten. Das niedrige Bett, in dem sie schlief, wurde von jemand anderem benutzt. In den großen Schränken hingen Kleider, die nicht ihr gehörten.
Sie setzte sich in die Fensternische und wartete auf ihre Schwester, die natürlich inzwischen ihren Platz eingenommen hatte. Und die sie nicht mehr brauchte.
Als Murti• kam, war sie nicht überrascht – denn die ganze Angelegenheit, die von den Versorgern bestimmt wurde, enthielt keine Überraschungen. Aber an den Bewegungen der Muskeln im Gesicht ihrer Schwester konnte Al•Ith sehen, daß ihre Rückkehr Murti• zu schaffen machte und ihr etwas abverlangte.
Die beiden Schwestern saßen zusammen am Fenster und betrachteten den dunkler werdenden Abendhimmel. Sie versuchten, sich wieder nahezukommen. Aber Al•Ith konnte Murti• nichts von ihren Erfahrungen in der Zone Vier vermitteln.
Und dorthin gehörte sie jetzt. Al•Ith begriff das, als sie sah, wie ihre Schwester die Nachricht aufnahm, daß sie sechs Monate im Jahr dort bei ihrer Familie leben würde... die nicht ihre Familie war! Und sie erlebte das gleiche bei allen anderen in den nächsten Tagen. Alle wußten, daß sie Al•Ith war. Sie war ihre Königin – oder war es gewesen – denn Murti• hatte ihren Platz eingenommen. Sie hatte sie verlassen. Die unsichtbaren Herrscher über das Leben aller hatten sie fortgeschickt... und sie würde wieder gehen. Sie war eine Fremde. Al•Ith begriff das unmißverständlich durch die Art, in der man sie ansah und mit ihr sprach. Sie stellte sich vor einen Spiegel und blieb dort stundenlang stehen – sie wollte dieses Etwas sehen, das allen sagte, daß dieses Land – ihr Land – nicht mehr ihre Heimat war. Aber in ihren Augen schien sie dieselbe zu sein. Nein, nicht ganz... dort war doch ein animalisches Funkeln! Nein, das war nicht das richtige Wort: Als sie durch Ben Atas Land reiste, hatte sie »erdhaft« vor sich hin gemurmelt: ein derbes, stumpfes Volk – grobe Klötze. Ihnen fehlte jede Spur der freundlichen, unbeschwerten Lebendigkeit ihres Volkes. War sie erdhaft geworden? Ein grober Klotz? Sie drehte

sich vor dem Spiegel und betrachtete ihren Körper. Sie beugte sich vor und versuchte, sich im Spiegel so zu sehen, als beobachte sie sich nicht selbst... was verrieten ihre Augen, wenn sie nicht wachsam beobachteten? Nein, sie kam sich nicht plump vor. Aber sie entdeckte etwas Mageres, etwas Kantiges. Wo waren die Bereitschaft zum Lächeln und die Aufgeschlossenheit ihres Volkes, das nicht länger ihr Volk war? Nicht jetzt. Nicht mehr.

Murti• entdeckte sie dort. Sie begriff sofort, was Al•Ith tat, kam zu ihr und stellte sich neben sie. Die beiden Frauen blickten zusammen in den Spiegel.

»Was ist es?« flüsterte Al•Ith, und ihre Augen füllten sich mit Tränen.

»Oh, Al•Ith, du bist weit von uns entfernt... sehr weit.«

Mehr *konnte* sie offenbar nicht sagen. Die beiden Frauen weinten eine Zeitlang gemeinsam an ihrem Platz am Fenster. Aber es war nicht mehr wie früher. Und bald mußte Murti• sie verlassen, um ihren Pflichten nachzukommen – Al•Iths alten Pflichten. Und Al•Ith wußte, daß Murti• sie nicht auffordern würde, sie wieder zu übernehmen, noch nicht einmal, sie mit ihr zu teilen.

Und ihre »Männer«? Ihre anderen Ichs? Wenn Al•Ith durch ihre Gemächer, ihren Palast, auf ihren alten Reitwegen und durch die Straßen ihrer Stadt ging, traf sie diese Männer. Sie begrüßten Al•Ith und berichteten ihr Neuigkeiten – aber welche Neuigkeiten konnte sie ihnen erzählen?

Sie würden ihr nicht glauben, wenn sie ihnen von der Ehe mit dem Kriegerkönig erzählte.

Also schien es, als sei auch die Verbindung zu ihnen abgerissen... und zu »ihren« Kindern. Und Al•Ith fragte sich, was diese Bande und Verbindungen je bedeutet haben konnten, wenn jetzt eine andere ihren Platz einnahm, ohne daß man sie vermißte. Ihre Kinder begrüßten sie: »Al•Ith, Al•Ith, wo bist du die ganze Zeit gewesen?«, und drängten sich um sie. Aber als sie, unfähig etwas zu erwidern, schweigend dastand – denn sie dachte an die dunkle, quälende Bindung an Ben Ata und den Sohn, der vermutlich zum Führer des Heeres der Zone

Vier heranwuchs –, schwand ihr Lächeln bald, und sie verloren das Interesse an ihr, die so schweigend und verschlossen unter ihnen stand. Sie liefen zu den anderen Frauen zurück, zu den anderen Müttern und zu der fröhlichen, liebenswerten Murti•.

»Ich gehöre nicht hierher. Ich gehöre nirgendwo hin. Wohin gehöre ich?« flüsterte Al•Ith vor sich hin, während sie in alten Erinnerungen wühlte.

Sie wiederholte Murtis• Worte: »Du bist jetzt weit von uns entfernt...«, und eines Tages ging sie auf die flachen Dächer hinauf und stieg über die enge, gewundene Treppe auf den hohen Turm. Dort wandte sie den Blick ihren Bergen zu, dem Schnee und dann – den blassen blauen Weiten der Zone Zwei.

Nun ging sie Tag für Tag dorthin und füllte ihre Augen mit dem Blau.

Und bald holte sie Yori aus den Ställen, wo er bei den anderen Tieren stand, sagte Murti• nur, sie sei ruhelos und wolle eine Weile allein durchs Land reiten, und verließ die Stadt in Richtung Nordwesten. Sie ritt auf Straßen und Wegen, die sie natürlich schon oft zuvor benutzt hatte. Sie begegnete Menschen, die sie kannte, die sie aber nicht zu erkennen schienen. Sie kam an Dörfern, Bauernhöfen und Städten vorüber, verglich sie mit der bedrückenden Armut im Land ihres Mannes und wünschte, er könne sie sehen. Welcher Überfluß herrschte hier! Welche Sicherheit! Hier gab es gesunde, friedliche Gesichter... Al•Ith sah im Geist die blassen, unterernährten Gesichter der Armen in der Zone Vier vor sich... und plötzlich wirkten die Gesichter hier fett und geistlos.

Das schockierte sie und brachte sie zu sich. Nein, sie wünschte diesem Land keine der Entbehrungen der kriegerischen Zone. Sie wünschte sich diese Gesichter auch nicht weniger rosig, freundlich und weniger zum Lächeln bereit. Sie wollte auch keine löcherigen Gras- oder Schieferdächer sehen oder ausgefahrene und schlammige Straßen anstelle der gepflasterten und gut gepflegten. Nichts von dem... aber während sie nach etwas hungerte und sich nach etwas sehnte, ohne zu wissen wonach,

fragte sie sich, wie es sein konnte, daß diese Menschen, ihr Volk, einfach so dahinlebten, ohne sich etwas anderes zu wünschen.
Sie ließ die vertrauten Gebiete hinter sich. Das Pferd kletterte mühsam eine steile und wenig benutzte Straße zu einem Bergrücken hinauf, über den früher einmal ein Paß führte. Sie wußte, daß dieser Paß zur Schlucht in den blauen Bergen führte... sie hörte Yoris langsames und mühsames Atmen und erinnerte sich daran, daß er inzwischen alt war. Er war ein altes Pferd. Sie glitt von seinem Rücken, legte ihm die Hand auf den Hals und ging neben ihm her. Er wandte den Kopf, sah sie mit seinen treuen Augen an und fragte, weshalb sie so ruhelos sei, immer unterwegs und nirgendwo blieb. Er schien zu fragen, ob es ihm nie erlaubt sein würde, in Frieden bei seinen Freunden im Stall zu leben... Al•Ith streichelte und lobte ihn. Sie sagte, er sei ihr einziger Freund. Und zusammen gingen sie weiter, immer weiter hinauf.
Sie hatte das Blau gesehen, immer nur Blau, Weiten, die sich durch Farbe zeigten; aber jetzt erwartete sie, daß sich das Blau in der Nähe auflöste. Das geschah nicht. Über allem lag eine sanfte Bläue – vor ihnen, wo sich die Straße um ein paar Felsen wand, schien die bläuliche Luft sie weiter zu locken. Die Hügel waren hier violett, und die Vegetation hatte einen blauen Schimmer. Hinter der Wegbiegung war der Himmel vor ihnen nicht nur blau, weil er weit entfernt war, sondern weil das Blau die Luft durchtränkte. Zwischen den Bäumen hing leichter violetter Nebel.
Die Luft schien sich von allem, was sie kannte, zu unterscheiden. Sie wußte, daß sie ebenso mühsam atmete wie ihr armes Pferd. Ihr Verstand arbeitete nicht so klar, wie er es hätte tun können, und wie sie es gewohnt war. Es schien, als bemächtigte sich eine blaue Täuschung ihres Geistes. Aber welche Täuschung?
Sie blickte sich aufmerksam um und klammerte sich dabei an das Wissen, wie die Dinge sein sollten. Scheinbar war die Bläue nur der Untergrund für etwas anderes, so wie gelbe Flammen am unteren Rand blau brennen. Sie sah nur das Blau – konnte

nur das Blau sehen. Wahrscheinlich enthüllte sich die Welt, durch die sie wanderte, wenn man sie mit anderen Augen sah – mit den Augen eines feineren Wesens als Al•Ith –, als eine Welt tanzender Flammen. Schimmernde Flammen auf dem einförmig blauen Untergrund... Yori blieb stehen, ließ den Kopf hängen und zitterte. Al•Ith sagte ihm, er möge den Weg zurückgehen, bis er wieder in vertrautem Gebiet sei und dort auf sie warten. Sie würde nicht lange bleiben... sie sah ihm nach, als er sich umdrehte und langsam und mühsam zurückging. Er war ihr dankbar, daß sie ihn gehen ließ, konnte es aber nicht durch einen Trab oder Galopp zeigen. Und als er ihren Blicken entschwand, wandte Al•Ith sich um und ging weiter hinauf in die Zone Zwei – obwohl sie natürlich nicht wußte, wo sie begann. Ihr fiel ein, daß man beim Überschreiten der Grenze der Zone Vier Schilde und Hilfsmittel brauchte, und daß sie sich hier ohne jeden Schutz vorwagte. Sie dachte auch daran, daß niemand sie aufgefordert hatte, hierher zu kommen. Und doch schien es etwas ganz Natürliches zu sein. Warum gingen die Menschen nicht hin und wieder hierher oder bezogen dieses Gebiet in ihr Leben ein? Warum lebte man in der Zone Drei, ohne jemals an diese Nachbarn zu denken? Sie waren von ihnen durch nichts getrennt, noch nicht einmal durch eine Grenze...

Sie fühlte sich wirklich sehr... krank? Nein. Aber sie war nicht mehr sie selbst.

Sie schleppte sich durch eine dicke, blaue Luft, die ihre Lunge nur mühsam aufnehmen konnte. Diese Luft war wie blaugefärbte Milch, oder wie... auf jeden Fall mehr Flüssigkeit als Luft... Luft unterschied sich nicht allzu sehr von Flüssigkeit... Luft hatte ein Gewicht und Momente der Leichtigkeit... sie sprühte und tanzte... wenn sie in Form von Wolken sichtbar wurde, geschah das in unzähligen Schattierungen und Bewegungen... Luft war...

Al•Ith ging stur entschlossen weiter.

Sie verlor das Bewußtsein. Als sie lange Zeit später wieder zu sich kam, befand sie sich allein auf einer riesigen Ebene. Die Luft war hier von demselben Blau, aber leichter und prickelnder. Hier kam ihr nichts mehr vertraut vor. Sie kannte diese Erde nicht – wenn diese kristallene, aber flüssige Substanz, die sie trug, sich bewegte, dahinglitt oder zum Stillstand kam, überhaupt Erde war. Sie kannte die Bäume oder Pflanzen nicht, die eher Flammen oder Feuern ähnelten. Sie kannte diesen stürmisch bewegten rosa Himmel nicht. Und doch sagte ihr ein starkes Gefühl, daß sie diesen Ort kannte. Er war ihr vertraut – sie war zu Hause, selbst wenn sie nichts wiedererkannte.

Al•Ith wußte, daß diese aufwühlenden Gefühle ohne Bedeutung waren. Der überanspruchte Organismus reagierte nur heftig auf die ungewohnten Reize. Sie wußte, daß sie den Gedanken nicht vertrauen konnte, die durch ihren Kopf zogen wie die Streifen und Fetzen der – Wolken? –, die sich ununterbrochen über ihr bildeten und wieder auflösten. Die Gedanken waren Geschöpfe des fremden Ortes. Und doch kannte sie diesen Ort. Sie wartete darauf, daß – wer oder was – zu ihr kam. Um zu erklären? Zu warnen? Zu raten?

Al•Ith blieb, wo sie war. In diesem Traum, den sie träumte, oder in dieser Idee, in die sie sich vorgewagt hatte, war es bedeutungslos, ob sie still saß oder versuchte, sich gegen unsichtbare Hindernisse und Grenzen zu stemmen, um sie zum Nachgeben zu zwingen... sie hatte bereits Grenzen überwunden, um hier zu sein.

Jemand würde kommen.

Um sie herum, über ihr schienen Menschen – nein, Wesen zu sein. Irgend jemand, irgend etwas, unsichtbar, aber da. Sie befand sich inmitten einer Bevölkerung, die Al•Ith sehen und beobachten konnte, die sie aber nicht sah. Aber diese Wesen waren da. Sie sah sie beinahe. Es war, als ob im dünnen Blau dieser hohen Luft bebende Flammen wesenhaft wurden – große und kleine Flammen, schwache und starke, wilde und ruhige. Einen Augenblick lang sah sie sie – beinahe. Dann nicht mehr, und es war nichts mehr da.

Stimmen. Hörte sie Stimmen? Unter dem Schweigen in diesem Reich lag ein Flüstern – Stimmen. Aber als sie sich anstrengte, um es zu hören, brach es ab, und sie blieb eine Zeitlang taub.

Und als sie sich Mühe gab, etwas zu sehen, wurde es dunkel vor ihren Augen. Erschöpft von dem Versuch, etwas zu erreichen, wozu sie nicht geschaffen war, schlief Al•Ith dort ein. Als sie erwachte, umgab sie wieder die leere Landschaft, dieselbe leere Landschaft, bevölkert von diesen unsichtbaren Wesen, die sich um sie zu drängen und zu flüstern schienen. Aber jetzt wußte sie mehr als vor dem Einschlafen.

Im Schlaf hatte man sie gelehrt, was sie wissen mußte.

»Al•Ith, Al•Ith, so geht es nicht. Das ist nicht der Weg. Geh zurück, Al•Ith, du kannst nicht einfach so zu uns kommen... geh zurück, geh hinunter, geh...«

Al•Ith raffte sich auf und schleppte sich zurück. Sie ließ die kristallene Luft der Ebene mit ihrem wirbelnden rosa Himmel hinter sich, erreichte den dichten blauen Nebel, der sie umgab – oder schützte – und ging die Straße zurück, auf der sie gekommen war.

Sie wußte, sie mußte zurückkommen. Sie mußte anders wiederkommen, vorbereitet – aber wie?

Während sie weiter nach unten ging, schienen ihre Gedanken klarer zu werden, und sie dachte an ihren Freund Yori. Aus irgendeinem Grund brachte ihr der Gedanke an Yori keinen Trost. Im Gegenteil, heftige Angst ergriff sie... in ihrer Vorstellung sah sie ihn sterben, sah sie ihn bereits tot. Er sehnte sich nach ihr, wartete auf sie, damit er von ihr Abschied nehmen konnte – und als sie eine Wegbiegung erreichte und aus dem blauen Land in das gewohnte Licht ihres Reiches trat, sah sie Yori am Wegrand im Gras liegen. Sie lief und erreichte ihn gerade noch rechtzeitig. Er hob mühsam den Kopf, schenkte ihr einen freundlichen Blick – Auf Wiedersehen, Al•Ith – und starb.

Sie saß neben ihm im warmen, sauberen Gras auf dem hohen Paß und spürte plötzlich, wie ein Luftzug ihre Wangen streifte. Sie blickte hoch und wußte, sie würde einen Adler vorüberfliegen sehen. Aber der große Vogel ließ sich ganz in ihrer Nähe auf einem Baum nieder. Sie blickte sich um und sah, daß überall auf den Felsen, den Bäumen und sogar auf der Erde Adler und andere Raubvögel saßen.

Sie wartete, bis ihr Freund erkaltet, und sie sicher sein konnte, daß alles Leben aus ihm gewichen war. Dann stand sie auf und rief den Vögeln zu: »Kommt, nehmt ihn. Bringt ihn zurück. Bringt ihn unserer Erde zurück« – und sie ging die Paßstraße hinunter, ohne sich noch einmal umzudrehen.

Als sie die leichte wehende Luft ihres Landes erreichte, fand Al•Ith einen kleinen Fluß und setzte sich ans Ufer. Sie dachte daran, wie lange es her war – oder so schien es ihr jetzt –, daß sie und ihr Pferd an einem Fluß gewartet und einander Gesellschaft geleistet hatten, und ihr Herz schmerzte. Sie empfand nichts als Schmerzen, denn sie konnte nicht aufhören, an Ben Ata zu denken. Vermutlich bereitete er sich darauf vor, die neue Frau zu heiraten.

Al•Ith hatte niemanden.

Sie saß die ganze Nacht dort, grübelte über die Sterne und ihr Glänzen nach und dachte an den Himmel der Zone Zwei. Dort, so nahe, hinter ein paar Wegbiegungen, war er, dieser Himmel, an dem es keine Sterne gab. Das glaubte sie nach ihrem kurzen Aufenthalt dort oben zu wissen. Zumindest waren es nicht diese Sterne oder nicht in dieser Form oder diesem Aussehen. Aber natürlich mußte es dort Sterne geben, denn aus Sternen sind wir gemacht. Wir sind ihrem Einfluß unterworfen. Es mußte Sterne in der Zone Zwei geben, obwohl sie sie nicht gesehen hatte... und jetzt wurde ihr bewußt, daß sie lange dort gewesen war. Sie hatte den Paß mit Yori im Frühling erstiegen; sie erinnerte sich an das junge Grün, an das frische Gras und an die Vögel, die ihre Nester bauten. Jetzt war es beinahe Winter; das Gras war verwelkt und geknickt, und das Wasser im Fluß erstarrte vor Kälte.

Sie hatte die andere Zone mit den Sinnen der Zone Drei betreten und, natürlich, mit denen der Zone Vier, deren Bewohnerin sie jetzt war, und versucht, diesen höheren, feineren Ort zu beurteilen, ohne das zu besitzen, was man für ein solches Urteil brauchte. Wer konnte sagen, was sie dort gesehen hätte, wenn sie anders gestimmt oder von feinerer Beschaffenheit gewesen wäre? Wie würde der flammende rosa Himmel auf einen anderen, auf einen Bewohner dieses Reiches wirken?

Vielleicht sähe er keineswegs wie eine wirbelnde, dahinziehende Masse aus Magenta, zartem Rosa und flammendem Rot aus. Vielleicht hatte sie dort die Sterne gesehen – aber mit Augen, die nicht dazu geschaffen waren, sie zu sehen! Die Sterne der Zone Zwei: Eines Tages würde sie sie sehen, so wie sie heute nacht die Sterne hier sah – die freundlichen, vertrauten Sterne ihres eigenen Lebens; die kalten, frostigen, großen Wintersterne der Zone Drei.

Und bald würden ihre Augen die tanzenden kalten Flammen, die von der blauen Basis zehrten, sehen. Mehr konnte sie nicht aufnehmen... aber sie würde noch mehr sehen...

Al•Ith saß an dem kalten Fluß unter den strahlenden Sternen. Im Versuch, ein bißchen Wärme zu finden, legte sie die Arme um die Knie. Sie schlief ein oder fiel in Trance, und vor ihren Augen tanzten Formen und Gestalten, die sie noch nie gesehen hatte. Im Traum glaubte sie, es seien die unsichtbaren Wesen der Zone Zwei – wie viele es waren. Wie unterschiedlich! Wie zart und wie seltsam – und sie kannte alle oder schien alle zu kennen. Sie streckte die Arme nach ihnen aus und bat: Ich bin Al•Ith, Al•Ith. Nehmt mich mit, laßt mich zu euch kommen...

Aber die Schranke zwischen ihnen war unüberwindbar; die Schranke war Al•Iths dicke, schwerfällige Substanz.

Und was für Gestalten sah sie dort in dieser Nacht! Manche erschienen ihr so vertraut wie Murti• oder ihre Kinder. Andere kamen geradewegs aus alten Geschichten, Liedern und Sagen. Auch die Geschichtenerzähler beschrieben diese Wesen, als hätten sie sie selbst gekannt. Und vielleicht ist es so, dachte Al•Ith, während sie unter den Sternen saß und sich hin- und herwiegte, denn die beißende Kälte drang ihr bis ins Mark. Wenn die Geschichtenerzähler sagen: Und dann erschien ein Zwerg mit einem Höcker, oder eine wunderschöne Frau aus Luft – denken die Zuhörer immer, es sei eine Redeweise. Aber vielleicht *haben* die Geschichtenerzähler oder ihre Vorfahren diese kleinen und uralten starken Männer und Frauen gesehen, die tief in den Bergen leben, oder das Volk von Wesen, die so zart und fein sind, daß sie durch Wände gehen können, und die in den Flammen oder im Wind wohnen ... oder zumindest gehörten solche Wesen zum Bewußtsein der niedrigeren Zonen, und so konnten die Gedanken oder Worte der Geschichtenerzähler sie zum Leben erwecken. Jetzt bewegten sie sich lebhaft und lebendig vor Al•Iths geistigem Auge. Sie waren vollkommen und wirklich, aber doch weit entfernt. Sie konnte sie zwar sehen aber nicht berühren. Und sie sah die phantastischen Tiere aus dem Reich der Geschichtenerzähler und die ihr vertrauten Tiere auch. Wer wußte, vielleicht würde sie Yori in der Zone Zwei wiederfinden – einen verwandelten und veränderten Yori –, wenn sie schließlich dorthin zurückkehrte ... richtig und ernsthaft vorbereitet. So träumte Al•Ith in dieser frostklaren Nacht, während sie zusammengekauert im eisigen Gras saß.

An dieser Stelle muß ich meine Stimme erheben, etwas sagen – natürlich spreche ich nicht für mich, denn hier gibt es kein »Ich«. Es kann nur das »Wir« von Mitarbeitern und Gleichen geben. Al•Ith träumte von den Liedermachern und Geschichtenerzählern. Sie fragte sich, ob wir sehen, was wir berichten ... und was sollen wir dazu sagen?
Können wir annehmen, daß Al•Ith in diesem Moment, als sie frierend die Arme um die Knie preßte und sich in ihrem Kopf fremdartige Flammenwesen drängten, tatsächlich selbst und ohne berufen zu sein, eine Geschichtenerzählerin, Bardin und Chronistin war – und das nicht weniger als irgendeiner von uns, die man für besonders spezialisiert und talentiert hält? Was sind wir, wenn wir uns Chronisten oder Liedermacher, Königin oder Bäuerin nennen, Geliebte, Kindererzieher oder Tierfreund? Wir sind die sichtbaren und faßbaren Aspekte eines Ganzen, an dem wir alle teilhaben, und an dessen Gestaltung wir gemeinsam arbeiten. Al•Ith war den größten Teil ihres Lebens Königin ... das Wesen der Zone Drei drückte sich in ihr durch diese Erscheinung aus ... Königin. Daneben war sie auch Mutter, Freundin und eine Frau, die die Tiere verstand. Und wie können wir ermessen, was geschah, als Al•Ith in die Zone Vier hinunterstieg – auf welche Weise sich die Zone Drei

dort hineindrängte und -zwängte – und als Ben Atas Frau, neben ihm als Königin dieses Landes, als Yoris Beschützerin und Dabeebs Freundin lebte... ja, aber was sind all diese Erscheinungsformen, Aspekte und Rollen? Es sind nur Erscheinungen dessen, was *wir alle* zu unterschiedlichen Zeiten, entsprechend der Aufgabe, die uns gestellt wird, sind. Ich schreibe in diesen kahlen Worten die wichtigste Lektion meines Lebens nieder, den Kern der Wahrheit, die ich gelernt habe. Ich bin nicht nur ein Chronist der Zone Drei; ich bin es nur teilweise, denn ich teile auch Al•Iths Stellung als Herrscherin, insoweit ich über sie schreiben und sie schildern kann. Mit ihr bin ich Frau (obwohl ich ein Mann bin), wenn ich über ihr – und Dabeebs – Frausein schreibe. Ich bin Ben Ata, wenn ich ihn im Geist heraufbeschwöre und versuche, ihn lebendig zu machen. Das, was ich im Moment bin... bin ich...
Wir Chronisten haben allen Grund, uns zu fürchten, wenn wir uns den Teilen unserer Geschichte (unserer Natur) zuwenden, die mit dem Bösen, dem Verworfenen und Umnachteten zu tun hat. Was wir beschreiben, werden wir. Wir beschwören es sogar herauf – ich habe es voll Schaudern gesehen. Der unschuldigste Dichter kann über Häßlichkeit und über Mächte schreiben, die er nur aus seiner Phantasie kennt – und sie in sein Leben bringen. Ich sage euch, ich habe es gesehen und beobachtet... nein, man darf diese Dinge nicht leicht nehmen. Und doch liegt darin ein Geheimnis, das ich nicht verstehe: Ohne den Stachel des Anderen, des – ja sogar – Bösartigen, ohne die schrecklichen Kräfte der Kehrseite von körperlicher und geistiger Gesundheit und Vernunft, geschieht nichts, *kann* nichts geschehen. Ich sage euch, das Gute – was wir im normalen Tageslicht das Gute nennen: das Gewöhnliche, das Anständige – ist nichts ohne die verborgenen Kräfte, die ununterbrochen seinen Schattenseiten entströmen. Es sind seine verborgenen Seiten – gezügelt und gemäßigt. Ich habe zum Beispiel wenig über das geschrieben, was Ben Atas Reich nicht nur für die Gebiete entlang der östlichen Grenze zu einem Ort des Schreckens machte, sondern auch für die Bewohner und Städte im Land selbst. Ich habe es getan, weil es mir

widerstrebt. Ich glaube, daß wir alle wissen, was äußerte Armut und Entbehrung hervorbringt: Gemeinheit, Bosheit, Grausamkeit und niederes Denken... mit Ausnahme der wenigen, bei denen sich durch Armut Mitleid und Hilfsbereitschaft entfalten. Die Armut von Ben Atas Volk brachte Ungeheuer hervor... es konnte nicht anders sein.
Wir wissen nicht, in welcher Weise sich in unserer Zone Drei die dunklen Kräfte zeigen. Vielleicht in Lethargie? Vielleicht in dem Stillstand, unter dem wir litten, bis Al•Ith uns daraus befreite? Und in der Zone Zwei – nein, das können wir uns auch nicht andeutungsweise vorstellen. Und doch können wir sicher sein, daß es in diesen erhabenen Orten eine dunkle Seite gibt. Wer weiß, vielleicht ist sie sehr dunkel und erschreckend – schlimmer als alles, was wir uns mit unseren begrenzten Erfahrungen der niedrigeren Zonen vielleicht vorstellen können. Das sehr Hohe muß von dem sehr Niedrigen ergänzt... *sogar genährt* werden... es fällt mir sehr schwer, diesen Gedanken hinzunehmen; und ich möchte auch nicht viel darüber schreiben. Es ist für mich zu schwierig. Ich sehe meine Aufgabe darin zu beschreiben – mehr nicht; ich schreibe die Begebenheiten nieder, die sich ereignen... und so halte ich hier nur fest: Al•Ith *war* die Zone Zwei, während sie im Gras saß und von der Zone Zwei träumte – wenn auch nur in der unbestimmtesten und undeutlichsten Weise. Ihre Vorstellung von diesen reinen, aus dem Feuer geborenen Wesen brachte sie ihnen näher. Und als sie an uns, die Chronisten, dachte, *war* sie wir... und so stelle ich hier in dieser Fußnote zu Al•Iths Gedanken meine Behauptung auf und belasse es dabei: Al•Ith ist ich, und ich bin Al•Ith, und jeder von uns ist, was er denkt und sich vorstellt. Nicht mehr und nicht weniger. Wir sind die ruhige blaue Basis für die wildesten und die zartesten Flammen. Al•Ith träumte die ganze Nacht von bekannten und unbekannten Menschen, von wirklichen und nur vorgestellten Geschöpfen. Sie sah Ereignisse und Phänomene, die sie noch nicht erlebt hatte und sah sie auch nicht.
Und am nächsten Morgen, allein, empfand sie eine überwältigende, unstillbare Sehnsucht nach Yori und ihrem Mann – aber

sie mußte dieses schmerzliche Gefühl unterdrücken und überwinden, denn sie sagte sich, es sei sinnlos, sich nach einem Mann zu sehnen und zu verzehren, der wahrscheinlich nicht einmal an sie dachte – sie ging auf und ab, um sich die steifen Glieder zu wärmen. Dann machte sie sich auf den Weg, um ein Dorf oder ein Haus zu finden, wo sie etwas zu essen bekam.

Beim Gehen murmelte sie: Ein Lied. Ich muß ein... Lied finden. Es muß ein Lied geben. Ja, Lieder und Geschichten erzählen uns etwas. Sie sprechen. Sie singen. Sie lehren uns...

Oh, wenn sie nur Yori gehabt hätte, um...

Mein Herz jagt mich mit donnernden Hufen über die Ebene, murmelte sie. Ja. Mit donnernden Hufen wird mein Herz reiten... ja. Das ist es. Mein Herz...

Sie erreichte ein Dorf und erkundigte sich nach einem Gasthof. Sie erwartete, in das Haus gebeten zu werden, an dessen Tor sie stand. Aber die Hausfrau erkannte sie nicht als Al•Ith, sondern hielt sie für eine Bettlerin – etwas Schockierendes und Unschickliches, denn in diesem Land verstand man nicht, daß jemand wirklich arm sein konnte. Man gab ihr ein altes Brot und riet ihr, in der Manufaktur nach Arbeit zu fragen, in der Edelsteine gefaßt und geschliffen wurden... sie könne auch in die Lagerhäuser gehen, wo Früchte und Nüsse als Wintervorrat gesammelt wurden... oder, falls sie sich das zutraue – die Frau betrachtete die magere und schlecht gekleidete Bettlerin an ihrem Tor mit zweifelnden Blicken und überlegte, ob sie zur Arbeit auf dem Feld tauge –, wenn sie sich stark genug fühle, könne sie sich um die Pferde oder Kühe kümmern.

So kam es, daß Al•Ith die Tiere des Dorfes in ihre Obhut nahm. Sie versorgte und fütterte sie und trieb sie über die Wege und Felder.

Sie wartete – ohne Hoffnung oder Freude – auf den Befehl, in die Zone Vier zurückzukehren. Denn sechs Monate waren seit ihrem Abschied vergangen.

Sie wußte, sie würde es auf irgendeine Weise erfahren und entsprechende Anweisungen erhalten, und es gab nichts zu tun, als zu warten, wachsam und umsichtig.

Und jetzt müssen wir ein halbes Jahr zurückgehen, und zwar zu dem Zeitpunkt, in dem Ben Ata allein im Pavillon seiner Liebe zu Al•Ith zurückblieb. Sie war davongeritten, ohne sich noch einmal umzuwenden – obwohl ihr die Tränen über das Gesicht rannen.

Im Gegensatz zu ihr war er nicht allein, denn ihm blieben Dabeeb und sein kleiner Sohn.

Dabeeb brachte ihm das Baby. Ben Ata legte es auf den Diwan und spielte eine Weile mit dem Kind. Dabei versuchte er bewußt, die Freude und das Verständnis nachzunahmen, das er bei Al•Ith im Umgang mit dem Kind beobachtet hatte, wenn er auch nicht dasselbe dabei empfand. Er spürte nur Mitleid und das Bedürfnis, Arusi zu beschützen und zu behüten. Aber glücklicherweise gab es Dabeeb, die wirklich eine Art Mutter war. Arusi würde nicht wirklich etwas fehlen... dachte Ben Ata, während er einen kleinen Fuß in seiner großen Hand hielt und spürte, wie das Kind im Bemühen nach Freiheit und Selbstbehauptung strampelte. Er beugte sich vor und sah dem Baby ins Gesicht, in die Augen, die, wie Al•Ith gesagt hatte, »Augen der Zone Drei« waren. Es stimmte. Es waren Al•Iths Augen, die ihm aus dem kleinen Kindergesicht entgegenblickten, aber ihnen fehlte Al•Iths Seele... und bei diesem Gedanken durchzuckte Ben Ata dumpfes Verlangen. Alles in ihm, jede Zelle, fühlte sich hilflos und verlassen; und er wußte, daß ihm mit Al•Ith die Hälfte seines Wesens entrissen worden war. Für das, was er jetzt tun sollte, hatte er nicht das Herz, noch fühlte er sich dazu fähig.

Was bedeutete es, die Herrscherin der Zone Fünf zu *heiraten*? Die Zone Fünf – dieses barbarische und rückständige Land! Was sollte er tun? Wie sollte er sie finden? Würde sie einfach hierher kommen? Oder mußte er wieder einen Trupp Soldaten schicken, die eine widerstrebende und wütende Frau hierherbrachten? Sie sollte sein Leben teilen – zumindest sein Bett. Als wäre es nicht mühsam genug gewesen, sich auf die große Königin der Zone Drei einzustellen! Wie hatte ihn dieser Kampf aufgerieben! Und gerade, als er und Al•Ith sich auf einer Stufe oder Ebene trafen, die ein Gleichgewicht schuf – ein gegenseitiges Verstehen, in dem es weder seine Grausamkeit ihr gegenüber (denn jetzt erkannte er, daß es Grausamkeit gewesen war) noch ihr abstoßendes und gieriges Verlangen nach ihm gab – denn er konnte die Art, in der sie ihn benutzt hatte (so sah er es) einfach nicht mit Anstand, Ordnung und schicklichen Gefühlen in Einklang bringen – oder ein Gleichgewicht zu schaffen schien, das auf ihrer Vereinigung basierte, die ein Wunder an Leichtigkeit, Fröhlichkeit, Geist und Leidenschaft war – gerade dann verschwand sie, war sie nicht mehr da!

Ben Ata schien es, daß er sich jetzt und für alle Zeiten nur noch eines wünschte: Er wollte nichts weiter, als neben Al•Ith sitzen, die Hände um ihr Gesicht legen und in ihre Augen blicken, in denen alles lag, was er lernen wollte... Augen, die ihn alles gelehrt hatten und die sich nicht mit diesen Kinderaugen vergleichen ließen, die ihn so glücklich und so leer ansahen.

Dabeeb hielt sich wie üblich in der Nähe auf, um zu sehen, wann sie gebraucht wurde. Jetzt kam sie herbei und nahm das Baby auf den Arm. Ihr Blick war ernst und kameradschaftlich und sagte ihm, daß er sich völlig auf sie verlassen konnte.

Denn Dabeeb liebte ihn. Das wußte er. In gewisser Hinsicht war sie seine Frau.

War sie auch Jarntis Frau? Teilten sich er und sein großer General eine Frau? Vor Al•Iths Ankunft wären ihm solche Gedanken unmöglich gewesen. Er hätte nicht stundenlang mit leeren Händen auf dem Rand eines ungemachten Betts gesessen, über dem quälend der Geruch von Al•Iths Haut und Körper hing, und darüber nachgedacht, was eine Ehefrau und was ein Ehemann war... *was bedeutete es?* Worin bestand der Unterschied zwischen dem jungen Soldaten, der barbarisch seine Lust befriedigte – so sah er sich jetzt selbst –, sich irgendein bedauernswertes Mädchen nahm, mit ihr schlief und sie dann vergaß, und dem *verheirateten* Mann, der mit Al•Ith zusammengelebt hatte? Und der jetzt mit Jarntis Frau zusammen war, mit Dabeeb, die ihn liebte und sich liebevoll um sein Kind kümmerte, genauso wie sie es mit ihren eigenen Kindern tat – Jarntis Kindern. Was bedeutete es, daß er Zone Fünf

heiraten sollte? In all dem lag ein Geheimnis, das über seinen Verstand ging. Wo war Al•Ith, die er fragen konnte. Sie würde über ihn lachen und spotten und ihm dann eine Erklärung geben... wenn nicht in Worten, dann mit ihren Augen oder ihrem Körper.
Oh, Ben Ata war niedergeschlagen, verloren und leer. Er senkte den großen schönen Soldatenkopf, er trauerte und grämte sich, und nachdem Dabeeb das Baby ins Bett gebracht, Essen aus der Lagerküche geholt, es vor ihn hingestellt hatte und mit gefalteten Händen neben seinem Stuhl stand, schämte er sich, weil er in ihrer Anwesenheit weinte.
»Aber was soll ich tun, Dabeeb?« fragte er, und sie antwortete: »Sie« – und damit meinte sie die Versorger – »haben es dir bei Al•Ith gezeigt, und sie werden es auch diesmal tun. Warte und halte dich bereit.«
In dieser Nacht blieb Dabeeb bei dem Baby in Al•Iths Gemächern. Er ging ruhelos hin und her und trauerte. Daran änderte sich auch in den nächsten Tagen nichts. In Gedanken beschäftigte Ben Ata sich mit seiner Frau. Er fragte sich, welchen Eindruck ihr Land auf sie machte – er dachte auch an ihre »Männer« und »Ehemänner«, die sie zweifellos wieder zurückfordern würden. Und doch näherte er sich Dabeeb nicht. Die drei lebten ruhig im Pavillon und warteten. Auf Anweisungen. Die nicht kamen.
Aber der Schwung sich entfaltender Ereignisse trug ihn mit sich. Von Jarnti erreichte ihn eine Botschaft, daß der Krieg an der Grenze zu Zone Fünf seine Anwesenheit erfordere.
Er tauge offensichtlich doch zu nichts anderem, murmelte Ben Ata, zog die Rüstung an und ritt in Richtung Grenze.
Sein Herz hing nicht daran. Unterwegs betrachtete er die armen Dörfer und trostlosen Städte und überlegte, wie er ihre Lage verbessern könne.
Schließlich erreichte er das Heer, das entlang der Grenze kampierte. Er inspizierte ein paar Einheiten, weil er glaubte, es würde von ihm erwartet und zog sich dann in sein Zelt zurück. Es war ein schönes blendend weißes Zelt, mit goldenen Stickereien. Es hatte zwei Räume – einen Schlafraum und einen

Wohnraum mit seinem Arbeitstisch, einem guten, stabilen Stuhl, der ihn auf tausend Feldzügen begleitet hatte, und einer Truhe für seine persönlichen Dinge. Am Eingang standen keine Wachen: Ben Ata war stolz darauf, auf Wachen verzichten zu können.

Spätabends hüllte er sich in seinen schwarzen Umhang, den jeder als den Mantel des Königs kannte – spaßhaft sagte er zu Jarnti, die Soldaten salutierten nicht vor ihm, sondern vor dem Mantel – und wanderte allein durch das Lager. Die Zelte seiner Soldaten schienen kein Ende zu nehmen: Sie bedeckten einen langen hohen Bergrücken, von dem man die Grenze der feindlichen Zone überblicken konnte. Wache um Wache erstarrte, spähte in die Dunkelheit, erkannte den König, salutierte und blieb regungslos stehen, wenn er vorüberging. Das Lager nahm kein Ende... wieviele Männer schliefen hier, bereit für die Schlacht, die vermutlich morgen stattfinden würde, obwohl Ben Ata nicht mehr wußte, warum.

Worum ging es bei diesem Krieg überhaupt? Ach ja, es ging um das strittige Gebiet von diesem Bergrücken hier bis zu dem Bergrücken dort, auf dem sich etwas wie Fliegen zusammendrängte und dunkel abzeichnete. Die Soldaten der Zone Fünf lagen nicht in bequemen Zelten. Sie hüllten sich in ihre Mäntel aus Tierhäuten und Fellen. Ihnen lieferte keine Lagerküche ordentliche Mahlzeiten. Sie trugen Beutel mit Trockenfrüchten und getrocknetem Fleisch bei sich. Ben Ata beneidete auf einmal die Anführer, die sich keine Gedanken machen mußten, um Nachschubzüge, Küchenzelte, um das ganze Palaver und den Ärger beim Aufbau und Abbau des Lagers, und um die Soldaten, die dreimal täglich mit den Eßnäpfen Schlange standen... aber das war Unsinn; das Heer der Zone Fünf bestand aus Wilden. Es war überhaupt kein Heer. Dort kämpften sogar Frauen neben den Männern, und manchmal waren sie schlimmer als die Männer...

Ben Ata wanderte im weichen Licht des Halbmonds zwischen den unzähligen Zelten umher – eine düstere Gestalt... und ihn beschäftigten düstere Gedanken. Er rief sich noch einmal alles ins Gedächtnis, was er über die Zone Fünf wußte, um sich ein

Bild von dieser Frau machen zu können, die er heiraten sollte.
Das bloße Gewicht und die Masse und das Vorhandensein der vielen tausend Zelte bedrückten ihn... ja, er war früher oft um Mitternacht durch das Lager gewandert, aber in letzter Zeit nicht mehr... er dachte an die Männer in den Zelten. Und an verschiedene Gespräche mit Al•Ith und Dabeeb.
»Es besteht kein Grund, eine Abordnung in unser Land zu schicken. Ihr habt in der Zone Vier alle Künste und jedes Handwerk – ihr übt sie nur nicht aus. Ihr entwickelt sie nicht. Wie könnt ihr das, wenn alle Männer zwischen achtzehn und sechzig Krieg spielen?« Al•Ith, natürlich.
»Aber verstehst du nicht, Ben Ata? Es gibt in den Dörfern und Städten keine Männer. Dort leben nur alte Männer, Frauen, Kranke und Kinder. Die Jungen wachsen unter Frauen auf; wenn sie zehn oder elf sind, steckt man sie in Kinderkompanien, und sie wenden sich gegen ihre Mütter und Schwestern. Das begreifst du doch, Ben Ata? Die Jungen müssen sich gegen die Frauen wenden, um überhaupt Männer zu werden, wenn sie nichts anderes kennen – in ihnen ist zuviel von den Frauen... Kinder unter Frauen aufwachsen zu lassen, heißt, eine Nation von Soldaten heranzuziehen: Männer ohne Verständnis für Frauen, denen sie nur mit Verachtung und Härte begegnen.« Das war Dabeeb.
»Aber, Ben Ata, natürlich ist dein Land reich. Es besitzt alles, was unser Land auch besitzt – ganz sicher ebensoviel Wasser! Aber Reichtum wird erst durch Menschenhände zum Reichtum.«
»Offensichtlich, Al•Ith.«
»Keineswegs *offensichtlich*, Ben Ata. Denn ihr praktiziert das nicht. Eure Frauen können nicht alles tun, während die Männer nur spielen. Und so bleibt euer Reichtum ungenutzt in der Erde, den Felsen und in den Gedanken der Menschen, die sehr wohl wissen, wie die Dinge sein sollten. Warum fragst du sie nicht? Ein Mann, der aus einem schlecht gegerbten Stück Leder den Kinnriemen für einen Helm schneiden kann, ist ebensogut in der Lage, einen Sattel herzustellen – wenn ihr

darauf besteht, Sättel zu benutzen –, der hundert Jahre und länger hält. Eine Frau, die für Soldatenfeste irgendein Bier braut, hat das Gefühl und das Können, gute Weine und Liköre zu machen. Ja, es stimmt, Ben Ata, in deinem Reich ist alles möglich.«

»Und in deinem Land gibt es nur Wohlleben, Bequemlichkeit und *fettes* Nichts« – in diesem Stil hatten sie sich gestritten.

Angenommen, er würde – sagen wir – die Hälfte der Männer nach Hause schicken? In sein ganzes armes, kärgliches Land würden Kräfte fließen, die jetzt von der Armee verschlungen wurden. Diese Kräfte würden der Kunst und dem Handwerk der Zone Vier zugute kommen. Dächer würden repariert, Entwässerungsgräben ausgehoben, die Felder ordentlich gepflügt. Die Ernte würde die Scheunen füllen, und die Frauen konnten Obst und Gemüse einkochen... und wenn er durch sein Reich ritt, mußte er nicht länger abgezehrte, unglückliche Gesichter sehen. Ja, er würde morgen mit Jarnti darüber reden, wie sich das bewerkstelligen ließ... aber er erwartete nicht, daß der große General, der schon als Sechsjähriger in der Armee gedient hatte, ihm zustimmen würde. Nein, er mußte es ihm auf irgendeine Weise schmackhaft machen. Es mußte aussehen, als könne das Heer auf irgendeine Weise und auf Dauer gesehen davon profitieren, wenn man die Hälfte der Soldaten entließ... dachte Ben Ata, während er zu seinem Zelt zurückging, das ihm so schön von einer leichten Anhöhe entgegenschimmerte.

Er ging hinein, wusch sich flüchtig das Gesicht und setzte sich im Mantel mit ausgestreckten Beinen auf den Stuhl. Er dachte nach. Er dachte an Al•Ith. Ihm kam es jetzt vor, als habe sie ihm einen Schatz von Gedanken und Erfahrungen angeboten. Er hätte sich ihn zunutze machen und aneignen können – aber er hatte die Gelegenheit nicht genutzt. Wieviel sie wußte! Wieviel sie ihn gelehrt hatte – und nun war alles vorbei. Denn sein Herz sagte ihm unerbittlich, daß alles anders sein würde, wenn sie zu ihren sechsmonatigen Besuchen zurückkam. Natürlich würde es nicht mehr wie früher sein. Er war gezwungen worden, Al•Ith zu heiraten, und der Gedanke war ihm

verhaßt gewesen. Er lernte, sie zu lieben, und jetzt konnte er nicht mehr ohne sie leben – oh, er schimpfte nicht, man beklagte sich nicht oder schimpfte über die Befehle der Versorger, die es natürlich am besten wußten. Aber nachdem er die andere Frau geheiratet hatte, würde sich vermutlich alles mehr oder weniger wiederholen. Also konnte er nie mehr darauf hoffen, daß Al•Ith auf der Straße von den Bergen kam und den Hügel hinaufgaloppierte, damit sie beide ihre Ehe im Pavillon leben konnten. Das war alles vorbei.
Würde er im Pavillon zwei Frauen, zwei Ehefrauen haben? Er konnte es sich nicht vorstellen. Al•Ith war nicht Dabeeb; sie war nicht dazu geboren, sich anzupassen und sich mit jeder neuen Situation und jeder neuen Anforderung abzufinden. Und dann gab es diese Wilde, diese Königin... *sie* hatten sich noch nicht geäußert, was er unternehmen sollte, um die neue Ehe herbeizuführen.
Ihm fiel wieder ein, mit welchen Worten Dabeeb die Botschaft des kleinen Jungen verkündet hatte: Al•Ith sollte in jedem Jahr sechs Monate mit ihrem Sohn verbringen. Bis zu diesem Moment hatte er geglaubt, es bedeute, daß Al•Ith hierher, in seine Zone zurückkehren würde. Und er wußte, auch Al•Ith hatte es so verstanden. Aber vielleicht war das nicht beabsichtigt? Bei dem Gedanken, daß ihm sein Sohn vielleicht genommen werden könnte, um sechs Monate in der Zone Drei zu leben, überfiel ihn rasende Eifersucht; und alles in ihm sagte *nein*... aber man sagte nicht *nein* zu einem solchen Befehl.
Ihm kam der Gedanke, daß Arusi auf diesem Weg die verfeinerten Sitten und Gebräuche der Zone Drei lernen und so in der Lage sein würde, sie der Zone Vier weiterzugeben... Ben Ata saß voll wilder und grimmiger Konzentration auf seinem Stuhl und kämpfte mit alten und neuen Gedanken. Plötzlich flog die Eingangsklappe des Zelts auf, und ein paar Soldaten, die von einem Raubzug zurückkamen, stießen eine junge Frau ins Zelt. Sie fauchte und kratzte so gefährlich wie eine Wildkatze, der man die Pfoten zusammengebunden hat.
Die Soldaten grinsten pflichtschuldig. Sie standen mit verschränkten Armen am Zelteingang und warteten darauf, daß

Ben Ata seine Zufriedenheit bekundete. Er setzte ein Lächeln auf, dankte ihnen und begleitete seine Worte mit dem angebrachten Zwinkern, mit Seitenblicken und der entsprechenden Miene. Dann warf er ihnen ein paar Münzen zu, die er für solche Gelegenheiten stets bei sich trug.

Die junge Frau lag auf dem Zeltboden und konnte sich selbst nicht wieder aufrichten. Die Soldaten gingen. Er dachte zuerst daran, daß ihr diese Lage unangenehm sein mußte, vielleicht hatte sie sogar Schmerzen. Er wollte ihr ein paar Felle hinwerfen und ihr sogar die Fesseln durchschneiden, als ihm bewußt wurde, daß dieser Moment eine moralische Krise bedeutete. Er hatte das Recht, die Frau zu vergewaltigen – noch schlimmer, es war seine Pflicht, ob er wollte oder nicht. Noch nie zuvor hatte er nicht gewollt – vielmehr hatte er nie darüber nachgedacht. Jetzt dachte er darüber nach. Mißmutig fiel ihm ein, daß die Mädchen der Zone Fünf sich immer so staubig und rauh anfühlten. Er dachte auch an Al•Ith, an Dabeeb und an die Frau in jener Nacht, in der sein Sohn geboren worden war.

Er spürte, wie Lust in ihm aufstieg – aber nicht besonders stark.

Ihm fiel auf, daß die Frau nicht versuchte, sich zu befreien.

Er warf ihr einen schnellen Blick zu und sah wieder weg. Sie war ein prächtiges Mädchen, groß, kräftig, ihre Mähne blonden Haares von einem Band zurückgehalten. Sie hatte die wilden, strahlenden grauen Augen der Frauen der Zone Fünf und lange, kräftige Arme und Beine. Sie trug eine Hose aus derben Häuten und ein engsitzendes Pelzwams.

Während Ben Ata vermied, sie direkt anzusehen, blickte sie ihn ruhig mit ihren furchtlosen Augen an und wartete.

Die Vorstellung, dieses wilde Geschöpf zu vergewaltigen, das ihn an einen Jagdfalken erinnerte, stieß ihn ab – Soldatenehre hin, Soldatenehre her. Andererseits mußte er etwas tun. Wenn er ihr die Fesseln abnahm, würde sie davonlaufen, und er hätte vor der Armee das Gesicht verloren. Er betrachtete sie verstohlen, da er fürchtete, seine Schwäche erkennen zu lassen, um zu sehen, ob ihre Fesseln zu eng saßen. Sie schienen ihr nicht in die Hand- oder Fußgelenke zu schneiden.

Da er nicht wußte, was er tun sollte, blieb er eingehüllt in seinen schwarzen Mantel sitzen und starrte durch den Zelteingang, den die Soldaten nicht wieder geschlossen hatten, in die tiefschwarze Nacht hinaus. Die Haare der Frau bewegten sich im leichten, angenehm duftenden Wind – er nahm es wahr, obwohl er sie nicht direkt ansah.

Wieder dachte er an Al•Ith, die ihm sein altes Herz aus dem Körper gerissen und ihm kein anderes dafür gegeben hatte. Wie sollte er weiterleben, ein halber Mann, kein Soldat, kein Mann des Friedens, kein Ehemann – da man sie ihm geraubt hatte – und noch nicht einmal ein richtiger Vater, da zumindest die Möglichkeit bestand, daß er seinen Sohn jedes Jahr für sechs Monate an die Zone Drei verlor... diese Botschaften der Versorger... sie waren nicht vieldeutig, aber man mußte die Ereignisse abwarten, um sie richtig zu deuten.

Wer war er? Was sollte er tun?

Ihm wurde klar, daß die arme Al•Ith so gedacht und gelitten haben mußte, als sie in ihrem Palast saß und auf die Ankunft seiner Soldaten wartete, die sie mit Gewalt hinunter zu ihm bringen sollten. Sie hatte gewußt, daß ihr Leben, ihr Denken, ihre Rechte, ihre Gewohnheiten – alles – von einem Barbaren zerrissen, zerstört, umgestaltet und neu geordnet werden würden und daß es nichts gab, was sie dagegen tun konnte.

Und es gab nichts, was er, Ben Ata, dagegen tun konnte.

Al•Ith war von ihm, dem Barbaren – ja, inzwischen war er bereit und in der Lage, das Wort zu benutzen – überfallen worden, und er mußte genau das gleiche jetzt mit einer dreckigen, primitiven Königin tun... aus dem Augenwinkel bemerkte Ben Ata plötzlich etwas an der Frau, was ihm vorher nicht aufgefallen war. Ohne sie direkt anzusehen, wandte er leicht den Kopf und stellte fest, daß sie an den herrlichen Armen schwere Goldreifen trug, an den Beinen barbarischen, aber schönen Goldschmuck mit vielen bunten Steinen und an den Fingern Ringe. Auch sie waren aus Gold. Einer war so groß und aufwendig, daß er nur auf eine

mächtige oder hochgestellte Persönlichkeit hinweisen konnte. Um den kräftigen weißen Hals trug sie ein schweres Amulett, Siegel oder Symbol an einer Goldkette.
Die Wahrheit ging ihm plötzlich auf und er sagte: »Du bist die Königin der Zone Fünf.«
»Ja natürlich«, sagte sie.
Er lachte. Er hatte nicht gewußt, daß er lachen würde, aber das Ereignis war so stimmig, kam im richtigen Moment und wie gerufen, bedeutete eine so großartige Herausforderung und war sogar – wie sein innerstes Ich zugab – erwartet. Es hatte gar nichts anderes geschehen können, und er konnte nur lachen. Im nächsten Moment lachten beide, und sie zeigte ihre schönen kräftigen Zähne.
So kam es, als das Lager in der Morgendämmerung zum Leben erwachte, daß die Soldaten, die in der Nähe des königlichen Zeltes schliefen, Ben Atas Lachen hörten. Und mit ihm lachte eine unbekannte Frau. Es sprach sich schnell herum, daß es eine Frau aus den feindlichen Reihen war, die man in der Dunkelheit auf dem Berg dort drüben gefangengenommen und in das Zelt des Königs gebracht hatte, damit er sich mit ihr vergnügen sollte.
»Die zwei haben Spaß miteinander«, sagten die Soldaten in der Art von Untergebenen halb bewundernd, halb neidisch. Als kurz darauf bekannt wurde, daß man die Königin der feindlichen Zone gefangengenommen hatte und daß sie den König heiraten würde, schlug ihre natürliche und gerechte Enttäuschung darüber, daß es an diesem Tag keine Schlacht geben würde, rasch in Freude und Feiern um.
Die beiden Heere feierten und tanzten eine Woche lang auf den gegenüberliegenden Bergkämmen der Zone Vier und der Zone Fünf. Die Soldaten besuchten einander in ihren Lagern, gingen gemeinsam auf Streifzüge, ritten um die Wette und machten aus reinem Vergnügen Beute unter der bedauernswerten Bevölkerung der Umgebung – insgesamt lernten sie sich sehr viel besser kennen. Es war bemerkenswert, daß die beiden Länder, die sich seit Generationen immer wieder bekriegt hatten, praktisch nichts übereinander wußten.

Was inzwischen im Zelt des Königs geschah, entsprach keineswegs der blühenden Phantasie der Soldaten.
Natürlich nahm man der Königin sofort die Fesseln ab, brachte ihr Erfrischungen und schlug neben dem Zelt des Königs ein anderes auf, das beinahe ebenso schön war.
Nichts an ihrem Benehmen oder Verhalten wies darauf hin, daß sie erst vor kurzem als Gefangene so entwürdigend wie ein Sack Rebhühner ins Zelt geworfen worden war. Ben Ata, der in erster Linie Soldat war, wußte von Anfang an, daß der Schein trog. Noch ehe die Königin sich über das zweite Brathuhn hermachte, gestand sie bereitwillig – und lachte dabei so heftig, daß sie beinahe vom Stuhl fiel, eine Sitzgelegenheit, die ihr offensichtlich nicht allzu vertraut war –, sie habe sich freiwillig in Gefangenschaft begeben, um den König kennenzulernen und – sie sprach es aus – um ihn zu heiraten.
Ben Ata erfuhr von ihr, daß die Methoden und Gewohnheiten seiner Soldaten, Wachen und Stoßtrupps so offenkundig waren, daß ihre Krieger »schon Tage im voraus wußten, was sie tun würden«. Und Ben Ata mußte sich sagen lassen, daß die Disziplin, die Ordnung und die militärische Perfektion bei seinen Gegnern nur Hohn und Spott hervorrief, die, zumindest ihrer Ansicht nach, taten, was und wann sie wollten.
»Aber wenn dies der Fall war«, erkundigte er sich ausgesucht höflich, »wieso ist der Krieg dann nicht schon lange zu Ende?«
»Warum sollte er zu Ende sein?« fragte die Königin, suchte an den Hühnerknochen noch ein paar Leckerbissen und leckte sich in einer Weise die Finger, die ihren Bräutigam entrüstete und quälte.
Es folgte eine lange und freundschaftliche Diskussion der beiden uralten Gegner, aus der Ben Ata manches lernte, aber die Königin, wie er fürchtete, nichts... der Stil oder die Art ihres Zusammenseins war bereits gefunden und sollte sich auch längere Zeit nicht ändern.
Sie rekelte sich auf dem Stuhl, hob die Arme, gähnte und streckte sich und baumelte mit den Beinen, als säße sie auf einem Felsen oder einem Pferd – immerhin war sie auf großarti-

ge Weise unfähig, ihre Wildheit diesem nüchternen Militärzelt unterzuordnen. Sie lachte immer wieder, aber mit größter Gutmütigkeit über Ben Ata. Sie lachte über seine Art zu sprechen und zu denken – aber das stand ihr gut.
Und Ben Ata? Je mehr sie dieses unbekümmerte und sinnliche Selbstvertrauen zeigte – oder, wie er es empfand, zur Schau stellte –, desto steifer wurde er und erinnerte sich an Pflicht und Selbstdisziplin.
Er konnte sich in dieser Szene mit Augen beobachten, von denen er wußte, daß sie Al•Iths Augen waren – oder zumindest ihr Geschenk. Ganz sicher wäre er nicht in der Lage gewesen, diese Situation mit einem inneren Lächeln zu genießen, bevor er Al•Ith kannte.
Immerhin ahnte er bereits, daß er besser daran getan hätte, sie sofort zu vergewaltigen, wie das Protokoll es verlangte: wahrscheinlich hatte sie nichts anderes erwartet. Er wurde die Vorstellung nicht los, daß ihr wildes und ausgelassenes Benehmen zum Teil auf Nervosität, sogar auf Unsicherheit beruhte... und vielleicht auch – das hätte ihn keineswegs überrascht – auf Verachtung für diesen Mann. Obwohl sie ihn sicher nicht für unmännlich hielt, denn sie hatte bereits erzählt, sie habe ihn oft an der Spitze seiner Truppen beobachtet – aus einem Versteck am Hang oder aus einer Höhle – und ihn anziehend gefunden.
Jetzt war es ganz sicher nicht mehr möglich, sie aufs Bett zu werfen und die Sache hinter sich zu bringen. Als ihm diese Worte in den Sinn kamen, wurden sie überprüft und sofort verworfen. Dennoch, sie war von blendender Attraktivität. Aber er wußte nicht, was er tun sollte, nachdem der natürliche Verlauf der Dinge nun einmal durcheinander gekommen war. Seine Gefühle waren verwirrt, denn schließlich war er noch immer mit Al•Ith verheiratet, und das genügte, um ihm jedes beiläufige oder spontane Liebeserlebnis mit dieser Königin zu verbieten.
Er nahm an, was geschehen mußte, würde wahrscheinlich bis zur Hochzeit aufgeschoben – die, wie sie verkündet hatte, bald stattfinden sollte, und es würde eine Hochzeitsnacht in aller

Form geben. Aber er wußte, daß er sich vorher irgendwie als Mann erweisen mußte. Er wußte bereits, daß die Königin der Zone Fünf die Sieger bestimmter Wettkämpfe ihrer Soldaten mit einer Nacht in ihrem Zelt belohnte. Von ihm wurde offensichtlich erwartet, daß er sich mit jedem dieser Männer messen konnte. Ihm entging nicht, daß sie sich über seine Fähigkeiten auf militärischen und anderen Gebieten Gedanken machte, wenn sie ihn immer wieder mit kühlen, langen herausfordernden Blicken musterte – natürlich tat sie das unbewußt, denn sie kannte keine Befangenheit – und bereits an ihm zweifelte. Es war sein Gesichtsausdruck: so eng, so ordentlich, »so ganz Zone Vier«, wie sie es bereits ausdrückte.

Inzwischen besprachen sie militärische Fragen, und jeder verteidigte seine Methoden... deren Qualitäten sich dadurch erwiesen, daß es in den Kämpfen, die sich über Generationen hinzogen, keiner Seite gelungen war, der anderen auf Dauer auch nur einen Fußbreit Boden abzugewinnen.

Es wurde deutlich, daß, wenn Zone Vier den Krieg gegen Zone Fünf beinahe als Pflicht ansah, als eine Notwendigkeit, deren Ursprung niemand mehr kannte, die Einstellung der Zone Fünf sich davon nicht sehr unterschied.

Krieg – natürlich auf ihre Art geführt – war für die Königin und ihr Volk eine Lebensweise. Der Krieg bot ihnen die Möglichkeit, sich zu erproben, Ehre und Selbstachtung zu bewahren; und er war ihr größtes Vergnügen.

Weshalb wollte sie ihn dann beenden?

Darauf antwortete sie vage und offensichtlich unbekümmert. Ben Ata amüsierte sich darüber wie bei einem altklugen Kind.

Er brauchte ein paar Tage, um sich ein Bild zu machen, das ihn zufriedenstellte und auf das er sich seiner Meinung nach verlassen konnte.

In der Zone Vier hielt man die Zone Fünf für eine Wüste, in der kaum etwas wuchs und wo ein paar Nomadenstämme mit ihren Zelten und Herden auf der Suche nach Nahrung und Wasser umherzogen. Man glaubte das, weil man von ihrer Seite nur Felsen, Sand und Gestrüpp sah und auch noch nie andere

Menschen zu Gesicht bekommen hatte. Aber die Sandwüste bedeckte nur einen Teil der Zone Fünf. Im Osten gab es üppige Weiden, Ackerland, Dörfer und sogar große Städte – ein reiches und verweichlichtes Land, das sich nicht gegen Vahshi und ihre Reiter verteidigen konnte. Vahshi hatte ihre Stellung als Stammesführerin nicht geerbt, obwohl sie die Tochter eines Häuptlings war, sondern sie sich erkämpft. Unter ihrer Führung kam es zu einem festen Bündnis der Stämme, die sie als Königin anerkannten. Der Krieg gegen die Zone Vier wurde wie immer weitergeführt. Vahshi hatte sehr schnell begriffen, daß es unklug war, ihre Kräfte dort zu vergeuden. Es war sinnvoller, die Bauern auszurauben. Nachdem die Bauern besiegt waren und ihr Treue geschworen hatten, machten sich ihre wilden Horden, die wochenlang von Stutenmilch und ein paar Handvoll getrockneter Vorräte leben konnten, daran, die Städte zu terrorisieren. Vahshi rief die Vertreter aller Teile der Zone Fünf zu einer großen Versammlung oder Konferenz zusammen und ließ sich vor aller Augen zur Königin krönen.
Warum beschäftigte sie sich mit der Zone Vier? Auf sie wartete ein wohlhabendes und mächtiges Reich. Die Pfeffersäcke in den Städten schuldeten ihr Tribut. Sie konnte sich holen, was sie brauchte oder wonach ihr der Sinn stand.
Und wie paßte die Ehe mit Ben Ata in ihren Plan?
Ihre großen grauen Augen verengten sich ein bißchen; sie sah ihn geständnisbereit an und lächelte einladend und verführerisch... Ben Ata begriff sofort, daß diese Ehe für sie keine Bedeutung hatte, außer ihre Grenze zu sichern und ihre Freiheit zu erhalten.
Spätabends entließ er sie – natürlich mit gebührender Höflichkeit – in ihr Zelt. Er ertrug ihre hohnlachenden Blicke mit Selbstbeherrschung, obwohl er wußte, daß ihm dies im Lager ihrer Leute nur hämische Witze und Spottlieder eintrug, wenn sie zurückkehrte, um die Hochzeit vorzubereiten.
Dann lag er in der Dunkelheit wach. Er verschränkte die Arme hinter dem Kopf und dachte nach. Er dachte an die Wilde und nahm sich vor, mit ihr alle Arten sinnlichen Vergnügens auszu-

kosten, was um so befriedigender sein würde, als sie das nicht erwartete.
Er dachte an Al•Ith. Ihre Gedanken schienen hier im Zelt zu schweben und bei ihm zu sein... und das machte ihn wütend. Er wußte, sie hatte ihn für immer gefangen und gefesselt – und wenn nicht sie, dann ihr Reich und ihre Sitten –, er konnte nie mehr handeln, ohne zu denken, oder über seinen Zustand Überlegungen anzustellen. Er bedauerte es nicht, das nicht, aber trotzdem sagte etwas in ihm, daß sie ihn verzaubert habe – und daß sie sehr wahrscheinlich jetzt in dem Wissen triumphierte, daß seine neue Königin in ihrem Zelt in diesem Moment über ihn lachte.
Nie wieder konnte er wie früher sein – ein Ben Ata, der keine Zweifel kannte. Aber es war ihm auch noch nicht möglich, aus einem höheren oder besseren Bewußtsein heraus zu handeln. Er stand dazwischen und fühlte sich schrecklich unsicher.
Die Beschäftigung mit Al•Ith und ihren unfairen und listigen Zauberkünsten lenkte seine Gedanken auf die Versorger. Zum ersten Mal versuchte er sich ihre Denkweise vorzustellen... ja, er wußte, es war unsinnig und vermutlich sogar strafbar. Aber er konnte es nicht verhindern. Er glaubte, die Umrisse ihrer Pläne für Zone Fünf zu sehen – nicht für Zone Drei, denn sie lag ihm zu hoch. Er dachte, »an ihrer Stelle« würde er bestimmt nicht zulassen, daß diese Wilden aus der Wüste zerstörend, raubend und plündernd durch das Land zogen. Vahshis ganzer Goldschmuck zum Beispiel war aus den Werkstätten der Städte gestohlen. Die grauen Pelze, die ihre blonde Schönheit so gut zur Geltung brachten, sprachen nicht für das Können ihres Volkes – sie waren Diebesgut von den Märkten. Alle Frauen der Stämme stolzierten jetzt mit Gold und Edelsteinen behängt umher. Selbst die Pferde trugen Goldketten, und die Hunde Goldhalsbänder. In den Lagerzelten jeder Sippe häuften sich Seide, feine Baumwollstoffe und Gewänder, die die Frauen zu Festen trugen – nicht im alltäglichen Nomadenleben –, aber Feste wurden nach jedem Raubzug gefeiert. Das Leben der Nomaden war nicht mehr mühsam, hart und voller Entbehrungen. Sie schwelgten im Überfluß. Ben Ata hatte die Königin

gewarnt, daß es nicht lange dauern würde, bis die Stämme so verweichlicht und verderbt waren wie das Volk, das sie verachteten. Aber wie so oft wich sie seinem Blick aus. Ihr Lächeln wurde einen Moment lang unsicher, dann warf sie den Kopf zurück und sagte herausfordernd: »Verweichlicht? Du wirst sehen, wie verweichlicht wir sind!«
Und schon kurz vor dem Hochzeitsfest konnte er sich davon überzeugen.
So weit das Auge reichte, bedeckten schwarze Zelte die Wüste. Aber sie standen in Gruppen, immer in einem gewissen Abstand voneinander – denn im Grunde ihres Wesens bevorzugen die Wüstenbewohner Einsamkeit und Entfernung. Es gab Herden mit Tausenden von Pferden. Auf riesigen Platten wurden ganze Schafe oder Kälber serviert – manchmal zwei oder drei auf einer Platte. Das ganze Tal schien sich in eine unerschöpfliche Quelle von Speisen verwandelt zu haben. Man bereitete Ben Ata und den Soldaten, die ihn begleiteten, einen überwältigenden Empfang. Die Königin hatte sich für ein paar Tage zurückgezogen, um ihr Volk auf die Heirat vorzubereiten – natürlich wußte Ben Ata, daß ihre Schilderung nicht seinen Vorstellungen entsprach –, er bereitete sich in dieser Zeit auf den Moment vor, indem er ihre Kämpfer übertreffen mußte. Ben Ata war ein hervorragender Reiter, aber es war schon lange her, daß er sein Können sich oder anderen bewiesen hatte. Es gab eine Zeit, in der kein Mann seiner Armee ihn beim Ringkampf oder im Zweikampf besiegen konnte – aber das war schon eine Weile her. Ben Ata ließ die geschicktesten und erfahrensten Ringer und Reiter aus allen Teilen der Zone Vier rufen und vertraute sich ihnen an, und sie gaben ihm seine jugendliche Kraft und sein Können wieder.
Ben Ata zweifelte kaum daran, daß er die besten Ringkämpfer der Königin bezwingen konnte – und so kam es auch. Die Ringkämpfe fanden auf einem offenen Platz vor dem Lager mit den unzähligen schwarzen Zelten statt. Vor den Augen der Frauen, Kinder und Reiter, die sich um die Königin scharten, rang Ben Ata nacheinander mit einem Dutzend Männer und warf sie nieder, ein Dutzend Kämpfer, die alle so gerissen, hart

und sehnig waren wie die besten Gegner, auf die er bisher getroffen war.
Die Königin hatte das nicht erwartet, und – wie üblich unfähig, ihren Gesichtsausdruck und ihre Gesten zu beherrschen – schmollte ganz offensichtlich, während sie ihn lobte.
Ben Ata sah, daß sie hoffte, er werde im Pferderennen unterliegen. An diesem Wettkampf nahmen alle Männer des Stammes teil. Man startete an einem bestimmten Punkt und ritt so lange, bis man entweder von anderen überholt worden war – oder als Sieger übrigblieb. Es gab dabei nur eine Bedingung: Kein Pferd durfte zu Tode oder zuschanden geritten werden. Ben Ata ritt das beste Pferd in seinem Reich – in dieser Hinsicht hatte er keine Bedenken. Aber während er auf das Startsignal wartete (ein bestimmter wild gedehnter Schrei der Frauen), betrachtete er prüfend seine Konkurrenten und konnte gewisse Selbstzweifel nicht unterdrücken. Manche Männer waren gertenschlank und wendig und wirkten wie Peitschen oder Schlangen, und alle hatten bereits auf dem Pferd gesessen, bevor sie laufen lernten. Ben Ata teilte die deutlich zur Schau getragene Erwartung der Königin, daß er verlieren würde, aber er klammerte sich an den einen Gedanken: Die Versorger mußten seiner Meinung nach seinen Sieg wollen, und war das so, mußte er gewinnen. Und er gewann. Es war ein sehr langes, ermüdendes Rennen, das meilenweit in die Wüste hinausführte, an einem heißen, staubigen Spätnachmittag, die Sonne linker Hand, und ihm schien es, als sei es nicht sein Wille, der ihn trug, sondern eine hohe, nervöse Energie, die ihm stetig zugeführt wurde. Er ließ die Wüstenreiter einen nach dem anderen hinter sich und ritt allein zu dem Ort zurück, von dem er ausgeritten war.
Jetzt wirkte die Königin nicht mehr enttäuscht, sondern nachdenklich und schien sogar bereit, unterwürfig zu sein. Alles in den ihr vererbten Instinkten gebot ihr, diesen Mann zu ehren, der jetzt durch das Recht des Siegers ihr Ehemann war – während Berechnung diese Instinkte bestärkte.
Sie hatte keinen Moment lang an seiner Niederlage gezweifelt. Dies hätte zwar die Ehe nicht verhindert, die für ihre Pläne als

Herrscherin nützlich war, aber sie hätte sich Ben Ata in einer Geste der Verachtung geschenkt.

Nach altem Brauch wurden die beiden von einer Schar Frauen zum Hochzeitszelt begleitet, während Reiter um das Zelt galoppierten und darüber hinwegsprangen, bis die Königin sie von innen mit einem lauten Schrei entließ – der Schrei war Teil des Rituals und sollte ihr Volk davon in Kenntnis setzen, daß dieser Mann ihren Erwartungen entsprach.

Ben Ata bestand aber immer noch auf seinen erworbenen Rechten – seiner Meinung stand ihm durch das Zusammenleben mit Al•Ith eine gewisse Überlegenheit zu –, deshalb gab er seiner Braut zu verstehen, er habe nicht die geringsten Absichten, irgend etwas zu tun, bevor ihre Wilden da draußen sich zurückgezogen hatten. Er saß bequem auf einem riesigen Stapel Teppiche und langweilte sie mit einer Schilderung aller Einzelheiten des Rennens, das er gerade gewonnen hatte, beinahe zu Tode.

Als er schließlich bereit war, ihre Erwartungen zu erfüllen, stellte er fest, daß alles so verlief, wie er geahnt hatte: Sie besaß ebensowenig Feingefühl wie er, als er zum ersten Mal mit Al•Ith geschlafen hatte. Sie fand ihn unverständlich umständlich und erkannte dann aber, daß sie eigentlich keinen Grund hatte, die Zone Vier zu verachten.

Und so schlossen diese beiden die Ehe. Die Feste und Feiern, Pferderennen und Ringkämpfe dauerten einen Monat. Kinder wurden zeltweise gezeugt. Auch Königin Vahshi verkündete, sie sei schwanger, und das Kind sei das Unterpfand des ewigen Bündnisses mit der Zone Vier. Dies sollte zum Teil ihren neuen Ehemann beruhigen, ihn aber auch dazu bringen, so schnell wie möglich in sein Reich zurückzukehren. Sie konnte es kaum erwarten, sich der angenehmen Beschäftigung hinzugeben, die reichen Gebiete der Zone Fünf zu schröpfen.

Aber Ben Ata hatte es anscheinend überhaupt nicht eilig, sie zu verlassen.

Er fand sich nicht damit ab, in einer Ehe aus strategischen Gründen den nur symbolischen König zu spielen, er wollte allem Anschein nach die Politik beeinflussen. Das hatte sie nicht eingeplant. In ihren Augen wollte er das Leben ihres Volkes ebenso langweilig und geordnet machen wie das der Zone Vier. Er billigte ihr kriegerisches Leben nicht. Er weigerte sich, ihre Pläne für ununterbrochene Raubzüge zu unterstützen. Er warnte sie Tag und Nacht davor, daß sie bald ein Heer degenerierter Männer befehligen würde, die nur für ihr leibliches Wohl lebten, wenn sie nicht ihre Politik änderte...

Und während er so mit seiner neuen Königin stritt, war sich Ben Ata sehr wohl der Ironie seiner Position bewußt. Er beschäftigte sich bereits in Gedanken mit Plänen, die sicherstellen würden, daß sein Volk weit mehr daran arbeiten sollte, das Leben aller in der Zone Vier zu verbessern. Dreiviertel seiner Armee hatte er bereits »auf unbegrenzte Zeit beurlaubt« und mit der Anweisung nach Hause geschickt, den Zustand der Dörfer und Städte zu verbessern. Jarnti reagierte verdrießlich, dann bat und bettelte er sogar. Er verstand es nicht. Auch er war überzeugt, daß die fremde Hexe aus dem Hochland seinen König verzaubert hatte. Und natürlich durchschaute er den »Urlaub auf unbegrenzte Zeit«. Auf diese Weise hielt man keine Armee gefechtsbereit... er argwöhnte, daß Ben Ata das Interesse am kriegerischen Ruhm der Zone Vier verloren hatte. Er befürchtete vieles – aber sein Geist, der sich das ganze Leben lang nur mit Krieg beschäftigt hatte, konnte Ben Atas Vorstellungen nicht folgen. Er sah sich gezwungen, mehr durch Dabeeb zu erfahren, und alles, was sie sagte, bestätigte seine Befürchtungen.

Ben Ata war sich nicht nur einer Ironie bewußt.

Nachdem in der Zone Vier wieder Frieden und Wohlstand herrschte, sollte das Leben dort nicht weniger geordnet und geregelt verlaufen. Dazu war er fest entschlossen. Es sollte keine Anarchie geben! Auch kein Nachlassen der Disziplin, die Ben Ata aus tiefstem Herzen bejahte.

Trotzdem ermahnte er Vahshi nicht, das wilde Wüstenleben völlig aufzugeben, sondern nur Diebstahl und Räuberei. Wenn sie zu dem traditionellen Lebensstil ihres Volkes zurückkehrte, bedeutete dies – in Ben Atas Augen – eine geordnete Anarchie.

Jeder Stamm und sogar Gruppen verbündeter Stämme schuldeten ihren Mitgliedern fanatische und phantastische Treue bis in den Tod. Ein Mann, der von einem Stammesmitglied Schutz beanspruchte, konnte, wenn nötig, fordern, daß dieser Mann sein Leben für ihn einsetzte. Er war auch für alle Zeiten verpflichtet, sich im umgekehrten Fall ebenso zu verhalten. Unter den Mitgliedern der Stämme und Sippen herrschten absolute Aufrichtigkeit, Vertrauen und Freigebigkeit – aber im Umgang mit anderen Stämmen oder Sippen waren Täuschung, Verrat, Heimtücke und unehrenhaftem Verhalten keine Grenzen gesetzt. Die Stämme raubten sich gegenseitig die Herden und stahlen sich die Frauen, die sie jedoch dann ebensogut wie ihre eigenen behandelten: Sie waren freie, stolze Frauen mit Rechten und Privilegien. Wegen eines gestohlenen Schafs schnitten sie einander die Kehle durch. Sie ermordeten Männer, die in ihre zerschlissenen Umhänge gehüllt unter einem Busch schliefen – nur um sich das Wasser zu nehmen, das sie bei sich trugen. Diesen Zustand empfahl Ben Ata seiner Königin, als sei er der neuen Lebensweise vorzuziehen, bei der ganze Heerscharen von Kriegern fröhlich plündernd von einem Ende der Zone Fünf zum anderen zogen und alles nahmen, was ihnen in die Hände fiel.
Dies war im Vergleich noch das beste, tröstete Ben Ata sich selbst, denn er konnte an seine neue Rolle selbst noch nicht glauben. Jedesmal aufs neue erstaunt, stellte er fest, daß er immer wieder auf dasselbe Argument zurückkam: Das *gesunde* Wüstenleben war zum Untergang verurteilt, wenn die Stämme nicht zur Einfachheit, zum harten Leben, harten Reiten, zur Unbequemlichkeit zurückkehrten.
Es gab Momente, in denen er sich nach Al•Ith sehnte, damit sie sein Staunen und, sicher, seine Belustigung teile. Wie war er in diese Lage gekommen? Tat er, was er tun sollte und was man von ihm erwartete? Was dachten die Versorger über ihn – waren sie mit ihm zufrieden?
Während Vahshi in ihrem Reich für Ordnung sorgte, saß Ben Ata in den Sanddünen oder in seinem Zelt und dachte nach. Hatte er etwas falsch gemacht? Aber alles schien einem unsicht-

baren, machtvollen Plan gefolgt zu sein. Erwartete man noch etwas von ihm, das er übersehen hatte? Er war bereit zu glauben, daß er offensichtliche und deutlich erkennbare Möglichkeiten nicht sah. So brütete und grübelte er, während Vahshi, wenn sie ihn in diesem Zustand fand, sich manchmal ruhig zu ihm setzte und den Anfängen des Denkens Zugang zu ihrem Verstand erlaubte. Ehe sie Ben Ata kennenlernte, hätte sie nicht für möglich gehalten, daß man einen solchen Mann achten konnte – und doch tat sie es. Er war ihr überlegen. Sie erkannte das, wenn sie es sich auch nur insgeheim eingestand.

Mit seinen Warnungen vor der Degeneration ihres Volkes hatte er in der Sache recht, wenn es auch andere Gründe dafür gab. Sie sah es selbst: Unter ihren Leuten verbreiteten sich Trägheit und Nachlässigkeit. Und das gefiel ihr nicht.

Sie dachte daran, daß sie seinen Rat vermissen würde, wenn er in sein Land zurückkehrte. Er war schwerfällig. Er war langsam. Aber er war nicht dumm. Sie ergänzten sich – ja, das war es. Gut, vielleicht würde sie ihn besuchen – schließlich erwartete sie dieses Kind. Sie zweifelten nicht daran, daß es ein Mädchen sein würde. Vahshi, weil ihre starke, wilde Weiblichkeit nur sich selbst gebären konnte, und er, weil er es als ebenso sinnvoll und richtig empfand wie damals, als er und Al•Ith einen Sohn erwarteten. Er hatte Vahshi gesagt, dieses Mädchen würde Königin der Zone Vier und auch der Zone Fünf sein – allerdings gemeinsam mit einem bereits geborenen Sohn, über den er sich nur unbestimmt äußerte. Das paßte nicht zu ihm, und deshalb schöpfte sie Verdacht. Wenn es um Verrat ging, dann hatte es mit Raub und Plünderung zu tun – in diesen Kategorien dachte sie eben. Im Geist sah sie sich bereits als Mutter der Herrscherin über die ergiebige Zone im Westen, und in dieses Bild mischten sich Vorstellungen von Raubzügen. Außerdem hatte sie von den Stämmen an der Grenze erfahren, daß Ben Atas Befestigungsanlagen entlang der Grenze noch immer bemannt waren. Sie fragte sich, ob er auf irgendeine Weise Gedanken lesen konnte, denn sie hatte bereits überlegt, wie sich Überfälle in die Zone Vier bewerkstelligen ließen –

natürlich nur gelegentlich – nicht oft... und mehr als Erinnerung an leider verbotene Freuden. Sie hatte sich schon Ausreden zurechtgelegt. Sie wollte sagen, die Grenzbewohner hätten dort schon so lange geplündert, und man könne nicht erwarten, daß sie sich über Nacht änderten.
Ben Ata verließ sie plötzlich. Eines Morgens erwachte er aus einem Traum vom Pavillon und der Trommel, die schlug. Er lag neben ihr, stützte sich auf den Ellbogen und blickte durch den Zelteingang nach draußen. Er sah nichts als wehenden Sand, den eine staubige Sonne gelb färbte. Die Trommel dröhnte ihm noch immer in den Ohren – und durch den ganzen Körper: ein schmerzliches und wehmütiges Pulsieren. Er sprang auf, umarmte Vahshi, rief seine Soldaten und war bereits auf und davon, ehe sie richtig verstanden hatte, daß er ging.
Nach seinem Abschied saß sie viele Tage lang allein in ihrem Zelt und gab sich Gedanken hin, die sich nicht sehr von Ben Atas Gedanken unterschieden, nachdem Al•Ith ihn hatte verlassen müssen. Es gab nichts in dieser Ehe, das sie gewünscht oder erwartet hatte – ganz gewiß konnte sie nicht behaupten, sie habe Gefallen daran gefunden, denn dafür gab es zuviel Neues, das unbequem war. Und trotzdem war sie völlig verändert. Sie fühlte sich dem Leben ihres Volkes fern und auf eine Weise verantwortlich, die sie nicht verstand. Sie würde Rechenschaft ablegen müssen, für alles, was sie tat, für jede Entscheidung, die sie traf. Aber wem? Ben Ata hatte von den Versorgern gesprochen. Wer waren sie? Woher wußte er, daß es sie gab? Die Vorstellung, beobachtet, beaufsichtigt und, wie er angedeutet hatte, sogar gelenkt zu werden, bereitete ihr Unbehagen. Von Ben Ata hatte sie erfahren, daß die Zone Vier nicht das Ende war – es gab eine Zone Drei, und eine seiner Frauen war sogar von dort gekommen. Und dahinter lagen noch andere Reiche, von denen er nur die Namen kannte.
Ihr Volk erzählte und sang, daß die Königin trauere. Sie ließ es geschehen. O nein, sie war nicht traurig, daß Ben Ata fortgegangen war. Sie war glücklich. Er war eine Last, ein Gewicht gewesen, etwas, das sie nicht beiseite schieben konnte, um wieder sie selbst zu sein. Sie sehnte sich nur nach einem: Sie

wollte wieder die Frau sein, die sie gewesen war, bevor man sie an diesem Abend in das Zelt geschleppt hatte, in dem der soldatische Ben Ata saß und – dachte. Sie hatte nicht gewußt, daß man denken konnte. Sie wollte nicht denken! Sie war vollkommen zufrieden gewesen, ehe er ihr dieses lästige, langsame, tiefsinnige Denken beigebracht hatte...

Ben Ata ritt zum Pavillon hinauf und fand seinen Sohn mit den Kinderfrauen, die Dabeeb beaufsichtigte. Der Junge lief schon. Ben Atas erster Gedanke war, mit dem Kind vor sich im Sattel das Heer abzureiten – aber es gab kein nennenswertes Heer mehr.

Dabeeb schien alles gut im Griff zu haben. Jarnti beschäftigte sich damit, die Moral der verbliebenen Truppen aufrechtzuerhalten.

Ben Ata dachte daran, eine Inspektionsreise durch das Reich zu unternehmen, um zu sehen, wie mit der Rückkehr der Männer wieder Leben und Stärke ins Land kam.

Aber inzwischen fand er sich mit seinem Sohn im Garten bei den Springbrunnen auf der erhöhten weißen Marmorplattform, hob das Gesicht des Jungen, damit er Al•Iths Berge sah, die Berge seiner Mutter. Er erzählte ihm von der Zone Drei und sagte ihm, daß er eines Tages dorthin gehen und das Leben dort kennenlernen würde.

Dabeeb beobachtete die beiden durch ein Fenster, und die Nachricht verbreitete sich in Windeseile in der Zone Vier, daß der König seinen Sohn lehrte, nach oben zu blicken. Man erließ die Strafen für alle, die hinauf zu den schneebedeckten Gipfeln sahen, und überall richtete man in aller Öffentlichkeit den Blick auf das verbotene Land, das nicht länger unerreichbar war. Die Frauen feierten ihre Rituale ausgelassen und in Siegesfreude. Der neue Geist, der die Zone erfüllte, machte Ben Ata glücklich. Das Kind entwickelte Selbstvertrauen und Stärke. Aber Ben Ata wartete auf die Trommel, die er im Traum gehört hatte, und sie blieb stumm.

Ben Ata begann von einem Besuch in der Zone Drei zu sprechen, um mit seinem Sohn Al•Ith zu besuchen. Aber das war nicht angeordnet – Dabeebs Schweigen erinnerte ihn

immer wieder daran. Sollte ihm, Ben Ata, die Zone Drei verschlossen bleiben? Aber es schien, sein Sohn solle sie besuchen...
Er stellte fest, daß Dabeeb und eine Gruppe Frauen Vorbereitungen für eine Reise trafen. Noch ehe er fragte, wußte er, wohin sie führte. Vor noch nicht langer Zeit hätte er, der König, sie alle ins Gefängnis werfen lassen oder ihnen Strafhelme aufgesetzt. Jetzt hörte er, daß die Frauen Al•Ith in ihrem Land besuchen wollten und Arusi mitnahmen.
Woher wußten sie, daß dies beabsichtigt und erforderlich war, wollte er von Dabeeb wissen.
Sie antwortete, alle – und meinte damit die Frauen – seien der Ansicht, es sei ihr Recht und ihre Pflicht zu gehen, denn schließlich hätten sie das alte Wissen so lange lebendig erhalten.
Aber hatte man ihnen das gesagt oder befohlen? War ein Bote zu ihnen gekommen?
Dabeeb reagierte auf diese Frage leicht gekränkt, wie jemand, der sich im Recht fühlt, und zwar so sehr im Recht, daß niemand daran zweifeln durfte. Da Ben Atas innere Ziele und Absichten so ganz umgewälzt und umgelenkt worden waren, widersetzte er sich ihr nicht.
Arusi war zwei Jahre alt, als er mit den Frauen abreiste. Ihr Abschied von der feuchten Ebene, die einst der Schauplatz höchsten militärischen Könnens gewesen war, war ein Ereignis, wenn auch kein offizielles. Männer und Frauen versammelten sich in großer Zahl, brachten Hochrufe aus und sangen die Lieder der Frauen, die inzwischen Allgemeingut geworden waren. Die Menge zeigte, wie stolz man auf diese schönen Frauen war, die schon in ihrem Aussehen das Wesen der neuen Zone Vier verkörperten, in der sich so vieles änderte.
Es waren zwanzig Frauen, meist in mittleren oder jungen Jahren. Sie trugen Kleider, die sie denen Al•Iths nachempfunden hatten; denn Al•Ith hatte sie durch ihren Aufenthalt zu neuen Stoffen, neuen und zarten Farben angeregt. Sie hatte ihnen Schnitte gezeigt, die sie sich bis dahin nicht hatten vorstellen können. Die Frauen trugen ihre Haare stolz, selbst-

bewußt und herausfordernd offen. Sie blickten den nicht ganz glücklichen Männern fest in die Augen, und ihr Lachen sprach von der Stärke, die das Zusammensein ihnen schenkte. Und sie ritten alle ohne Sattel und Zaumzeug, obwohl ihnen Al•Iths Können fehlte. Beim Aufbruch brachte ihnen der Umgang mit den Tieren zweifelnde Bemerkungen ein, aber sie hielten sich tapfer. Sie vertrauten so sehr darauf, in der Zone Drei willkommen zu sein, daß sie es zunächst ablehnten, Schilde oder selbst schützende Broschen oder Spangen zu tragen. Aber als sie sich der Grenze näherten, mußte Dabeeb sich hinter einem Schild schützen; die anderen folgten ihrem Beispiel.
Es war eine ansehnliche, kräftige und gutaussehende Gesellschaft mit einem kleinen Kind, das vor Dabeeb saß. Sie hatten noch mehr Kinder bei sich, denn die Frauen erklärten, sie »sollten die Gelegenheit nutzen, die neuen Sitten zu lernen«.
Sie erreichten die hohe, prickelnde Luft der Zone Drei, ohne etwas anderes als Erregung zu spüren. Sie überquerten die große Ebene noch vor Einbruch der Dunkelheit und dem Aufkommen des schneidenden Windes.
Auf halber Höhe der Paßstraße, die zum Plateau führte, hielten sie an einem großen Gasthaus an. In Al•Iths Namen baten sie um Gastfreundschaft. Leute kamen aus dem Haus, um sie zu sehen und beobachteten schweigend, wie man sie hereinbat und ihre Pferde wegführte.
Sie hatten fest damit gerechnet, daß ihnen der Name Al•Iths einen besonderen Empfang sichern würde. Aber sie bemerkten, daß ihnen die Gastfreundschaft nicht Al•Iths wegen gewährt wurde – der Name schien die Wirtsleute nicht sonderlich zu beeindrucken –, sondern weil es der Sitte des Landes entsprach, Fremde höflich aufzunehmen.
Es schien ihnen aber eine kühle, oder zumindest gleichgültige Höflichkeit zu sein.
Man führte sie in den großen Gastraum, und sie setzten sich an einen großen, breiten Tisch. Man bediente sie aufmerksam, während die anderen Gäste sie von ihren Plätzen aus beobachteten – allerdings nicht unhöflich. Die Frauen unterhielten sich, lachten, warfen den Kopf zurück und schüttelten die

Haare und zeigten etwas zu laut und überschwenglich, wie sehr sie sich mochten, während ihr Selbstvertrauen schwand. Was hatten sie erwartet? Natürlich wie *nach Hause* zurückgekehrt willkommen geheißen zu werden. Aus dem Exil. Dieses Gefühl hatte sie in den langen Monaten der Vorbereitungen nie verlassen. Die Erfahrung hier konnten sie noch leicht verkraften und sich sagen: warte, bis wir Al•Ith wiedersehen, dann ist alles anders, aber im Grunde begriffen sie sehr wohl, wie ungeschliffen sie hier wirkten, und das machte ihnen zu schaffen. Das Beste, das Feinste und das Kühnste ihres Landes wirkte hier nur unbeholfen. Damit konnten sie noch fertig werden und es ertragen, denn schließlich war das seit Generationen ihr Los. Sie wußten immer, daß sie vom Besten abgeschnitten und an der Entfaltung ihrer Möglichkeiten gehindert worden waren.

Die Umgebung bedrückte sie, führte ihnen deutlich den eigenen Mangel vor Augen.

Natürlich gab es in ihrem Land die unterschiedlichsten Gasthäuser und Hotels. Und einige unterschieden sich auf den ersten Blick nicht allzusehr von diesem Gasthof. Erst als sie bequem am Tisch saßen, sich umsehen und Dinge anfassen konnten, begannen sie zu begreifen.

Auch bei ihnen gab es keinen Gasthof ohne ein großes Gastzimmer mit einem Feuer, Stühlen oder Tischen... aber, ach, welch ein Unterschied... dennoch, hätten sie *diesen* Raum hier in ihrem Land betreten, sie hätten es nicht sofort bemerkt – was? Einzelheiten. Es war die Vielfalt, der liebevolle Erfindungsreichtum in allen Dingen.

Der große Kaminsims war meisterhaft und dabei leicht und schwungvoll geformt – allein dort gab es genug zu sehen, um sich einen halben Abend damit zu beschäftigen. Hier standen nicht einfach Bänke, sondern Stühle, Ruhebänke, Liegen und Hocker. In den Stühlen lagen bestickte Kissen, und die Stickereien waren wie der Kaminsims so interessant wie ein Abend von Geschichten und Liedern. Das Essen wurde in Porzellangeschirr aufgetragen; sie wußten kaum, daß es so etwas gab, und dieses Geschirr war auf eine unvertraute Weise schön. Ihr

Staunen über diese Dinge nahm kein Ende – von dem Essen ganz zu schweigen, denn jede dieser erfahrenen Hausfrauen wußte sofort, daß nicht einmal der König so gut aß.
Dies also bedeutete Frieden. Ein Land im Frieden. Sie alle waren von den Veränderungen beeindruckt und ermutigt gewesen, die sie zu Hause gesehen hatten – endlich wurden die Dächer richtig gedeckt; Häuser wurden mit Steinen oder Lehmziegeln wieder aufgebaut; Felder wurden bestellt, auf denen man vorher Schilf und Frösche oder Steine und Unkraut gesehen hatte – dies, hatten sie sich gesagt, war, was Friede bedeutete.
Man brachte sie zu zweit oder zu dritt in großen Zimmern unter. Aber vor Aufregung konnte keine von ihnen schlafen. Sie betrachteten Decken, Kissen und Teppiche, ja sogar die Betten aufs genaueste, deren Eleganz und solide Verarbeitung ihnen völlig neu war. Sie liefen über die Treppen von Zimmer zu Zimmer und waren nicht weniger aufgeregt als die Kinder. Sie bestaunten alles lautstark und versuchten, sich das Gesehene fest einzuprägen, um es nicht zu vergessen. Schließlich kam der Gastwirt und bat sie sehr höflich um Ruhe, damit die anderen Gäste ungestört schlafen konnten.
Am nächsten Morgen brachte man ihnen ein Frühstück, an das sie nicht gewöhnt waren, da sie nicht einmal wußten, daß es Leute gab, die so etwas brauchten. Dann gingen sie in die Ställe, bereits in der Erwartung, in Erstaunen versetzt zu werden. Sie kamen nachdenklich wieder heraus und flüsterten einander zu, daß viele Bewohner der Zone Vier nicht so gut lebten wie hier die Pferde.
Und sehr nachdenklich ritten sie am Fuß der aufragenden, schneebedeckten Berge weiter. Hier, aus der Nähe, schienen die Berge sie mit ihrer Ferne zu verspotten – aber sie waren auf eine andere Weise fern. Sie ritten sehr ruhig an den Menschen vorbei, die ihnen begegneten und warteten, bis sie grüßten. Alle Freude und Erregung war von ihnen gewichen. Sie ritten langsam, denn sie wollten soviel wie möglich sehen. Mittags hielten sie in einer kleinen Stadt am Rand eines felsigen Plateaus, auf dem Tiere weideten, da der Boden nicht landwirt-

schaftlich genutzt wurde. Die Tiere waren kräftig und gutgenährt, und man sah, daß sie nie überanstrengt worden waren.
Die Stadt hatte Steinhäuser – hohe Gebäude mit manchmal zehn oder zwölf Stockwerken. Sie waren aber nicht regelmäßig oder gleichförmig gebaut, sondern hatten viele Ecken, Nischen und flache Dächer, auf denen die Menschen saßen, sich ausruhten und über das Hochland hinauf zu den Bergen blickten. In glitzernden Rechtecken, Ovalen und Kreisen, an den Fassaden der Gebäude spiegelten sich der Himmel, die Wolken und vorbeifliegende Vögel wie in erstarrtem Wasser, das man in Scheiben dorthin gebracht hatte... bereits am Abend zuvor hatten sie in dem anderen Gasthof das Glas bestaunt. Es gab natürlich Glas in ihrem Land, aber sie wußten nicht, daß man es zum Beispiel für Fenster verwenden konnte, deren Anordnung und Formen man als schön empfand, oder um eine ganze Stadt wirken zu lassen, als sei der Himmel mit den Mauern verwoben und verflochten, oder als bedecke Wasser die Wände und Dächer von Türmen... sie standen auf dem schattigen kleinen Marktplatz und blickten sich mit offenem Mund um... sie waren Bauerntrampel und wußten es. Wieder suchten sie einen Gasthof. Er unterschied sich so sehr vom ersten, daß sie ihn beinahe nicht als Gasthof erkannt hätten. Überdachte Terrassen umgaben einen offenen Hauptraum, der mit einem Glasschiebedach geschlossen werden konnte. Auf den verschiedenen Ebenen dieser Terrassen saßen Leute an Tischen und aßen und tranken mit Muße, während Kinder in ihrer Nähe spielten. Die schneebedeckten Gipfel spiegelten sich im Glas, als seien Berge, Schnee und der windige Himmel Teil seines Wesens. Selbst eine so normale Szene mit entspannten Menschen quälte ihre armen, überwältigten Herzen. Im einzelnen betrachtet war nichts daran bemerkenswert: Ein Mann zeigte einem kleinen Kind, wie man richtig am Tisch sitzt, eine Frau lächelte einen Mann an – ihren Ehemann? Wenn ja, glich er sicherlich nicht einem Ehemann der Zone Vier! –, aber nahm man das Ganze, schien alles von einem klaren, zarten blassen Licht durchtränkt zu

sein, das sie an die Sehnsüchte erinnerte, die das Wesen bestimmter Träume ausmachen: Es war das Wissen um ein bitteres Exil.
Sie sagten sich, was sie dort sahen, sei – Vergnügen. Nichts anderes sahen sie. Wohlbefinden ohne Pflichten, ohne Druck und ohne Mißbilligung. Aber das Wort Vergnügen mußten sie wieder zurücknehmen. Dabeeb erzählte ihnen, Al•Ith habe diese Unbeschwertheit ausgestrahlt, zumindest, als sie das erste Mal zu ihnen gekommen sei: Das sei ihr, Dabeeb, sofort und als erstes aufgefallen: Al•Iths großherziges und freies Wesen. Aber das sei nicht *Vergnügen* gewesen, auch nicht Freude, obwohl Dabeeb nach ihrer ersten Begegnung mit Al•Ith eine ehrfürchtige, sogar triumphierende Überzeugung mit in ihr nüchternes kleines Haus zurückgenommen hatte, daß Glück möglich sei. Aber Al•Iths Kraft war von irgend etwas anderem gekommen – irgendwo anders her...
Was sie sahen, das Verinnerlichte dieser Szene, war nicht Vergnügen oder Glück, Worte die – gleichgültig, wie unerreichbar sie ihnen unten in der Zone Vier zu sein schienen – jetzt erbärmlich, ja sogar verachtenswert wirkten. Sie sahen etwas anderes, das sie noch nicht verstehen konnten.
Sie fühlten sich unerbittlich und erbarmungslos zermalmt. Die Kluft zwischen dem, was sie vor sich sahen, und dem, was Zone Vier gerade eben noch erhoffen konnte, erstreckte sich über Hunderte von Jahren. Sie bedeutete Zeit, aber Zeit, die in einem höheren und feineren Rhythmus verging. O ja, in der Zone Vier konnte man auch solche hohen Häuser bauen und sogar ihre Fassaden mit Glas schmücken, wenn man ihnen zeigte wie. Sie konnten lernen, das Geschirr auf ihrem Tisch durch Formen und Muster so beredt wie eine neue Sprache zu machen. Auch sie konnten ihre Dienstboten in Stoffe kleiden, in die diese Sprache der Muster eingewebt waren. Aber um die wirklichen Unterschiede zu überbrücken, mußten sie lernen, sich aus dieser anderen Dimension zu nähren, die gerade erst in ihr Bewußtsein getreten war. Zum Beispiel das selbstverständliche und ungezwungene Verhalten der bedienenden Menschen hier: sie waren Gleichgestellte, Partner – wie lange würde Zone

Vier brauchen, um die absolute Gleichheit zwischen Individuen zu lernen, nachdem Unterschiede, Klassen, Ränge und der Respekt davor – das heißt *Unterwürfigkeit* – so lange und so tief in das Wesen der Menschen eingeprägt worden waren. Sogar dieser Teilaspekt der Zone Drei schien unerreichbar fern zu sein, und die lächelnde Frage des Mädchens, ob sie dieses oder jenes Gericht bevorzugten, schien aus einem Reich zu kommen, das weit über ihnen lag.

Sie verließen den Gasthof, wurden vielmehr von ihren eigenen Gefühlen davongetrieben, und ließen die Stadt aus diesem schönen leuchtenden Stein hinter sich, in dessen Stoff die Berge, der Himmel, das Wasser, der Schnee und das Licht eingegangen waren. Sie blickten sich immer wieder nach allen Seiten um und hoben Arusi und die anderen kleinen Kinder hoch, damit sie alles sahen, damit sie die Eindrücke in sich aufnehmen und nie vergessen würden. Denn sie sollten die ersten Menschen der Zone Vier sein, in denen das Wissen der Zone Drei lebte.

Gegen Abend ritten sie in Andaroun ein. Sie fragten nach dem Weg und erreichten schließlich den kleinen Platz mit den Bäumen und Gärten. Und gemeinsam standen sie vor der breiten weißen Treppe des Palastes und fragten nach Al•Ith.

Bei diesem Namen betrachtete man sie neugierig, aber nicht unfreundlich.

Sie warteten lange, bis eine junge Frau langsam zu ihnen herunterkam.

Zumindest Dabeeb wußte sofort, daß dies die Schwester war, von der Al•Ith gesprochen hatte. Denn sie war Al•Ith, nur mit blonden Haaren und weißer Haut.

Dabeeb unterdrückte den Impuls – den dieser wunderbare, schöne Palast mit seiner schwindelnden Höhe und Größe, seinen Balkonen, Kolonnaden, den zarten leuchtenden Farben in ihr auslöste – niederzuknien oder demütig zu sagen: Herrin! Denn sie wußte, das war hier nicht Sitte.

Als sie den Namen Al•Ith erwähnte, nickte Murti• und sagte einfach: »Aber sie ist nicht hier.«

Die Frauen begriffen sofort die Endgültigkeit dieser Äußerung: sie bedeutete, daß man ihnen nicht geben würde, was sie erwartet hatten.
»Dies ist ihr Kind«, sagte Dabeeb und hielt den Jungen hoch.
Murti• nahm Arusi und hielt ihn kurze Zeit auf dem Arm, so daß die Frauen sahen, daß ihre Arme es gewohnt war, Kinder zu tragen, und sagte: »Meine Schwester ist nicht hier.«
»Ist sie nicht mehr die Königin hier?«
»Das versteht ihr nicht, glaube ich«, erwiderte Murti•. »Ich habe ihre Arbeit übernommen, wenn es das ist, was du meinst. Du wirst sie dort finden...« und Murti• wies nach Nordwesten.
Damit schien sie gesagt zu haben, was sie sagen wollte.
Aber gerade als die Frauen sich umdrehten, um zu gehen, fragte sie: »Warum seid ihr hier?«
Jetzt standen sie unbeholfen da, wurden rot und schämten sich, denn diese Frage hatten sie sich selbst schon gestellt. Murti• wollte wie Ben Ata wissen, ob sie das Recht hatten, hier zu sein.
»Ihr müßt meine Schwester fragen, was ihr tun sollt«, sagte Murti• und gab Dabeeb das Kind zurück. Dann lief sie die Treppe hinauf und verschwand im Palast.
Die Frauen suchten wieder einen Gasthof. Sie waren jetzt bedrückt und von dunklen Vorahnungen erfüllt, obwohl sie überall höflich behandelt wurden. Sie erhielten kostenlos Unterkunft und Verpflegung, denn sie besaßen nichts, um dafür zu bezahlen. Sie überlegten, mit welchen Neuigkeiten sie nach Hause zurückkehren konnten, nach all dem, was sie gesehen hatten. Selbst wenn man ihnen glaubte, würde das nicht helfen, denn sie würden auch nur erklären und wiederholen können: Wenn Fett und Fülle eines Landes nicht ständig in den Krieg fließen, beginnt alles, aber auch alles sich zu entfalten, zu erblühen und liebenswert und reich bis in jedes Detail zu sein. In den Händen und Köpfen lebten Können und Wissen, die man nur nähren, denen man nur Raum geben muß... Geduld.
Das Haus, in dem sie die Nacht verbrachten, bot den Gästen

Pflanzen und Gärten. Hier gab es alle Arten von Gärten, und darin eingebettet standen kleinere Gebäude mit Zimmern. Man brachte sie alle in einem Haus unter und gab ihnen zu essen. Dieses Mal bestaunten sie nicht Bettdecken und Türgriffe, sondern gingen durch die Gärten. Sie waren der Ansicht gewesen, die Gärten und Springbrunnen, die Ben Atas und Al•Iths Pavillon umgaben, seien großartig und schön; aber jetzt erkannten sie, daß sie nur ein Zeichen oder ein Symbol dessen gewesen waren, was möglich war.

So vergingen mehrere Tage. Sie ritten gemächlich weiter und betrachteten alles aufmerksam. Sie versuchten, den Mut nicht zu verlieren oder sich selbst zu sehr herabzusetzen. Die Nächte verbrachten sie in den unterschiedlichsten Gasthäusern; das Land schien den Reisenden immer neue Vergnügungen und Sehenswürdigkeiten zu bieten.

Unterwegs fragten sie immer wieder nach Al•Ith, und manchmal sahen die Leute sie verständnislos an, als sei Al•Ith vergessen. Aber im allgemeinen gab man ihnen zur Antwort: »Wie man hört, ist sie irgendwo dort oben.«

So zogen sie weiter, bis sie eine Bergkette mit einem Einschnitt sahen, in dem sich blaue Nebel ballten.

Eines Abends erreichten sie ein kleines Dorf. Eigentlich wollten sie weiterreiten, fragten aber auch hier nach Al•Ith. Man sagte ihnen, sie sei wahrscheinlich in den Ställen.

Und so war es auch. Al•Ith brachte gerade ein paar Pferde von den Feldern zurück. Als sie die Frauen sah, wirkte sie überrascht, begrüßte sie aber herzlich. Sie nahm ihren Sohn mit einem Ungestüm und einem Bedauern in die Arme, das ihnen alles verriet.

Jetzt erkannten sie mit aller Gewißheit, daß sie hier nicht sein sollten.

Denn ob man die Ereignisse nun als gut oder schlecht ansah, eines war deutlich genug: hier waren sie endlich bei Al•Ith, und es gab noch nicht einmal Platz zum Schlafen für sie, denn das Dorf war zu klein für einen Gasthof.

Al•Ith ging zu den Leuten, die im Namen aller über die Angelegenheiten im Dorf entschieden, und fragte, ob die

Frauen in den Obstgärten übernachten dürften, denn es war noch Sommer. Man willigte ein und erlaubte ihnen auch, soviel Früchte zu nehmen, wie sie brauchten.
So kam es, daß die zwanzig Frauen mit ihren kleinen Kindern und Al•Iths Sohn die warme Nacht im Gras unter den Obstbäumen verbrachten.
Man könnte sagen, daß die Frauen zum ersten Mal, seit sie die Heimat verlassen hatten, sich in vertrauter Umgebung befanden – aber selbst das stimmte nur bedingt. In der Zone Vier gab es nichts, was sich mit diesen alten, üppigen Obstgärten vergleichen ließ, selbst einige Obstsorten waren den Frauen neu.
Sie erzählten von der neuen Ordnung in Zone Vier und von Ben Ata, waren aber taktvoll, was die neue Königin betraf, mit der Ben Ata immerhin eine lange Zeit verbracht hatte. Sie beschrieben, wie die schlimmste Armut im Land gemildert worden sei und daß die Kornspeicher und Lagerhäuser sich füllten. Sie schilderten ausführlich, wie Arusi, der jetzt in Al•Iths Schoß schlief, aufgewachsen war und sprachen von seinen verschiedenen Krankheiten und kleinen Unfällen.
Aber es dauerte lange, bis sie das Gespräch auf Al•Ith lenkten und fragten, weshalb sie hier im Exil sei und ihr altes Leben aufgegeben habe. Das geschah, weil sie es bereits wußten und verstanden.
Wenn sie sich nach diesem Land, nach Zone Drei sehnten, erschien es ihnen nur natürlich, daß Al•Ith sich aus tiefstem Herzen nach dem höheren und schöneren Ort sehnte, dessen Zugang vor ihnen lag, wenn sie die Augen hoben.
Die Frauen empfanden es als sehr merkwürdig, mit Al•Ith im niedrigen, süß duftenden Gras zu sitzen und dort hinaufzublicken. Denn so hatten sie lange Zeit auf die wunderbaren Gipfel der Zone Drei geblickt. Sie fühlten sich noch nicht einmal berechtigt oder bereit, dieses Land zu betreten, von dem Al•Ith genug hatte und das sie verlassen wollte. All das wußten sie. Obwohl sie die Einzelheiten nicht kannten.
Unsere Künstler lieben diese Szene besonders. Auf ihren Bildern schwebt meist ein großer gelber Vollmond hinter oder

dicht neben Al•Iths Kopf... vielleicht auch eine Mondsichel mit ein oder zwei Sternen. Nicht selten stolziert auch ein großer Pfau durchs Gras, der ein Rad schlägt. In den schimmernden Federn bricht sich das Licht und wirft einen strahlenden Glanz auf den Obstgarten.
Aber im allgemeinen wird es realistisch dargestellt, und ich sage das deshalb, weil sie zu den letzten der wahrheitsgetreuen Darstellungen gehört. Denn in der Geschichte von Al•Ith geschieht jetzt etwas, das dem volkstümlichen Geschmack nicht mehr entspricht. Worum es hier geht, ist der Bericht über eine große und geliebte Königin, die – aber nein, sie wendet ihrem Reich nicht den Rücken. Sie lehnt es nicht ab. Es wäre leichter, dramatischer, wenn sie das täte. Aber sie scheint bereits, zumindest mit einem Teil ihres Wesens, an einem anderen Ort zu leben. Und dies ist eine traurige Wahrheit. Trocken. Sogar beleidigend; denn es fällt schwer zu glauben, daß diese Frau die Wärme und die kleinen Freuden des Alltags nicht völlig verachtet. Dem unwissenden Betrachter verrät ihr Äußeres wenig von dem inneren Wachstum und den Veränderungen – ebensowenig wie ein Unwissender etwas von dem Wachstum und der Verwandlung einer Schmetterlingspuppe ahnt. Ja, es ist notwendig, verzeihlich, wenn wir Liedermacher, Chronisten und Porträtisten bestimmte Tatsachen abschwächen.
Zum Beispiel – Yori, ihr Pferd. *Tatsache* ist, daß Al•Ith nicht in die Zone Vier zurückkehrte. Für sie schlug die Trommel nie mehr. Sie wartete lange Zeit darauf, ja erwartete es – oder erwartete es halbherzig und fürchtete sich auch davor. Sie erwog alles mögliche; etwa, ob es ein Fehler gewesen sei, an die höheren Grenzen hier oben zu kommen und sich aller Verantwortungen zu entledigen. Aber sie beruhigte sich mit dem Gedanken, daß sie immer bereit sei zu gehen. Noch immer sehnte sie sich mit allem, was von ihrem Herzen geblieben war, nach ihrem Mann. Keine dieser widersprüchlichen Hoffnungen und Wünsche erfüllten sich, denn was wirklich geschah – sehr viel später und nach gewissen Wechselfällen – war, daß ihr Sohn zu langen Besuchen in die Zone Drei kam. Aber wenn er

sich bei uns aufhielt, verbrachte er die meiste Zeit mit Murti•. So betrogen die Ereignisse Al•Ith um ihre Erwartungen... oder um ihre halbherzigen Erwartungen... oder betrogen sie um nichts, denn sie hatte mehr und mehr das Gefühl, daß sie nichts zu erwarten hatte.

Eine der beliebtesten Darstellungen zeigt Al•Ith, die mit dem ungefähr sechsjährigen Jungen vor sich hinunter in die Zone Vier reitet. Ben Ata reitet lächelnd und fürsorglich hinter ihr, etwas tiefer, damit sie das Bild beherrscht. Ihnen folgt eine Gruppe Kinder aus der Zone Vier, die von einem Schulungsaufenthalt nach Hause zurückkehren. Man sieht sie als kleine Wilde, die sich bereitwillig zähmen lassen. Al•Ith reitet auf ihrem Pferd Yori. Nein, nicht genau Yori, denn die Künstler achten sorgsam auf kleine Unterschiede, damit man ihnen nichts vorwerfen kann. Man kann aber sagen, Yori starb nie: es gibt Fälle, in denen der Tod in der Vorstellung der Menschen nicht akzeptiert wird. Natürlich wurden inzwischen Tausende von Pferden nach ihm benannt.

Eine andere Gestalt, die nie realistisch dargestellt wurde, ist Dabeeb. Meist zeigt man sie als Sängerin, als sei dies ihr Beruf gewesen.

In den frühen Morgenstunden waren die meisten eingeschlafen; auch Al•Ith lag im Gras und schlummerte. Dabeeb, die zu traurig war, um zu schlafen, sang leise vor sich hin:

»Ich reite mein Herz donnernd über die Ebene,
Überflügle euch alle und laß auch mich zurück –
Wer bin ich auf dem hohen, stolzen Tier?
Wer weiß besser als ich, wohin ich reiten will?

Oh, ich blicke nicht gern auf mich zurück,
Klein unter den Faulen, den Stubenhockern.
Nein, verwandle meine Zufriedenheit in Hunger,
Bis ich mein Herz ins Hochland reite
Und mich zurücklasse.

Lehr mich meinen Hunger lieben,
Schick mir schwere Winde aus der Wüste...«

»Was singst du?« fragte Al•Ith und richtete sich plötzlich auf.
»Ein neues Lied.«
»Ja, ich weiß. Ich habe es noch nie gehört. Woher kommt es?«
»Aus der Wüste. Aus der Zone Fünf«, antwortete Dabeeb entschuldigend.
»Von *dort*...« Al•Ith kniete, beugte sich vor und preßte erregt die Hände zusammen. Und Dabeeb konnte ein Lächeln nicht unterdrücken.
»Oh, du hast dich so sehr verändert, Al•Ith!«
Sie mußte an die Al•Ith denken, die zum ersten Mal zu ihnen hinunter in die Zone Vier gekommen war – als habe die Erinnerung ein Recht, die Gegenwart zu verdrängen.
Als besäßen das Lächeln und der Zauber jener Königin die Macht, die Frau zu verurteilen, die vor ihr im Gras kniete, während hinter ihr die Berge rot und wild aufglühten: Al•Ith, eine erschöpfte, dünne Frau, die von unsichtbaren Flammen verzehrt zu werden schien.
»Sing das ganze Lied!« bettelte Al•Ith.
»Aber Al•Ith, ihre Lieder sind anders als unsere. Du kennst die Lieder der Zone Vier... sie werden zu unterschiedlichen Zeiten mit unterschiedlichen Worten gesungen. Aber wir kennen den Wortlaut. Manche Lieder lehren wir Wort für Wort unsere Kinder. Manche sind nur für unsere Töchter. Wir warnen sie im voraus, daß sie eine Tracht Prügel beziehen, wenn sie auch nur eine Silbe vergessen. Ja, so ist es bei uns. Aber man hört, daß die Leute dort unten ihre Lieder unterwegs erfinden. Sie reiten durch den Sand – es muß ein schreckliches Land sein: trocken, nicht genug Wasser und heiß genug, um zu verschmoren – eigentlich dürften wir uns in der Zone Vier nicht beklagen... trotzdem tun wir es. Dort unten gibt es Eidechsen, und unter jedem Stein eine Schlange, und Skorpione kriechen dir in den Rock. O ja, entschuldige, das Lied. Was wollte ich sagen... ihre Lieder... ein Trupp Männer reitet durch die Wüste. Einer beginnt mit einer Zeile, ein anderer greift sie auf, fügt eine Zeile hinzu, und so geht es weiter. Sie

erfinden das Lied beim Reiten. Manchmal dauert das einen ganzen Tag und eine ganze Nacht. Bei ihren Festen gibt es Preise für diejenigen, die aus dem Stegreif die schönsten Lieder dichten können. Jemand gibt eine Zeile vor. Ich weiß nicht, was für eine Zeile... sagen wir: ›Hier sitzen wir unter schattigen Obstbäumen‹, o nein, bei den armen Geschöpfen wären es natürlich keine Obstbäume, eher schon Sandstürme. Wir hörten dieses Lied von Ben Atas Leibwache, als die Männer in ihre Dörfer zurückkamen. Es wurde sehr beliebt. Inzwischen singen wir es alle. Aber es würde mich nicht wundern, wenn sie es da unten schon vergessen hätten. Vermutlich singen sie inzwischen etwas anderes.«

»Das es *von dort* kommt«, flüsterte Al•Ith, »*von dort.*«

Man kam überein, daß die Frauen noch ein paar Tage hierbleiben konnten, erinnerte sie aber daran, daß sich das Wetter bald ändern würde. Als Gegenleistung sollten sie bei der Ernte helfen.

Al•Ith, ihr Sohn und Dabeeb ritten zusammen hinauf zu dem blauen Paß. Auf halber Höhe stieg Al•Ith ab und zeigte Dabeeb ein weißes Gerippe im Gras.

Ein wallender, blauer Nebel hüllte die drei ein. Dabeeb fürchtete sich. Es fiel ihr schwer zu atmen. Der kleine Junge, der stark und tapfer war, sah aus, als wolle er weinen, unterdrückte aber die Tränen.

»Ben Ata sagt, Männer weinen nicht«, erklärte er seiner Mutter und seiner Kinderfrau.

Al•Ith bat sie, auf sie zu warten. »Ich kann allein hinaufgehen. Ich gehe jedesmal ein Stück weiter... ich kann inzwischen länger bleiben. Aber heute werde ich nicht bleiben... oh, Dabeeb, wenn du nur wüßtest, wie sehr ich mich danach sehne... ich sehne mich danach, aufgenommen zu werden...«

»Aber ich weiß das, Al•Ith.«

Dabeeb saß mit Arusi neben den großen weißen Knochen und erzählte ihm die Geschichten von dem freundlichsten und liebevollsten Pferd, das je gelebt hatte. Es schien nicht lange,

bis Al•Ith zurückkam. Aber an ihren Augen sah Dabeeb, wie weit sie von ihnen entfernt war.
Al•Ith setzte sich, nahm ihr Kind auf den Schoß, beugte sich über Arusi, blickte ihm in die Augen und flößte ihm ein, was sie von dort mitgebracht hatte.
»Nimm es mit«, flüsterte sie, »nimm es mit zu deinem Vater. Gib es der Zone Vier... zu nähren, zu stärken, zu fördern, zu festigen...«
»Was siehst du dort oben?« fragte Dabeeb.
»Ich *kann* nichts sehen. Aber ich sehe mehr und mehr... dort gibt es Wesen wie Flammen, wie Feuer, wie Licht... als habe sich der Wind in Feuer oder Flammen verwandelt... das Blau ist nur der Nährboden für das wahre wirkliche Licht. Wenn ich meine Augen schließe, Dabeeb...« und sie tat es, »...sehe ich Bilder, Gestalten, Spiegelungen... sie sind edel und rein, Dabeeb. Sie sind nicht wie wir. Für sie sind wir nur... sie bedauern uns und helfen uns, aber wir sind nur...«
So stammelte sie.
Und Dabeeb sagte: »Ja, für sie sind wir nur...«
Dabeeb fühlte sich niedergeschlagen. Al•Ith war für sie ihr Herz, ihr Ich, ihre Schwester, ihre Herrin, ihre Freundin, und Al•Ith entschwand bereits ihrem Reich, ihrer Heimat, während sie, Dabeeb, sich bereitmachte zurückzukehren... hinunter, hinunter, hinunter – es kam ihr vor, als sei ein Urteil über sie gesprochen worden.
Im Obstgarten erklärte sie den Frauen, sie müßten wieder nach Hause zurück, und sie widersprachen nicht. Wie um etwas wiedergutzumachen, sagte sie Al•Ith, der Junge solle bei ihr bleiben, aber Al•Iths Gesicht erinnerte sie, wie sehr sie sich geirrt hatte.
»Es tut mir leid«, trauerte sie, »ich weiß nicht, wieso es dazu gekommen ist, daß ich so sicher war, wir sollten kommen – aber jetzt sehe ich... was ist nur damals in mich gefahren? Ja, ich habe damit Schaden angerichtet. Wir alle wissen das jetzt.«
Mutter und Kind mußten sich trennen, und es war schrecklich. Arusi schwieg wie ein Erwachsener und zeigte seine Trauer nicht. Er saß vor Dabeeb auf dem Pferd, die ihn fest an sich

preßte, ihre Tränen strömten auf seinen kleinen Kopf. Er sah sich nicht mehr nach seiner Mutter um, die ihm mit erstorbenem Gesicht nachblickte.

Auf dem Rückweg herrschte unter den Frauen eine andere Stimmung als bei der Abreise aus dem Tiefland. Sie waren schweigsam und schienen nicht auffallen zu wollen.

Die Menschen an den Straßen bedachten sie mit kritischen Blicken, und in den Gasthäusern wurden sie höflich aufgenommen. Aber diese Höflichkeit ließ sie frösteln.

Die Auswirkungen ihres Fehlers waren tatsächlich schwerwiegend. In der Zone Drei – und wir hatten »die dort unten« nie mit besonderer Freundlichkeit bedacht – sprach jeder von den anmaßenden Frauen mit den schlechten Manieren. Man hatte den Eindruck, es sei von ihnen unvernünftig gewesen, überhaupt zu kommen. Sie richteten schlimmeren Schaden an als die übereifrigen dummen Soldaten, die Al•Ith das erste Mal abgeholt hatten. Und überhaupt stimmte mit diesem ganzen Land etwas nicht: Die Frauen kamen allein in einer Gruppe, so wie zuvor die Soldaten, die Männer – als sei dies die normalste Sache der Welt. Ihre Kleider, auf die sie so stolz gewesen waren, ihre Frisuren – alles an ihnen wurde verurteilt. Das warf auch ein schlechtes Bild auf Al•Ith, die ohnedies irgendwie im Unrecht zu sein schien oder durch die Ehe schlecht beeinflußt worden war. Wir alle stellten die Ehe wieder in Frage und fühlten uns geschwächt: manche zweifelten sogar an den Versorgern – hatten sie einen Fehler begangen, oder waren sie so unvorsichtig gewesen, zuzulassen, daß sie falsch verstanden wurden? Solche Gedanken kannte man bei uns nicht, und in der ganzen Zone breitete sich eine beunruhigende, verstörende Stimmung aus.

In der Zone Vier halfen die Berichte der Frauen dem Werk des langsamen Wiederaufbaus und der Erneuerung nicht. Viele glaubten die Erzählungen über das edle, verfeinerte, subtile Leben nicht. Und niemand verstand sie. Was die Frauen sagten, war nicht unwahr, aber in der Zone Vier gab es noch nichts, das erläutern und widerspiegeln konnte, was sie gesehen hatten. Gerüchte über Gestaltung, Farben, Formen und Geschmack

»dort oben« führten in der Zone Vier dazu, daß plötzlich überall lächerliche Geschmacklosigkeiten auftauchten. Ben Ata mußte sogar ein Gesetz erlassen, das unnütze Extravaganzen verbot. Unmut kam auf, denn man fragte sich: Warum sollen sie es haben, wenn wir es nicht haben können?

Und die Ehe selbst und das Kind, der Thronerbe beider Zonen – obwohl das noch nicht begriffen wurde – wurden zum ersten Mal kritisiert. Man verurteilte Al•Ith als hochmütig und launenhaft, und die öffentliche Meinung zog die neue Königin vor, die Ben Ata im Pavillon besuchte. In der ganzen Zone lachte man über den Klatsch, den die Dienerinnen aus dem Pavillon verbreiteten. An der neuen Königin hatte Ben Ata wenigstens etwas! Sie war ein richtiges wildes Weib! Und diese Art Gerede tat ihnen gut, denn sie konnten sich den Sandfressern »dort unten« überlegen fühlen, anstatt mit der bedrückenden Unzulänglichkeit und Unfähigkeit zu leben, die ihnen durch die Berichte über die Zone Drei vermittelt wurden.

Aber ich greife vor...

Als Dabeeb den Hügel zum Pavillon hinaufritt, den kleinen noch immer traurigen und bekümmerten Arusi an sich gedrückt, stand der Pavillon leer. Die Kinderfrauen waren nach Hause zurückgekehrt, und Ben Ata arbeitete mit ihrem Mann Jarnti an der Aufstellung einer kleineren, wendigeren Armee. Sie nahm Arusi mit nach Hause zu ihren Kindern. Sie wußte, der Junge hatte durch ihren unvernünftigen Besuch gelitten und brauchte jetzt den Trost und die Sicherheit eines Menschen, der ihm von früh an vertraut war.

Ben Ata hörte von der Ankunft der Frauen und kam zurück. Er fand Dabeeb bei seinem Sohn, der ihn wiedererkannte, ihm aber irgendwie zu mißtrauen schien, als jemandem, der immer unberechenbar kam und wieder verschwand.

Ein älteres Kind verließ mit Arusi das Zimmer, und die beiden waren allein.

Dabeeb war dünner und hatte ein einsames, leidendes Aussehen. Ben Ata fand sie auf eine neue Weise schön – was ihn zurückhielt und gleichzeitig an Al•Ith erinnerte.

Sie saßen still in dem nüchternen kleinen Zimmer, das noch nichts von dem neuen Geist verriet, der sich in der Zone Vier ausbreitete. Ben Ata sah sich um und beschloß, etwas zu unternehmen, um dieser schmucklosen Einfachheit abzuhelfen – er ahnte nicht, daß Dabeeb Wunder und Schönheiten gesehen hatte, die sie allem gegenüber gleichgültig machten, was sich hier erreichen ließ, denn nichts davon schien ihr der Mühe wert.

»Ich habe einen großen Fehler begangen«, gestand Dabeeb tapfer.

»Ja, ich glaube, das hast du.«

»Ben Ata, du kannst dir einfach nicht vorstellen, wie wunderbar...« und sie erzählte mit langsamer, schmerzlicher Eindringlichkeit, was sie gesehen hatte. Aber ihre Worte verrieten nur, wie sehr sie verwundert und verletzt worden war.

»Al•Ith«, fragte Ben Ata flehend, »wie geht es ihr? Wie wirkt sie?«

Und nun seufzte Dabeeb und schüttelte den Kopf.

»Ich fürchte, ich kann es nicht erklären. Weißt du, wir können es nicht verstehen... aber irgend etwas ist falsch... das ist mein Gefühl, Ben Ata. Nicht alle Frauen stimmen mir zu – manche glauben, es sei richtig, wie sie jetzt lebt, denn sie war immer eine seltsame Seele, nicht wahr?«

»Aber, Dabeeb, *was* ist falsch?«

»Man könnte glauben, sie wird bestraft. Dieses Gefühl wird man nicht los... es ist ihre Schwester. Oh, Ben Ata, sie ist eine harte Frau!«

»Murti• eine harte Frau?« protestierte er. Er erinnerte sich, was Al•Ith ihm über ihre Schwester erzählt hatte. Sie beschrieb sie als »ihr zweites Ich«.

»Ich habe bereits gesagt – dort lernt man nur, daß sie über uns stehen, und wir verstehen nicht wirklich... aber eins kann ich schwören: Murti• hat sich gegen Al•Ith gewandt. Jedenfalls ist sie froh, daß Al•Ith nicht mehr da ist.«

»Aber *wo* ist sie?«

Nach und nach konnte er sich von allem ein Bild machen und

mußte Dabeeb schließlich zustimmen, daß sie nicht in der Lage waren, das Geschehene zu beurteilen.
Er war entsetzt über Al•Iths fremdartiges Verhalten. Daß sie sich verändert hatte – »Du würdest sie nicht wiedererkennen! Sie hat sich weit von uns entfernt, Ben Ata. Wir können noch nicht einmal hoffen zu begreifen, wohin.«
Aber sofort darauf machte er sich Sorgen um Dabeeb, die er schließlich ebenfalls liebte.
Es kam ihm nicht in den Sinn, sie mit ein paar freundlichen Küssen auf Wangen und Nacken zu trösten und sie dann unter ihrem Protest aufs Bett zu ziehen, nachdem er noch schnell eine Kommode vor die Tür geschoben hatte, um die Kinder am Hereinkommen zu hindern.
Er rückte seinen Stuhl dicht neben ihren, hielt ihre Hände, streichelte ihr über das Haar, umarmte sie, als sie weinte, und so saßen sie zusammen, bis Dabeeb Abendessen für die Kinder kochen mußte, zu denen jetzt auch Arusi gehörte. Sie kamen überein, daß der kleine Junge eine Weile bei ihr blieb, damit er sich geliebt und als Teil ihrer Familie fühlen konnte.
Ben Ata tröstete Dabeeb und besuchte sie oft, um seinen Sohn zu sehen, mehr über Al•Ith zu erfahren und mit ihr zu besprechen, was als nächstes zu tun sei.
Denn wenn Al•Ith ihn nicht besuchen würde, wollte er sie besuchen.
Aber nichts geschah. Die Trommel schwieg. Keine Botschaft kam. Das Kind, das schließlich der Thronerbe zweier Reiche war, entwickelte sich gut in diesem einfachen Haushalt.
Als die Trommel schlug, schlug sie für Vahshi. Sie wollte nicht kommen. Er mußte gehen und sie holen. Die beiden kamen mit einer doppelten Eskorte zurück: ihre wilden Wüstenreiter und Ben Atas Soldaten in Formation. Die Männer aus der Wüste schwärmten aus und verrieten mit wilden Schreien und Rufen ihre Überraschung und Abneigung gegen dieses sichere, brave und zahme kleine Königreich, während die Soldaten unbeirrt marschierten, den Blick geradeaus.
Solange Vahshi bei Ben Ata lebte, ritten die Männer aus der

Wüste durch die ganze Zone, denn ihre Natur sträubte sich dagegen, an einem Ort zu bleiben. Was sie den Frauen, die sie verführten, und den staunenden jungen Männern über ihre Heimat erzählten, trug zur Verwandlung und Veränderung der Menschen bei. Als Vahshi in ihr Reich zurückkehrte, begleitete sie eine Kompanie junger Freiwilliger, die Ben Ata um Erlaubnis gebeten hatten, das abenteuerliche Wüstenleben kennenzulernen.

Und danach – geschah nichts. Al•Ith kam nicht. Und Ben Ata wurde nicht gerufen. Dabeeb wußte ebenso wie der König, daß wegen der ungünstigen Auswirkungen der unüberlegten Reise der Frauen die Pläne geändert worden waren. Sie litten unter der Ungewißheit.

Es war für alle eine schwere Zeit! – aber auch eine aufregende und herausfordernde Zeit, denn alles war neu...

Das galt besonders für die Männer... meist ältere oder Männer in den mittleren Jahren, für die die Armee das Leben bedeutet hatte.

Zum Beispiel Jarnti.

Es war nicht so, daß er in der geschrumpften Armee nichts mehr zu tun hatte, aber der Glanz war geschwunden.

Er war jetzt oft zu Hause. In dem kleinen Haus mit Garten im Quartier der Verheirateten schien sich ein Dutzend Kinder jeden Alters zu tummeln. Für ihn war kein Platz, und er hatte nichts zu tun – wenn er sich nicht dazu entschloß, Türen zu reparieren, Wände zu streichen... und ähnliches. Er erledigte diese Aufgaben zusammen mit den älteren Jungen. Sie freuten sich, ihren Vater um sich zu haben, den sie vorher kaum zu Gesicht bekommen hatten. Aber er arbeitete mit einem Anflug fassungsloser Ungläubigkeit, die verriet, daß er an diese Rolle nicht so recht glauben konnte. Dabeeb beobachtete ihn bei der Arbeit. Sie war ihm dankbar, teilte aber auch sein Unbehagen, denn sie wußte, was es ihm abverlangte.

Manchmal ging er ruhelos mit großen Schritten durch das kleine Haus. Dann wurde es noch kleiner, armseliger und schäbiger. Man konnte nicht leugnen, dieser große General blieb selbst in alten Uniformen, die schon lange in das Zivil-

leben verbannt waren, denen Streifen und Glanz fehlten, ein Soldat.
Das Fenster eines Vorderzimmers ging auf den Hügel, auf dem der Pavillon anmutig inmitten der Gärten stand. Dahinter erhoben sich die Berge der Zone Drei. Manchmal stellte er sich einen Klappstuhl dorthin, setzte sich und starrte geradeaus, denn die so lange gestraften und niedergezwungenen Muskeln konnten seinen Kopf nicht heben.
Hin und wieder kam Dabeeb ins Zimmer und sah, wie er sich abmühte, den Kopf zu heben und zurückzulegen – ohne Erfolg. Dann schlich sie sich wieder hinaus, denn sie fürchtete, er würde bemerken, daß sie sein Unvermögen beobachtet hatte. Sie wollte seinen Stolz nicht verletzen, denn sie bedauerte ihn sehr.
»Verstehst du, Dabeeb, mein ganzes Leben war umsonst!«
»Nein, wie könnte das sein, mein Lieber.«
»›*Wie könnte das sein*‹… sprich nicht in diesem Ton mit mir! Aber was war ich mein ganzes Leben lang? Und was bin ich jetzt?«
Dabeeb stand hinter ihm und seufzte mitfühlend, während er rittlings auf dem Klappstuhl saß und dumpf und gequält geradeaus blickte.
»Weißt du, wie das ist? Ich bin mein ganzes Leben nur eins gewesen. Das bin ich.«
»Vielleicht bist du nicht nur das«, tröstete Dabeeb.
»Ich kann diesen Ton nicht ertragen! Wieso kannst du mich nicht von deinen verwöhnten Gören unterscheiden?!«
»Es tut mir leid, aber ich glaube nicht…«
»Es ist gleichgültig, was du glaubst! Mein Leben – ist dahin, entwertet, ausgewischt. Früher waren wir stolz auf unsere Armee. Wir konnten den Kopf genauso hoch tragen wie die Allerbesten…« Aber er brach unvermittelt ab. Die Stille vibrierte, denn dieser unglückliche Satz stand noch im Raum.
»Jedenfalls wußten wir, wo wir standen. Aber plötzlich, von einem Tag auf den anderen, hat sich alles ins Gegenteil verkehrt – ist Schwarz plötzlich Weiß.«
»Es tut mir leid, Jarnti.«

»Es ist ganz egal, ob es dir leid tut oder nicht! Und mein Vater? Wozu wird das Leben meines Vaters! Er erfüllte seine Pflicht, und das war sein ganzes Leben. Und *sein* Vater – was macht diese Kehrtwendung aus uns allen? Ein Nichts... mehr sind wir nicht!«

»Aber, mein Lieber...«

»Wage ja nicht, mir jetzt eine Tasse heiße Milch oder ein Häppchen anzubieten... ich verprügel dich, wenn du das tust, und das ist auch so eine Sache. Wieso bist du plötzlich so zerbrechlich, daß man dich nicht mehr anfassen darf. Man könnte glauben, du wirst in tausend Stücke zerspringen, wenn ich dich auch nur anrühre. *Ich bin nicht dein Kind, Dabeeb.* Ich verstehe nicht, wieso mir erst jetzt klar wird, daß du mich wie ein Kind behandelst!«

Dabeeb schwieg. Das Bedürfnis zu trösten, zu stützen, zu besänftigen und stärken, überwältigte sie. Sie hatten beide ihre Aufgabe verloren!

Manchmal kam sie leise ins Zimmer, in dem er Tag für Tag saß und versuchte seinen Kopf zu heben – und das im Kampf gegen Gewohnheiten und Disziplin von Lebenszeiten nicht nur seiner, sondern auch der seiner Vorfahren –, um längere Zeit zu den einst verbotenen Bergen hinaufzusehen. Und Dabeeb setzte sich schweigend neben ihn. Sie hoffte, ihn wenigstens durch ihre Anwesenheit zu trösten.

Inzwischen lehrte sie ihre Kinder insgeheim, sie müßten ihren Vater für das achten, was er einmal gewesen war, und noch mehr für seine jetzigen tapferen Bemühungen. Sie sagte ihnen auch, sie müßten ihren Geist üben, ihn auf dieses hohe Land richten, das über ihnen lag. Dann könnten auch sie aus seinen Einflüssen Nutzen ziehen, wenn sich die Gelegenheit bot. Dabeeb war Arusi eine liebevolle Ziehmutter. In dieser Zeit dachte sie insgeheim oft an Al•Ith und identifizierte sich mit ihr; denn während Al•Ith sich danach sehnte, ihr Land zu verlassen, nahm Dabeeb innerlich Abschied von Zone Vier.

Manchmal setzte sie sich zu ihrem alten Mann – denn die Erschütterung, mitansehen zu müssen, wie seine große Armee abgewertet und zerstört wurde, hatte ihn altern lassen. Dann streckte sie die Hand aus, berührte ihn sanft und hoffte, er würde dies nicht als Geste auffassen, mit der man sich einem Kind nähert. Manchmal ergriff er ihre Hand, beugte sich vor und starrte sie mit brennenden Augen an, als habe er sie noch nie zuvor richtig angesehen.

»Dabeeb!« sagte er dann mit gebrochener Stimme, aber hartnäckig, »Dabeeb, du redest von den Versorgern. Du sprichst von ihnen... wenn man dir zuhört, könnte man glauben, du kennst sie. Aber sie nehmen uns alles. Das tun sie... sie leiten dich in eine Richtung, oder lassen dich dein ganzes Leben lang in eine Richtung gehen, und daraus beziehst du deine Kraft. Du glaubst, das sei alles und dann... pff! Vorbei! Aus... was sagst du dazu, Dabeeb? Sag es mir!«

»Wir müssen glauben, daß sie wissen, was sie tun, mein Lieber.«

»Müssen wir das? Tun wir das? Ich bin mir da nicht so sicher.« Und er wandte sein eigensinniges, kantiges Soldatengesicht ab. Sie sollte die Tränen in seinen Augen nicht sehen. »Verstehst du nicht, Dabeeb? Es geht nicht nur darum, daß man uns *jetzt* einfach sagt, die Armee sei nichts, und unser altes Leben, auf das wir so stolz waren, sei nichts, und das einzig Wahre sei, Scheunen zu bauen und Entwässerungsgräben zu ziehen. Aber das macht auch aus unserer Vergangenheit ein Nichts. Begreifst du das? Nur Seifenblasen und Schrott.«

»Ich sehe das nicht so, Jarnti.«

»Du nicht? Ich schon.«

Erst als fünf Winter nach Dabeebs Rückkehr aus der Zone Drei vergangen waren, ging Dabeeb zum König und sagte, für ihn sei die Botschaft gekommen, die Zone Drei zu besuchen. Fast ehe sie ausgesprochen hatte, saß er im Sattel und galoppierte davon.

An der Grenze wurde er aufgehalten. Nicht von seinen Soldaten, seinen Wachposten, sondern von einem Trupp junger Männer und Frauen der Zone Drei. Sie waren bewaffnet und bedrohten ihn. Ben Ata war so überrascht, daß er sprachlos auf dem Pferd saß und sie anstarrte. Wie konnte man ihn aufhalten, nachdem die Versorger den Befehl erteilt hatten? Und außerdem staunte er über die Waffen. Denn so etwas kannte er nur von altertümlichen Abbildungen veralteter Waffen. Die jungen Leute trugen Knüppel und Schleudern. Außerdem hatten sie Peitschen mit Gewichten oder Steinen am Ende der Schnur. Manche hielten große Steine in der Hand. Sie trugen die übliche Kleidung der Zone Drei und wirkten wie höfliche Zivilisten. Die Waffen waren nicht zu verachten – es genügte, um den König und seine Soldaten zu reizen... Vor nicht allzu langer Zeit hätte Ben Ata gelacht, und seine Männer hätten sich auf die Schenkel geschlagen. Sie hätten sich einen Spaß daraus gemacht, diese armen Leute zu jagen und gefangenzunehmen. Danach hätten sie ihre Gefangenen gequält, wie unwissende Kinder es mit Tieren tun. Aber jetzt hielt Ben Ata seine Soldaten zurück, blieb ruhig auf dem Pferd sitzen und dachte nach. Dann schickte er die Männer weg und ritt geradewegs zu Dabeeb.

»Enthielt die Botschaft etwas, das du mir verschwiegen hast?«

Dabeeb nickte und sagte: »Aber es erschien mir so lächerlich, Ben Ata...«

Die Botschaft hatte gelautet, er solle seine Armee mitnehmen.

Dabeeb und Ben Ata saßen ernüchtert zusammen. Sie redeten über die Angelegenheit, und Ben Ata ging zu Jarnti, um sich mit ihm zu besprechen. In der Zone Vier galt inzwischen folgende Regelung: Alle jungen Männer mußten zwei Jahre Militärdienst leisten. Danach wurden sie für unbestimmte Zeit beurlaubt. Dadurch sollte sichergestellt werden, was Ben Ata für unverzichtbar hielt: Jeder junge Mann mußte Disziplin und Ordnung lernen. Er bat Jarnti um drei Kompanien mit je hundert Mann. Sie waren mit Gewehren, Schwertern und Messern bewaffnet. Aber Ben Ata legte besonderes Gewicht auf ihre äußere Erscheinung und verwendete darauf besondere Mühe.

Als er wieder die Grenze erreichte, ritt er in voller Gefechtsausrüstung an der Spitze seiner Soldaten. Sie waren alle über und über mit Waffen bestückt. Helme glitzerten, die Lanzen waren eingelegt, und in den berühmten Spiegelhemden brach sich das Licht. Eine Trommel schlug, und die Fanfaren schmetterten.

Die Gruppen junger Leute mit ihren Steinen und Stöcken blieben nur zum Schein unbeeindruckt auf ihrem Posten, ihre

Verblüffung machte sie wehrlos, denn sie hatten nicht wirklich begriffen, daß eine Armee so unerbittlich und unnachgiebig sein konnte. Sie wußten nicht, daß aus dreihundert Männern ein Mann werden konnte – daß der individuelle Wille völlig in diesem größeren, furchteinflößenden Willen aufgehen konnte.

Und Ben Ata selbst, der Ehemann ihrer Al•Ith, war eine große und abschreckende Gestalt: Seine mächtigen Beine waren bis an die Oberschenkel nackt; seine Arme wirkten wie Baumstämme. Sein enggeschnürtes Lederwams erschien ihnen so abscheulich, daß man strafenden oder sadistischen Charakter vermuten mußte. Und auch sein Metallhelm war ein Zeichen innerer Brutalität.

Und so brachten die marschierenden Soldaten auf ihrem Weg von der Grenze zum Paß, und über die Ebene zur Hauptstadt jeden Widerstand zum Erliegen. Sie passierten Gruppe um Gruppe, die sich für kriegerisch und sogar furchterregend gehalten hatte. Aber jetzt standen sie wie gelähmt, entwaffnet von ihrer eigenen Unschuld, am Straßenrand und starrten auf die Soldaten.

Abends schlugen Ben Atas Männer ein Lager auf. Um die Mittagszeit des nächsten Tages erreichte das Heer den kleinen Platz. Ben Ata stieg nicht vom Pferd, sondern ritt bis zum Fuß der Treppe, die zu Al•Iths Palast hinaufführte, und wartete dort. Gesichter erschienen in den Fenstern, von überall strömten Menschen herbei, blieben flüsternd stehen und starrten die Soldaten an.

Schließlich kam Murti• die Stufen herunter – wie beim Treffen mit Dabeeb allein.

Ben Ata verlor bei ihrem Anblick beinahe die Fassung. Denn sie schien Al•Ith zu sein, mit all ihrem grazilen Zauber, aber übertragen auf die Blondheit der wilden, hinreißenden Vahshi, die ihn so entzückte und zugleich erzürnte.

»Wie ich sehe, bist du mit deinem ganzen Heer gekommen, Ben Ata«, sagte sie.

»Kaum dem ganzen Heer, Murti•.«

»Aber mit dem Heer… bewaffnet.«

»Wie deine jungen Leute an der Grenze.«
»Sie taten ihr Bestes.«
»Und ich tue, was man mir befiehlt.«
Er blickte ihr ins Gesicht. Sie erwiderte den Blick, aber dann senkte sie die Augen und seufzte.
»Bist du nicht mehr gehorsam, Murti•?«
»Nur wenn ich genau weiß, was ich tun soll.«
Sein Pferd tänzelte, warf den Kopf hin und her und versuchte, sich von der Trense zu befreien.
Murti• beobachtete es mit einem geringschätzigen Lächeln.
»Ja, ich weiß«, sagte er, »wir sind eben anders. Aber in einer Hinsicht müssen wir gleich sein.«
»Ben Ata, in unserem Reich herrschte einmal Friede. Zufriedenheit. Niemand dachte an Veränderung und Zerstörung.«
»Murti•, Zufriedenheit ist nicht das höchste Gut.«
Wieder begegneten sich ihre Augen. Sie hielten den Blick – und hielten ihn. Sie sah nicht zur Seite.
Er lächelte schwermütig.
»Was gibt es da zu lächeln?«
»Ich dachte an die Kämpfe zwischen mir und Vahshi aus der Zone Fünf. Sie verteidigt die uneingeschränkte Freiheit, Willkür – Anarchie. Wie ich es sehe. Für sie vertrete ich das Gesetz. Selbstgefälligkeit. Zufriedenheit, um nicht zu sagen... Überheblichkeit.«
Murti• erlaubte sich ein kurzes Lächeln und wurde dann wieder ernst.
»Was ist das für eine Frau, deine neue große Königin, Ben Ata?«
»Die große Königin der Zone Fünf ist die Führerin eines Stammes von mehreren hundert Menschen. Weil sie sehr geschickt und tapfer ist, gelang es ihr, fünfzig andere arme Stämme zu unterwerfen. Sie leben alle in einem schmalen Wüstenstreifen entlang unserer Grenze. Die Zone Fünf ist ein reiches, handeltreibendes Land. Man kennt dort ebensoviele Sorten Getreide, Bäume und Obst wie bei euch. Aber dieser

Frau gelang es, alle Bewohner tributpflichtig zu machen, denn sie waren träge und selbstgefällig. Sie plünderte und raubte sie nach Belieben aus.«
»Wie man sieht, liebst du bei deinen Frauen Abwechslung.«
»Aber Vahshi terrorisiert den Rest der Zone nicht länger, denn ich lasse es nicht zu. Denn ich bin stärker als sie.«
»Eine erbauliche Geschichte, Ben Ata.«
»Ich nehme an, du willst mich daran hindern, Al•Ith zu sehen?«
Sie erwiderte trotzig: »Ich versuche eher, Al•Ith zu hindern – das ist nicht so leicht zu erklären.«
»Unordnung zu schaffen?«
»Ja.«
»Murti•, ich glaube, gleichgültig welche Auswirkungen unsere Ehe auch haben mag, es ist zu spät, etwas daran zu ändern.«
»Wir können Schlimmeres verhindern... diese dummen Frauen zum Beispiel, die hierher kamen und sich lächerlich machten.«
»Ja. Das war ein Fehler. Das war *Ungehorsam.*«
Murti• seufzte und schwieg lange.
»Ich kann dich nicht daran hindern, zu Al•Ith zu gehen«, sagte sie, »du bist stärker als wir. Ich wußte es nicht! Bis ich deine Armee heute sah, wußte ich es einfach nicht. Und ich bewundere sie nicht, Ben Ata.«
Mit diesen Worten drehte sie sich um und ging in den Palast zurück.
Ben Ata ritt mit seinen Männern in den Nordosten.
Und das war geschehen:
Bald nach Dabeebs Rückkehr in die Zone Vier kam eine Frau in Al•Iths Dorf, fragte nach ihr und wurde in die Ställe geschickt. Sie bat darum, bleiben und hier arbeiten zu dürfen. Sie wolle bei Al•Ith bleiben, erklärte sie. Man fand Arbeit für sie. Bald kam wieder jemand – diesmal ein junger Mann. Bis zum Ende des Winters hatten sich ein Dutzend Leute eingefunden, und das Dorf konnte beim besten Willen niemanden mehr aufnehmen. Aber im Frühling kamen noch mehr. Man sprach

darüber in den Nachbardörfern und dann auch im weiteren Umkreis. Eines Tages kam Murti• und setzte sich mit Al•Ith in den Obstgarten. Das Zusammentreffen war für beide schmerzlich. Sie hatten sich einander so sehr entfremdet, obwohl doch früher ihre Gedanken in gleichen Bahnen gelaufen waren, und selbst wenn sie nicht zusammen gewesen waren, hatten sie gewußt, was die andere tat oder tun wollte.

Murti• hatte sich verändert. Sie war strenger, älter, urteilender.

Al•Ith war nur noch der Schatten einer Frau, ausgebrannt.

»Du mußt von hier weggehen, Al•Ith«, sagte Murti•, und weil es ihr schwerfiel, klang es abrupt und hart, »und du darfst nicht mehr in dieses Reich zurückkommen.«

»Wo soll ich dann leben?«

»Dort, wo du jetzt lebst – wie es scheint. Wie ich höre, bist du jenen dort näher als uns.«

»Du verstehst nicht.«

»Ich verstehe, was ich sehe.«

»Das ist nicht viel, Murti•«, sagte Al•Ith sanft aber mit Nachdruck. Murti• schwieg eine Weile.

Dann sagte sie: »Ich muß dich etwas fragen, Al•Ith. Ich weiß, du wirst mir aufrichtig antworten. Angenommen vor deiner Ehe mit Ben Ata, als wir alle in Frieden lebten, und die Dinge waren, wie sie sein sollten...«

»Aber Murti•«, unterbrach Al•Ith sie vorwurfsvoll, »du weißt sehr gut...«

»Nein! Du mußt mir zuhören. Hör zu! Früher warst du unsere Al•Ith, und wir waren dein Volk. Stell dir vor, damals hättest du erfahren, daß sich in unserer Zone ein wilder, aufrührerischer Geist verbreitete und Unruhe stiftete, und daß die Leute von allen möglichen Veränderungen und Aufgaben redeten, von denen noch nie jemand etwas gehört hätte, so daß alles verändert wäre und sogar die Tiere verstört wären. Hättest du dann etwas unternommen, um dem ein Ende zu setzen?«

»Natürlich«, antwortete Al•Ith, »aber...«
»Das genügt«, sagte Murti•.
Murti• stürzte bereits davon, verzweifelt, als wolle Al•Ith sie verfolgen und sogar verletzen. Sie hatte das Pferd erreicht, als Al•Ith rief: »Murti•!«
Murti• sprang wie gehetzt auf ihr Pferd.
»Murti•«, wiederholte Al•Ith, aber diesmal leise und befehlend.
Und sie zügelte ihr Pferd, wandte sich ihrer Schwester zu und hörte sie an.
»Du hast vergessen, Murti•! Es stand schlecht um uns, ehe ich zu Ben Ata geschickt wurde. Wir waren bekümmert, mutlos, und wir litten. Es wurden keine Kinder mehr geboren *wie vorher*, und den Tieren ging es nicht besser als uns.«
»Davon weiß ich nichts«, sagte Murti• hastig und wütend. Aber sie ritt nicht davon, sondern hörte zu, gebannt von Al•Iths Macht über sie.
»Aber so war es. Und jetzt haben wir anstelle von Trägheit, Mutlosigkeit und Leid, anstelle sinkender Geburtszahlen und Tieren, die sich nicht paaren, das Gegenteil. Das Gegenteil, Murti•!«
Aber das war für Murti• zuviel. Sie wendete das Pferd und galoppierte davon, als habe Al•Ith gefährliche und bösartige Tiere auf sie gehetzt.
An dieser Stelle möchte ich über eine Beobachtung sprechen, die uns allen nicht ganz unbekannt ist:
Wenn zwei Menschen einander sehr nahestehen, wie es bei Al•Ith und ihrer Schwester der Fall war, und der eine entfernt sich, macht neue Erfahrungen, die sich sehr von der früheren Harmonie und dem gegenseitigen Verstehen unterscheiden oder sie stören, scheint sich der zurückgebliebene Partner oft zu verschließen, vielleicht sogar in sich selbst zurückzuziehen, als schütze er eine Wunde oder eine bloßliegende und verwundbare Stelle... ja, aber dies war die Zone Drei, und diese Art des Verhaltens war bei uns in der Form unbekannt: kurz gesagt, wir benahmen uns nicht so plump. Wir, die wir zusahen, hatten das Gefühl, Murti• sei trotz allem durch ihre Schwe-

ster der Zone Vier ausgesetzt, obwohl ihr der Gang dorthin erspart geblieben war. Schließlich war Al•Ith ihr zweites Ich: Murti• war dem »dort unten« nicht entgangen, obwohl es vielleicht so aussah. Keiner von uns hatte dieses gedankenlose, sogar rachsüchtige Benehmen von Murti• erwartet.

Es gibt Bilder, die Murti• mit strengem und verbittertem Gesicht auf ihrem Pferd zeigen, wie sie auf die arme Al•Ith hinunterblickt, die Ausgestoßene, die bei ihren demütigen Tieren steht.

Ganz sicher hat es sich so zugetragen, und es ist soweit auch wahrheitsgetreu festgehalten worden. Aber ich habe oft über diese Szene nachgedacht, und in Wirklichkeit bedaure ich Murti• mehr als Al•Ith. Dies ist nicht Murtis• Geschichte. Ich habe nicht die Zeit, sie hier zu erzählen. Aber es genügt, folgendes anzudeuten: Wenn sie auf indirekte und schwer verständliche Weise durch Al•Iths Aufenthalt in der sumpfigen Zone litt, erlebte sie auch auf indirekte Weise etwas von dem, was Al•Ith bei ihrer langsamen Osmose mit Zone Zwei widerfahren sollte und widerfuhr. Murti• war lange Zeit unsere liebenswerte, liebevolle und bewunderte Herrscherin – sie ist es trotz ihres hohen Alters noch immer, obwohl sie sich seit langem zurückgezogen hat, um anderen Platz zu machen; unter ihnen auch Arusi. Aber seit der Trennung von Al•Ith umgab sie immer etwas Rätselhaftes, Fernes und vor allem Einsames – und ich glaube, wenn wir in der Lage wären zu wissen, was in ihr vorgeht, würden wir feststellen, daß sie auf ihre Weise inzwischen nicht sehr weit von Al•Ith entfernt ist.

Am Tag nach Murtis• Besuch bei Al•Ith erschien eine Gruppe junger Leute. Sie waren auf ihre anfängerhafte, aber sicher sorgfältige Weise bewaffnet und forderten Al•Ith auf, ihnen zu folgen. Was sie taten, war ihnen nicht peinlich. Al•Ith konnte kaum glauben, daß dies die Leute waren, unter denen sie noch vor kurzem wie eine Schwester gelebt hatte. Damals gehörte sie wie ein unsichtbarer Teil zu ihnen, den beide Seiten kannten und als selbstverständlich hinnahmen.

Alles, was Al•Ith dachte, war ihnen einsichtig, und Al•Ith verstand ihre Gedanken. Jetzt stand zwischen ihnen und ihr eine Barriere. Sie sahen Al•Ith, sahen aber nicht *sie*...

Die Männer brachten sie an den Fuß der Paßstraße, die hinauf in die blauen Nebel führte. Dort stand eine kleine Hütte, eine Art Schuppen. In einem kleinen Garten konnte sie Gemüse ziehen, und auf der Wiese stand ein Kuh. Murti• hatte ihnen aufgetragen, die Hütte mit dem Notwendigsten auszustatten. Die jungen Männer zogen sich zurück und bildeten eine Kette. Von dieser Zeit an standen sie Wache. Es waren keineswegs schreckenerregende oder unangenehme Wächter, sondern lediglich eine Gruppe junger Leute, die sich ständig ablösten, denn man erwartete von ihnen nicht, ihr Leben dort zu verbringen. Aber trotzdem war es eine Wache, die verhinderte, daß Al•Ith in ihre Zone zurückging, und auch ihre Freunde, die mit ihr zusammen sein wollten, wurden daran gehindert, sich ihr zu nähern.

Al•Ith beobachtete, wie sich ihre Freunde auf der anderen Seite der Postenkette versammelten. Es waren ungefähr fünfzig. Sie blickten hinauf zu Al•Iths kleiner Hütte, und sie winkte ihnen zu. Sie unterhielten sich mit den Wächtern, aber man ließ sie nicht vorbei. Sie berieten sich und verschwanden. Sie suchten alle in den Dörfern und auf den Bauernhöfen der Umgebung Unterkunft, was Al•Ith natürlich nicht wissen konnte. Immer mehr Menschen, die sich zu Al•Ith hingezogen und mit ihr verwandt fühlten, zogen aus, um sie zu finden. Und auch sie ließen sich in den nordwestlichen Gebieten unserer Zone nieder. Sehr bald lebten in allen Dörfern und auf den Bauernhöfen in weitem Umkreis beinahe nur noch solche Menschen.

Ben Ata erfuhr das alles in dem Dorf, in dem Al•Ith gelebt hatte. Er hielt immer wieder unterwegs an, um sich mit den vielen Menschen zu unterhalten, die in ihrer Nähe sein wollten. Ihnen allen war etwas gemeinsam, obwohl man es anfänglich nicht sah. Aber nachdem man sie besser kennenlernte, zeigte es sich wie ein Brandmal. Jeder litt an der Unfähigkeit, in der Zone Drei zu leben, als sei er ihrer überdrüssig. Wo andere von uns ohne nachzudenken in dieser besten aller Welten glücklich lebten, sahen sie nur Hohlheit. Für sie war alles schal, und sie erwarteten nur Leere, und bereits ehe sie es wußten, waren sie Anwärter auf die Zone Zwei – lange bevor ihnen Al•Iths lange Wache den Weg dorthin geöffnet hatte.

Ben Ata brachte seine Soldaten bei diesen freundlichen Menschen unter und übergab ihnen auch sein Pferd. Dann ging er die Paßstraße hinauf zu der kleinen Hütte, in der seine Frau lebte.

Sie saß auf einem Stuhl vor der Tür. Als er näher kam, sprang sie auf und blickte sehnsüchtig suchend – wie er sofort erkennen konnte – nach ihrem Sohn.

»Es tut mir leid, Al•Ith. Aber sie haben nichts von Arusi gesagt.«

Sie nickte, lächelte und blieb wartend stehen. Er trat zu ihr, ergriff ihre Hände und seufzte, und dann setzten sie sich nahe nebeneinander auf die Türschwelle und lächelten.

»Oh, Al•Ith«, sagte er, »es ist schon gut, daß ich gekommen bin, um mich um dich zu kümmern.«

Bei diesen Worten lachte sie unwiderstehlich, in ihrer alten Art, und im nächsten Moment lachten sie beide.

»Aber du bist eine Gefangene!«

»Ich habe darunter gelitten – ich habe sehr gelitten. Aber jetzt nicht mehr.«

»Du wirst keine Gefangene mehr sein. Mir kommt es vor, als freue sich Murti• darüber, daß ich stärker bin als sie – zumindest in diesem Punkt.«

Und er erzählte ihr alles, berichtete ihr die Neuigkeiten der letzten Jahre und erklärte alles, was geschehen war.

Er erwähnte Vahshi erst, als sie ihn danach fragte. Dann lachte er in einer Mischung aus Vergnügen, Staunen und Zorn und erzählte ihr alles. Einen Moment lang standen Al•Ith die Tränen in den Augen. Die sie aber entschlossen abwischte.

»Sie ist wie ein Kind«, sagte er, »du kannst es dir nicht vorstellen. Sie glaubt, wenn sie etwas will, muß sie es auch

bekommen. Sie hat sich gebessert – glaube ich. Und sie hat Wutanfälle – so etwas hast du noch nicht gesehen! Aber auch das ist besser geworden – na ja, ein bißchen...«
Er sah ihr Gesicht und küßte sie.
»Oh, Al•Ith, ich mußte sie lieben – nachdem ich dich gekannt hatte!«
Sie nahm es auf, wie es gemeint war, und lächelte.
Sie hielten sich in den Armen, saßen Wange an Wange und blickten zum Paß hinauf, wo die blauen Nebel hingen. Sie fühlten sich noch immer verheiratet, obwohl sie so endgültig getrennt worden waren.
Ben Ata blieb ein paar Tage. Er entließ die Wachen, die nur zu bereitwillig gingen, denn es fiel ihnen von Tag zu Tag schwerer, an ihre langweilige Aufgabe zu glauben. Er wollte Al•Ith in einem Haus oder an einem geeigneten Ort in einem Dorf in der Nähe unterbringen, aber sie erklärte, inzwischen habe sie die kleine Hütte liebgewonnen und wolle sie nicht mehr verlassen. Ihre Freunde – denn dafür hielten sie sich – konnten zu ihr kommen und mit ihr sprechen, und Al•Ith besuchte sie.
Ben Ata kam in diesem Jahr noch einmal, dieses Mal ohne Soldaten, und er brachte ihren Sohn und Dabeeb mit. Als sie wieder nach Hause zurückkehren mußten, ließ Ben Ata Arusi bei Murti•, damit er das Leben der Zone Drei kennenlernte.
Dabei blieb es – aber nicht allzu lange. Eines Tages ging Al•Ith die Straße hinauf in die andere Zone und kehrte nicht mehr zurück. Einige ihrer Freunde verschwanden auf dieselbe Weise – ebenso kommen, allerdings nicht oft, immer einige Leute aus der Zone Vier zu uns, weil sie sich von unserer Zone angezogen fühlen. Manchmal bleiben sie ihr ganzes Leben lang hier. Dabeeb war eine von ihnen.
Es entstand jetzt eine ständige Bewegung von Zone Fünf zu Zone Vier, und von Zone Vier zu Zone Drei – und von uns hinauf zum Paß. Es herrschten jetzt Leichtigkeit, Frische, Suche, Neubeginn und Begeisterung, wo es nur Stillstand gegeben hatte. Und geschlossene Grenzen.
Denn so sehen wir es jetzt alle.

Die Bewegung verläuft nicht nur in eine Richtung – keineswegs.
Zum Beispiel sind unsere Lieder und Geschichten nicht nur in dem sumpfigen Reich »dort unten« bekannt – wie ihre bei uns –, sondern werden auch an den Lagerfeuern in der Wüste und in den Zelten der Zone Fünf erzählt und gesungen.